Univers des Lettres Bordas

Sous la direction de Fernand Angué

Mme DE SEVIGNE

LETTRES CHOISIES

avec une notice sur la vie, les lettres et la personnalité
de Mme de Sévigné, une analyse méthodique des
lettres choisies, des notes, des questions, une étude
de l'œuvre, des thèmes de réflexion et des sujets
de devoirs

par

Henri BAUDIN

Agrégé des Lettres
Professeur à l'Université
des Sciences sociales de Grenoble (I.U.T. - II)

Bordas

Manuscrit d'une lettre de Madame de Sévigné

© Bordas, Paris 1968 - 1ʳᵉ édition
© Bordas, Paris 1985 pour la présente édition
I.S.B.N. 2-04-016098-1; I.S.S.N. 0249-7220

LA VIE ET L'ŒUVRE
DE MADAME DE SÉVIGNÉ

Les deux sources　Dès 1118, il est fait état d'un Mayeul
(1118-1626)　　de Rabutin, Bourguignon; durant cinq
　　　　siècles se succéderont des Rabutin folle-
ment braves et spirituels; d'où le mot *rabutinade :* « trait
d'esprit à la façon de Rabutin » (Littré). Au XVIIe siècle, exis-
tent trois branches : l'aînée, Rabutin-Chantal, celle de Mme de
Sévigné; la cadette, Rabutin-Bussy, celle du cousin Bussy; la
mineure, Rabutin-Chamuigy.

　En 1512 il est fait mention de Pierre Coulanges, Auvergnat,
dont le fils devient homme d'affaires, et le petit-fils grand financier et tout-puissant gabelou; ce dernier est père de huit enfants
vivants, dont le deuxième, une fille, Marie, épouse en 1623
Celse de Rabutin-Chantal, baron aussi pauvre que brillant, fils
de sainte Jeanne de Chantal, la fondatrice de l'ordre de la Visitation. Le 5 février 1626 naîtra MARIE DE RABUTIN-CHANTAL,
la future Mme de Sévigné.

Enfance et adolescence　Son père meurt en combattant en
(1626-1644)　　juillet 1627, et elle vit avec sa mère
　　　　dans la grande maison Coulanges
à Paris ou le domaine campagnard de Sucy-en-Brie, pleins
d'abondance et de jeunesse (les enfants du financier, ses oncles
et tantes, ont alors entre neuf et trente et un ans); là s'épa-
nouissent sa sociabilité et sa gaieté. Quand sa mère meurt en
1633, elle est prise en charge par l'aîné de ses oncles, PHILIPPE
DE COULANGES, et la femme de celui-ci, née d'Ormesson, et
mère d'un petit Emmanuel, le futur chansonnier. Par un singulier paradoxe, cette orpheline connaît une enfance heureuse au
sein du large groupe familial Coulanges. Elle y est richement
élevée, comme ses cousins Coulanges ou La Trousse, avec
maîtres pour l'équitation, la danse, le chant, la déclamation, et
elle étudie les lettres (littérature française romanesque et cornélienne, langue et littérature italiennes, à la perfection; espagnol et latin, une teinture honorable) avec les conseils de l'illustre Chapelain, ami des La Trousse, puis de l'abbé Ménage, joli
garçon (il a vingt-huit ans quand Marie en a seize), savant et
spirituel, qui ne tarde pas à s'éprendre d'elle, comme d'ailleurs

les jeunes oncles ainsi que le cousin Bussy, fine lame au propre et au figuré, esprit pétillant et cultivé, plein de gaieté comme Marie, avec qui il s'entendait à demi-mot et riait à cœur joie. Mais à dix-huit ans, saine, joyeuse et jolie (malgré l'épaisseur de ses cheveux blonds, le bout carré de son menton et de son nez, et ses yeux bigarrés, l'un bleu, l'autre d'or vert), elle épouse un gentilhomme breton aussi brave et prodigue que l'avait été Celse de Rabutin-Chantal, son père, et d'aussi vieille famille que lui.

Mariage et veuvage   C'est l'oncle Christophe, abbé de Livry,
(1644-1670)   le *Bien Bon,* qui a trouvé ce BARON
DE SÉVIGNÉ, apparenté aux Gondi et à Retz, né en 1623, élevé au château familial des Rochers en Bretagne, et appelé marquis par une courtoisie qu'il valait mieux ne pas enfreindre, car c'était un redoutable bretteur qu'Henri de Sévigné. Après la naissance de sa fille FRANÇOISE en 1646, il s'abandonne à ses penchants pour la débauche et, en 1648, après la naissance d'un fils, CHARLES, il se voit imposer par les Coulanges une séparation de biens d'avec sa femme. Il reste pourtant en harmonie avec celle-ci, qui verse 150 000 livres, somme énorme (un charpentier gagnait alors 12 sols par jour : voir p. 79, l. 37), pour les désordres de son mari, auxquels il lui arrive d'assister gaillardement, ainsi à ce festin de cabaret entre Frondeurs (1650). D'ailleurs, les galants l'assiègent, et, sans leur céder, elle se garde bien de les décourager, tandis que son mari est au mieux avec Mme de Gondran, dite la belle Lolo ou la Chimène à gogo, pour les beaux yeux de laquelle il se bat et meurt le 5 février 1651, à vingt-huit ans; Mme de Sévigné en a vingt-cinq le jour même.

Sauvée du tourbillon, elle doit encore sortir de l'abîme financier; le Bien Bon, fauteur du mariage, l'y aide fort. Elle finit l'année aux Rochers, pour économie et affaires. Dès 1652, elle revient à Paris où elle retrouve la vie de société et une nuée de galants, dont le prince de Conti, Turenne, Fouquet, Ménage et Bussy. Avec ce dernier éclate une brouille en 1658, aux torts vraisemblablement (quoi qu'elle en écrive) de l'épistolière qui refusa un prêt à son cousin aux armées; quand celui-ci, en 1659-1660, insère des portraits de dames du temps, plus ou moins galantes, dans son *Histoire amoureuse des Gaules,* il en fait un, fort piquant, de sa cousine; du moins l'ouvrage restait-il inédit, et lorsqu'en 1661 on trouva des lettres de recommandation de Mme de Sévigné parmi les billets doux de Fouquet, alors arrêté, Bussy coupa court aux calomnies qui en résultèrent pour elle. Mais la réconciliation consécutive fut interrompue en 1665 par la publication de l'*Histoire amoureuse des Gaules,* à l'insu de Bussy; l'exil de ce dernier apitoiera pourtant sa cousine, qui videra la querelle par correspondance, brillamment sinon équitablement, et ce sera de nouveau l'entente, mais à distance.

Hors cela, Mme de Sévigné se consacre aussi à ses enfants; elle fait donner à son fils, au collège sans doute, une solide culture classique, plus rare qu'on ne pense chez les nobles d'alors; joli garçon comme son père, Charles aura comme lui force bonnes fortunes, plus que n'en souhaitait son tempérament; avec cela, brave sans goût pour la vie militaire, et surtout attentif et charmant envers sa mère; figure attachante et complexe, à saisir dans les lettres de celle-ci, il eut le tort de ne pas conserver celles qu'elle lui adressa. Envers sa fille Françoise, Mme de Sévigné fut aussi mauvaise éducatrice que bonne institutrice; incapable de la laisser en pension à Nantes, loin d'elle, elle lui fait partager sa propre culture, mais la gâte par une passion progressive et envahissante que supporte de plus en plus difficilement cette cartésienne un peu bas bleu, à l'intelligence ferme et à la sensibilité empêchée, difficile à extérioriser; au demeurant « la plus jolie fille de France », selon Bussy. Mariée en 1669 au COMTE DE GRIGNAN (déjà deux fois veuf et criblé de dettes), et mère en 1670 d'une petite Marie-Blanche, elle part rejoindre son mari, nommé lieutenant général de Provence, au château de Grignan, au sud-est de Montélimar. Pour elle, la séparation d'avec sa mère résout ses relations avec elle; pour cette dernière, ce sera une douleur nonpareille et le début, avec le lien vital que devient alors la correspondance, de son œuvre de grand écrivain.

Séparations et correspondance (1671-1694)

A partir du 5 février 1671, son quarante-cinquième anniversaire, Mme de Sévigné se retrouve seule; sa fille est partie la veille. Dès lors, la vie de l'épistolière se partage entre Paris (où elle louera en 1677 l'hôtel Carnavalet) et le château des Rochers (toujours pour économie et affaires : six mois en 1671; autant en 1675-1676, puis en 1680; en 1684-1685, un an; un an et demi en 1689-1690). Pour santé, elle ira un mois à Vichy au printemps 1676, autant à l'été 1677, autant encore à Bourbon-l'Archambault à l'automne 1687. Surtout, il y aura les séjours à Grignan, où la mère retrouve sa fille : une bonne année, de l'été 1672 à l'automne 1673; une autre de l'automne 1690 à l'hiver 1691; enfin les deux dernières années de sa vie, de mai 1694 à avril 1696. Autres retrouvailles, les séjours de Mme de Grignan à Paris sont longs : quinze mois en 1674-1675; six mois au début de 1677; presque deux ans de 1677 à 1679; près de huit ans surtout de 1680 à 1688 (mais sur ce temps, Mme de Sévigné doit passer un an aux Rochers où son fils se marie en 1684, et faire sa cure à Bourbon en 1687); enfin plus de deux ans en 1692-1694. Ainsi, sur les vingt-cinq ans passés entre le départ de la fille et la mort de la mère, les deux tiers les voient réunies, soit à Grignan, soit surtout à Paris. C'est beaucoup; ce n'est rien pour une mère passionnée.

Aussi, pour meubler le vide insupportable et épancher son cœur douloureux, comme pour tenir l'absente au courant de tout ce qu'il fallait savoir, Mme de Sévigné recourt à son talent, déjà bien établi, d'épistolière, qu'elle accroît en approfondissement comme en quantité. Il reste d'elle, pour les vingt-cinq précédentes années de correspondance, moins de cent lettres, et plus de mille pour les vingt-cinq suivantes (dont près de huit cents à sa fille).

Elle use généralement de la poste, fondée par Louis XI et devenue service public en 1629; des courriers réguliers (l'_ordinaire_) reliaient à jours fixes une ville à telle autre; il fallait cinq jours de Paris en Provence (départs les mercredi et vendredi), dix de Rennes à Marseille (départs les mercredi et dimanche). Le secret n'étant pas assuré, il était prudent de désamorcer les propos compromettants en remplaçant tel nom par une initiale ou un surnom, et en recourant aux allusions impénétrables pour les non-initiés.

Écrire devient, pour Mme de Sévigné, l'occupation essentielle; c'est le lien maintenu avec sa fille, mais aussi avec quelques autres, dont les plus connus sont, outre Bussy exilé, ses amis Retz, La Rochefoucauld et Mme de La Fayette (mais on a perdu ces lettres), et, à la fin, son cousin Coulanges.

Le reste de sa vie était surtout privé : très rarement à la Cour, et presque toujours pour les affaires des Grignan; des visites entre amis, des conversations de salon, des spectacles, des cérémonies religieuses; chez elle, de la lecture; aux Rochers, promenades et entretien du parc; et partout, les multiples feuillets quasi quotidiens de la correspondance, en toutes circonstances, fût-ce en un parc d'abbaye (24 mars 1671) ou dans un carrosse sur l'eau de la Loire (9 mai 1680).

Ultimes années   Sombres années que celles-là! Soucis
(1694-1696)   d'argent pour les Grignan : peu de biens et
                         beaucoup d'hypothèques, de dettes et de
frais, déjà cent fois dénoncés par l'épistolière; on essaie le même remède que pour le père de celle-ci : la mésalliance; le fils du comte, Louis-Provence, épouse Anne de Saint-Amans, fille d'un richissime financier; mal accueillie, celle-ci est reprise par son père, qui arrête du coup le pactole sauveur.

Soucis de santé pour Mme de Grignan, épuisée par de multiples grossesses et contaminée par le mal héréditaire de son mari, transmis aussi à ses enfants; fin 1695, elle ne peut assister au mariage brillant de sa fille Pauline avec le marquis de

Simiane; elle est inlassablement soignée, et rétablie, en mars 1696, par sa mère.

Mais celle-ci, septuagénaire, est épuisée par les angoisses et les veilles, et elle meurt le 17 avril 1696, au quatorzième jour d'une fièvre continue. Enterrée à Grignan, elle y eut, en septembre 1793, sa sépulture violée et ses restes dispersés, dont subsistent deux bribes de robe en brocatelle bleue. Mais l'impérissable nous reste.

Les « Lettres »
(1696-1978)
Dès 1697, une centaine de lettres adressées à Bussy paraissent avec les *Lettres* de celui-ci, qu'on leur préfère d'ailleurs! Pauline de Simiane rassemble en Provence les lettres à sa mère, Mme de Grignan, et en fait copier une centaine (éditées par Thiériot, ami de Voltaire, en 1726 à l'insu de Pauline), puis, entre 1720 et 1726, la moitié (400 environ) sans retouches. La publication trop fidèle de Thiériot ayant soulevé des colères, Pauline veut l'annuler par une autre, plus vaste et dûment retouchée; elle en charge le chevalier Perrin, avec de sévères consignes de censure, et quartier libre pour aménager le style : en 1734 paraissent 402 lettres, et Pauline brûle les missives de sa mère à sa grand-mère, puis redemande à Perrin celles de sa grand-mère, qu'elle renonce à laisser paraître. Perrin refuse et publie 212 autres lettres en 1737, année où Pauline meurt en faisant jurer à son gendre de recouvrer, puis détruire les lettres autographes de Mme de Sévigné, ce qu'il fera, hélas! en 1784, à sa mort. En 1754, Perrin publie une édition encore accrue, mais surtout aménagée par lui pour la langue et le style. C'est sur ce texte doublement retouché qu'on se fonde dès lors. S'y ajoutent en 1756 les lettres à Pomponne sur le procès Fouquet; en 1773, celles à Moulceau, de texte non retouché; en 1814, celles aux Guitaut, d'après les textes autographes. La grande édition de 1818-1819 est ensuite enrichie par son auteur, Monmerqué, grâce au manuscrit Grosbois, plus complet mais fautif; d'où, en 1862, l'édition des Grands Écrivains achevée par A. Régnier, avec une biographie par Mesnard et un trésor de notes et de tables critiques.

Mais en 1873, un juriste, Capmas, découvre le manuscrit plus correct d'où découlait le manuscrit Grosbois; c'est sans doute la copie fidèle de la moitié des lettres. Capmas publie seulement deux volumes de suppléments à Monmerqué en 1876. Avec l'édition de Roger Duchêne (Pléiade, 1972-78), nous avons ce que le texte des *Lettres* offre de plus sûr.

Marie de Rabutin (1633)

Le père est mort en 1627, la mère en 1633.
En 1638, l'orpheline a douze ans.

LA PERSONNALITÉ
DE MADAME DE SÉVIGNÉ

Une « Sévigné de tout le monde »   Cette formule de Proust dans *la Fugitive* (*A la recherche du temps perdu*, Pléiade, t. III, p. 657) nous renvoie à ce que tout le monde retient, et à juste titre, de notre auteur : dans les lettres, celle sur Mademoiselle et Lauzun (notre n° 13) et celle sur les foins (n° 34); dans la personne, l'agrément et la gaieté tels que les y trouve Sainte-Beuve dans son *Port-Royal :* « Que la voilà bien, la rieuse, la railleuse, la naturelle et la divine! [...] La Fontaine et Mme de Sévigné, au XVIIe siècle, sont les deux écrivains qui ont au plus haut degré et qui communiquent le plus aisément ces deux choses involontaires, la joie et le charme. »

« La Mère La-Joie » l'appelait Jules Lemaître. A peine moins familièrement, Sainte-Beuve disait : « Il y a de la Dorine dans Mme de Sévigné »; et plus tard, avec plus de nuances, il trouve en elle « la franchise du ton, la rondeur des termes, le contraire de tout raffinement et de toute hypocrisie, et, avec tant de délicatesse et de fleur, l'éclat du rire, la fraîcheur du teint, la santé florissante de l'esprit ».

Quant à l'agrément, n'en déplaise à Sainte-Beuve, il n'est, en elle, exempt de préciosité ni dans le badinage ni dans l'artifice; il en est ainsi dans beaucoup de lettres antérieures à la séparation, puis dans quelques autres à des tiers. Politesse recherchée, déguisement de faire-part ou de lettre d'affaires, recours aux jeux de salon rappellent Voiture; il est vrai que cet aspect ira s'amenuisant, mais sans jamais tout à fait disparaître.

En revanche, le côté mondain, voire superficiel, frivole ou futile se manifeste avec constance chez « cette bonne snob de Mme de Sévigné », comme Proust fait dire à son Brichot. Sainte-Beuve retrouve en elle une Dorine, mais qui, cette fois, « badine à tout propos, et même quand le reste dit qu'il ne le faut pas », par exemple lors des exécutions sanglantes en Bretagne. Et Claudel s'exclame : « Quelle résolution et quel succès dans l'art de vivre entre soi et d'écarter des yeux et de la pensée tous les spectacles désagréables! » (*La Dame en rouge*, in *Accompagnements*, Pléiade, *Œuvres en prose*, p. 446).

Une sensibilité singulière   En face de ces aspects immédiats et vrais, mais insuffisants, Sainte-Beuve, ici encore, nous met en garde : « Parce qu'on la voit souvent d'une humeur enjouée ou folâtre, on aurait tort de juger Mme de Sévigné frivole ou peu sensible. »

Elle connaît l'enthousiasme; peu favorable aux Jésuites, elle est pourtant transportée par l'éloquence de Bourdaloue; sans illusions sur Lauzun, elle n'en admire pas moins sa contenance stoïque dans les revers (*cf.* lettre 14).

Elle n'était pas la seule, en son temps, à apprécier le spectacle et la beauté de la nature; mais, outre qu'elle est la seule, alors, à trouver les termes qui la peignent sans la fadeur de la pastorale ou la froideur de l'artifice, elle en reçoit des impressions et en goûte des aspects fort inattendus pour le grand siècle. Son goût pour « l'horreur des bois » ou les « épouvantables beautés » de la montagne annonce moins le pré-romantisme qu'il ne rappelle un certain baroque, celui de l'Arioste ou du Tasse notamment. Surtout, Proust a, le premier, attiré l'attention sur la sorte d'impressionnisme qu'il trouve en elle comme en Elstir (c'est-à-dire Monet) et en Dostoïevski : « Au lieu de présenter les choses dans l'ordre logique, c'est-à-dire en commençant par la cause [elle] nous montre d'abord l'effet, l'illusion qui nous frappe » (*La Prisonnière*, in *A la recherche du temps perdu*, t. III, p. 378). Cette aptitude à saisir la sensation brute dans sa spontanéité n'apparaît pas seulement à l'occasion des jeux entre l'ombre et la lune, elle permet à notre épistolière de découvrir, à soixante-quatre ans, la vraie couleur des feuilles naissantes. Elle contribue aussi au sautillement impressionniste déjà sensible à Sainte-Beuve : « Nous ne sommes pas *synthétiques,* comme disaient les Allemands [...]. L'imagination de détail nous suffit. Montaigne, La Fontaine, Mme de Sévigné sont volontiers nos livres de chevet. »

Plus profondément, Mme de Sévigné s'est découverte, elle-même, traduite et analysée dans sa passion pour sa fille. Élans, tourments, espoirs, fureurs se manifestent tour à tour quand elle lui écrit; alors craque la contenance qu'elle se donne pour ne pas importuner cette fille trop aimée. Dès l'édition Thiériot d'une centaine de ces missives, M. Marais écrivait : « Ce sont des lettres à sa fille, où il y a plus d'amour que les amants n'en ont dit depuis que l'on a commencé d'aimer »; et naguère encore Proust qualifiait cette passion de racinienne : « Ce que ressentait Mme de Sévigné pour sa fille peut prétendre beaucoup plus justement ressembler à la passion que Racine a dépeinte dans *Andromaque* ou dans *Phèdre*, que les banales relations que le jeune Sévigné avait avec ses maîtresses. De même l'amour de tel mystique pour son Dieu », affirme Charlus (*A l'ombre des jeunes filles en fleurs*, in *A la recherche du temps perdu,* t. I, p. 763). L'épistolière elle-même avoue à sa fille s'être fait traiter de « jolie païenne » par le vieux janséniste d'Andilly, à cause de cette idolâtrie. C'était mieux situer les choses que d'y voir, en une pseudo-psychanalyse, les signes d'un amour charnel et incestueux, vers lequel M. Gérard-Gailly semble faire pencher son interprétation. Mme de Sévigné a dit très simplement elle-même : « Il paraît que Mme de Sévigné aime passionnément Mme de Grignan. Savez-vous le dessous des cartes? Voulez-vous que je vous le dise? C'est qu'elle l'aime passionnément » (lettre du 24 juillet 1675). Ajoutons que cette passion était douloureuse, comme la passion proustienne : présente, Mme de Grignan était aussi étouffée par elle qu'Albertine prisonnière, et aussi inaccessible qu'elle; absente, et malgré le déchirement de la séparation, elle permettait, comme Albertine fugitive, quelque sérénité dans la douleur, et le travail d'exorcisme accompli dans la prise de conscience et la formulation littéraire.

La « folie » de cette passion attire enfin l'attention sur l'inquiétude souvent entr'aperçue chez notre auteur : hantise de la fuite du temps, horreur devant la vieillesse et la mort, pessimisme fataliste devant la vie, mouvements de mélancolie irraisonnée, ses « mouches », dit-elle.

Une femme forte   Malgré cette complexité, et la dominant, il y a chez Mme de Sévigné une santé robuste, aussi éloignée de la complaisance aux phantasmes que d'une préciosité fantaisiste. Sainte-Beuve fixe heureusement cet équilibre : « Cette riche et forte nature [...] où la gaieté est plutôt dans le tour et le sérieux au fond. »

L'épistolière ne perd en effet jamais de vue les réalités, lors même qu'elle s'en amuse; à tout prendre, la lettre sur les foins est aussi et d'abord l'avis pressant de ne pas engager certain domestique déplaisant. Les lettres à d'Herigoyen sont des missives d'affaires à un fermier, avec récriminations, ordres, estimations chiffrées; les chiffres parsèment la lettre du 20 juillet 1694 à Mme de Guitaut, et la volonté de réduire les dépenses des Grignan et d'éteindre les dettes familiales obsède les dernières années de notre auteur. Cette loyauté, que M. Cordelier rapproche très judicieusement du côté « Sido » et de la fin de Colette, s'apparente étroitement, chez les deux femmes, au courage; les rhumatismes douloureux de 1676-1677 prêteront au badinage moins par tradition précieuse que par volonté de ne pas se plaindre et crainte d'être importune.

Elle a aussi le courage de l'esprit; celui de se cultiver par approfondissement : éprise dès sa jeunesse de littérature romanesque, elle se plonge dans les austères traités de morale janséniste de Nicole et dans les ouvrages d'histoire et de théologie, qui dominent largement dès 1680 (lettre du 5 juin); celui d'être franche, et par conséquent loyale : « Mme de Sévigné était parfaitement sincère, ouverte et ennemie des faux-semblants; c'est même à elle, une des premières, qu'on doit d'avoir dit une personne *vraie* » (Sainte-Beuve); celui de rester lucide devant une vision assez sombre des choses : « Il faut regarder la volonté de Dieu bien fixement pour envisager sans désespoir tout ce que je vois », écrit-elle, et cette volonté de Dieu lui apparaît comme la puissance écrasante qui enclenche de toute éternité le cours de la vie. Ce sont là pourtant des choses qui, comme le soleil et la mort pour La Rochefoucauld, ne peuvent guère se regarder fixement.

Un esprit libre   Cette intrépidité de l'esprit lui confère la liberté.

Liberté philosophique, qui amène cette chrétienne à douter de l'enfer, à rire des dévots, et à sympathiser avec les jansénistes; mais ici encore, aucune inféodation : même, elle les trouve tièdes dans leur vue de la prédestination, sise fort en dessous de son propre « fatalisme providentiel » (selon le mot de Sainte-Beuve). Cette catholique découvre avec enthousiasme, à soixante-deux ans, le théologien protestant Abbadie. Au reste, si elle n'est pas dévote, elle le regrette comme un idéal impossible à sa propre tiédeur, et regarde en face les exigences profondes de sa foi, qu'elle ne se sent guère à même de satisfaire, encore qu'elle les prenne parfaitement au sérieux.

Liberté de jugement, qui l'amène à faire voir l'envers du grand siècle; si parfois elle cède à la fascination exercée par Louis XIV sur tous ses contemporains, ou à l'attrait des rites versaillais, elle nous montre aussi la dureté des répressions, des oppressions, des persécutions, des injustices, et le scandale du luxe au sein de la misère populaire. Il est curieux de constater que ses prises de position, sans jamais le proclamer comme tel, sont presque toujours en opposition avec celles du Grand Roi : liée à la Fronde par son mari, parent de Retz, et amie fidèle de ce cardinal et de La Rochefoucauld; attachée à Fouquet, par la disgrâce duquel Louis XIV inaugura son règne personnel; en sympathie avec les jansénistes, que ce roi devait persécuter à plusieurs reprises; étrangère à la Cour, « pays qui n'est point pour moi », *iniqua corte* dont elle rapporte les intrigues avec quelque irrespect gaillard, — elle ne reste pas plus muette sur les défaites essuyées par le souverain que sur les victoires nationales.

Liberté de regard enfin et de parole, où se donnent carrière son « esprit » vif et spontané et son sens aigu du ridicule qui lui fait voir un être ou un spectacle à distance, à la fois net et rapetissé : « Il me semble qu'on me le montre comme avec le gros bout de la lorgnette, nettement dessiné », dit Claudel d'un personnage qu'elle croque.

Un heureux écrivain   La valeur tonique et agréable des lettres de Mme de Sévigné revient, somme toute, moins à la gaieté d'une nature que nous avons vue plus complexe et inégalement favorisée par le cours de l'existence, qu'à son bonheur d'expression.

C'est d'abord celui qui donne l'illusion de la vie par le bon usage de l'écriture. Il est frappant, on l'a dit, que Mme de Sévigné n'ait assisté à aucune des scènes qu'elle dépeint avec le plus de vie, de mouvement, et comme de présence; ni la mort de Turenne ni le carrosse versé ni la collation du cordon bleu aux chevaliers de 1689, ni même les séances du procès Fouquet, dont elle nous livre le reportage haletant, n'ont été sous ses yeux. Une imagination d'une vivacité prodigieuse, un mouvement endiablé ou une ardente passion pour masquer les zones floues, un vocabulaire expressif, voilà les vertus de cette grande illusionniste; on voit que ces ressources sont moins de technique artificieuse que de tempérament imaginatif et passionné, et qui se plaît à narrer ou exprimer heureusement.

C'est aussi le bonheur d'exorciser l'absence de la fille trop aimée, et de trouver, dans les relations plus sereines de la correspondance, les moments d'harmonie que les retrouvailles ne semblent pas avoir permis.

C'est enfin l'étrange bonheur, celui des plus grands écrivains, avec lequel on se livre à la découverte solitaire de soi et l'on poursuit, dans le plaisir ressuscité comme dans la douleur présente, une méditation active et créatrice qui peut-être les dépasse : « Comment? J'aime à vous écrire! C'est donc signe que j'aime votre absence, ma fille : voilà qui est épouvantable. » Est-ce badinage raisonneur ou bref coup de projecteur sur un abîme?

Nous voici bien loin du bavardage, du commérage un peu bruyant que Jules Lemaître reproche à notre épistolière. Pourtant, son bonheur d'écrire est le fondement de notre bonheur de la lire et de cet agrément que, sans aller si loin, chacun peut prendre à la lecture de ses lettres.

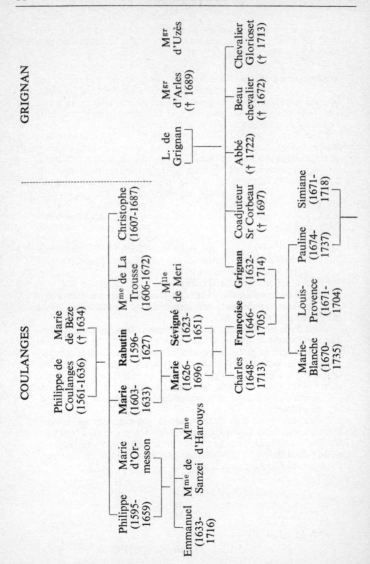

BIBLIOGRAPHIE PRATIQUE

Éditions des « Lettres »

— Éd. Duchêne (Gallimard - Bibl. de la Pléiade, 3 vol., 1972-1978), excellente à tous égards.
— Éd. Mesnard (Hachette - Grands écrivains de la France, 14 vol., 1862-65) pour les lettres des correspondants, l'index (t. XII) et le lexique (t. XIII-XIV).

Introduction :

R. Duchêne : *Mme de Sévigné ou la chance d'être femme* (Fayard, 1982).

Études :

Sainte-Beuve : articles in *Les grands écrivains français, XVIIe siècle : mémorialistes, épistoliers, romanciers* (Garnier, 1930).
A. Adam : *Histoire de la littérature française au XVIIe siècle* (Domat, t. IV, 1954).
F. Mauriac : « La Dame au nez carré » in *Figaro littéraire* (12 janvier 1957).
P. Claudel : « Accompagnements » (La Dame en rouge, 1942) in *Œuvres en prose* (Gallimard - Bibl. de la Pléiade, 1965).
J. Cordelier : *Mme de Sévigné par elle-même* (Éd. du Seuil - Écrivains de toujours, 1967).
R. Duchêne : *Mme de Sévigné* (Desclée de Brouwer - Les Écrivains devant Dieu, 1968).

Travaux de détail

— Structuralisme stimulant. — B. Bray : *Quelques aspects du système épistolaire de Mme de Sévigné* in *Revue d'Histoire littéraire de la France* (mai-août 1969, pp. 491-505).
— Approfondissement existentiel. — R. Duchêne : *Réalité vécue et art épistolaire : Mme de Sévigné et la lettre d'amour* (Bordas, 1970).
— Écriture — R. Duchêne : *Écrire au temps de Mme de Sévigné : lettres et texte littéraire* (Vrin, 1982).

ULTIMES CONSEILS DE LECTURE

« Nous entendons par lire, non point parcourir au hasard un choix de ses lettres, non point s'attacher aux deux ou trois qui jouissent d'une renommée classique […], mais entrer et cheminer pas à pas dans les […] volumes de lettres […], mais tout suivre, tout *dévider,* comme elle dit » (Sainte-Beuve, 1829).

« Lire Sévigné, c'est enfin, et surtout, la relire. Parce qu'elle possède le privilège, réservé aux seuls grands, de changer entre deux lectures, et qu'ainsi nous avons toujours l'impression de la lire pour la première fois […]. La relire tantôt en se faisant son contemporain, tantôt comme ne pouvait pas la lire un lecteur du XVIIᵉ siècle. Alors seulement on s'apercevra qu'elle est un monde, qu'elle nous apporte un monde […]. Aussi, relire Sévigné, c'est la relire intégralement, car seule la somme des lettres parvenues jusqu'à nous constitue une œuvre. Picorer un morceau par-ci par-là ne rime à rien : on ne baigne plus dans cette durée qui constitue une dimension essentielle des *Lettres* » (J. Cordelier, 1967).

INDEX DES DESTINATAIRES ET PRINCIPAUX LIEUX DE RÉDACTION

Destinataires

Bussy (1618-1693) : cousin germain, académicien et militaire.
Ménage (1613-1692) : abbé érudit, guide littéraire de jeunesse.
Lafayette (La Fayette, 1634-1693) : romancière et amie intime.
Pomponne (1618-1699) : un Arnauld, janséniste, ministre, et ami.
Grignan (1632-1714) : deux fois veuf, gendre de l'auteur.
Coulanges (1633-1716) : cousin germain, poète chansonnier.
D'Hacqueville, dit Bonvouloir : ami véritable et épistolier.
Guitaut et la Comtesse : voisins bourguignons (Époisse).
Moulceau : président de Chambre des comptes à Montpellier.
D'Herigoyen : fermier du Buron dès juillet 1686.

Principaux lieux de rédaction

Livry : abbaye du Bien-Bon (oncle Coulanges), entre Meaux et Paris, avec un beau parc.
Les Rochers : château des Sévigné en Bretagne, près de Vitré, avec un beau parc.
Grignan, dans la Drôme (entre Donzère et Nyons) : vaste château perché sur une hauteur battue des vents (dit parfois château d'Apollidon).

INDEX DES PARTICULARITÉS GRAMMATICALES [1]

(a) Article ajouté ou soustrait au nom propre : *la Desœillets* (lettre 39, l. 4).

(b) Article à valeur possessive : *tenir [...] les éclats de rire* (lettre 92, l. 33).

(c) Article ou adjectif accordés avec le nom le plus proche; en nombre : *du 23ᵉ et 26ᵉ mai* (lettre 31, l. 26); *du potage et du bouilli tout chaud* (lettre 82, l. 23); en genre : *toutes les beautés et les tours de cette belle Seine* (lettre 96, l. 3).

(d) Article indéfini suivi de superlatif : *un des endroits de son affaire le plus glissant* (lettre 5, l. 60); *des effets les plus brillants du monde* (lettre 85, l. 3).

(e) Valeur neutre de *il* (= cela) : *c'est grand hasard s'il ne vient* (lettre 18, l. 74-75).

(f) Omission de *le* ou *en* : *plus également que vous n'aviez fait d'abord* (lettre 2, l. 18); *Faites, je vous supplie, que...* (lettre 2, l. 26).

(g) Antéposition du pronom personnel par rapport soit à l'auxiliaire de l'infinitif complété : *vous en devriez enrager* (lettre 1, l. 8-9), soit à l'impératif coordonné à un premier impératif : *baisez les pas par où il passe, et vous faites tuer à ses pieds* (lettre 51, l. 30-31).

(h) Accord selon le sens (syllepse) : *on a chassé et banni toute une grande rue, et défendu de les recueillir* (lettre 58, l. 5-7).

(i) Indéfini neutre ou impersonnel accordé comme personnel (selon le sens, ici généralement féminin) : *si vous saviez combien on est malheureuse* (lettre 6, l. 35); *habit pour être brûlée* (lettre 79, l. 28-29).

(j) *Quoi* après antécédent nominal (= lequel), laquelle lesquel(le) s) : *un endroit sur quoi...* (lettre 6, l. 11).

(k) Disjonction entre antécédent et relatif (souvent équivoque) : *un courrier vient d'arriver chez M. de Villacerf, qui dit...* (lettre 89, l. 5-6).

(l) Double relatif : *maladie qu'on dit qui n'est point dangereuse* (lettre 107, l. 13).

---

1. Dans le texte de la correspondance, les lettres grasses apposées renvoient à celles des rubriques de cet index qui éclairent les passages ainsi marqués.

(m) Accord du verbe par rapport à l'antécédent : *je suis* [...] *celle qui ne vous ai jamais abandonnée* (lettre 19, l. 29).

(n) Futur : *envoira* (lettre 48, l. 27); *voirons* (lettre 40, l. 15);

(o) Accord entre verbe et sujet : *ma tête et mon esprit se creuse* (lettre 21, l. 25).

(p) Auxiliaires : *a entré* (lettre 5, l. 57); *sont disparus* (lettre 95, l. 24).

(q) Infinitif avec préposition sans sujet exprimé avant (= circonstancielle ou gérondif) : *couper ainsi la gorge à cette petite créature pour l'avoir aimé* (= parce qu'elle l'a aimé) (lettre 25, l. 28).

(r) Infinitif sans sujet personnel non rapporté au sujet du verbe personnel dont il dépend (d'où équivoque) : *en repassant par l'Arsenal, à pied pour le promener, il a demandé (le =* il) (lettre 5, l. 6); *après l'avoir été voir, elle viendra ici (l'=* elle) (lettre 34, l. 18); *sans avoir vu aucun mouvement* [= sans que j'aie vu...], *ma belle-fille sortit* (lettre 102, l. 5).

(s) Participe présent non accordé au sujet du verbe personnel dont il dépend (d'où équivoque) : *vous n'entendrez aucune plainte* [...], *étant résolue en mon particulier* (lettre 2, l. 22); *s'approchant de nous, M. d'Artagnan l'a poussé* (lettre 6, l. 30); *ayant à recevoir* [...] *je vous demande* (lettre 88, l. 9-12).

(t) Double subordination avec un relatif : *où, ne m'étant pas assez pressée de répondre* (lettre 76, l. 35).

(u) Pléonasme : *ni sans* (lettre 64, l. 7).

(v) Tour intransitif : *leur aider* (lettre 36, l. 36).

(w) Non-parallélismes : *voilà mon emploi, et d'avoir...* (lettre 36, l. 29); *à cause des charges* [...] *et* [à cause] *qu'il avait...* (lettre 7, l. 40); *dites* (-le) *lui, et que je l'aime toujours* (lettre 31, l. 42); *m'a parlé de la témérité* [...] *que mon muletier ne suivrait pas* (lettre 45, l. 15); *rien n'approchera (je ne dis pas surpassera) des divins endroits...* (lettre 39, l. 15-16).

(x) Adverbe négatif soit omis : *je n'entends parler d'autre chose* (lettre 4, l. 14), soit déplacé : *de n'avoir pas* (lettre 36, l. 31).

(y) Emploi comparatif de *si...que* (= aussi...que) : *n'ont pas eu des sentiments si purs que moi* (lettre 4, l. 23).

(z) *Comme* avec le passé antérieur : *Comme nous eûmes fait venir* [...], *elle reçut...* (lettre 12, l. 26-27).

Dans notre édition, nous avons parfois modernisé l'orthographe (mercredi pour *mecredi;* très bien pour *très-bien*) qui, sur le manuscrit Capmas, est celle des copistes employés par Mme de Simiane.

**La maison natale, place des Vosges
(alors place Royale)**

Château de Bussy-Rabutin :
la cour d'honneur

I. LES PREMIÈRES ARMES (1644-1670)

Cette période initiale manifeste en Mme de Sévigné les facettes de son talent pour la chronique épistolaire alerte, vivante, brillante; il lui reste à devenir, avec le départ de sa fille très aimée pour la Provence, en exprimant son déchirement passionné, un très grand écrivain.

AMITIÉS

On y voit apparaître les vivacités du « rabutinage » avec le cousin Bussy, un reste de préciosité gourmée envers l'abbé Ménage, et, à l'usage de Mme de La Fayette (ou Lafayette, selon M. Antoine Adam), la variété d'un bref commérage.

1. AU COMTE DE BUSSY-RABUTIN

Des Rochers, le 15e mars [1648].

Je vous trouve un plaisant mignon ¹ de ne m'avoir pas écrit depuis deux mois. Avez-vous oublié qui je suis, et le rang que je tiens dans la famille? Ah! vraiment, petit cadet, je vous en ferai bien ressouvenir : si vous me fâ-
5 chez, je vous réduirai au lambel ². Vous savez que je suis sur la fin d'une grossesse, et je ne trouve en vous non plus ³ d'inquiétude de ma santé que si j'étais encore fille. Eh bien, je vous apprends, quand vous en devriez
(g) enrager, que je suis accouchée d'un garçon, à qui je
10 vais faire sucer la haine contre vous avec le lait, et que j'en ferai encore bien d'autres, seulement pour vous faire des ennemis. Vous n'avez pas eu l'esprit d'en faire autant, le beau ⁴ faiseur de filles
     Mais c'est assez vous cacher ma tendresse, mon cher
15 cousin; le naturel l'emporte sur la politique ⁵. J'avais

---

1. Se dit à un enfant qui a fait une sottise (Littré). — 2. Brisure qui se place dans les armoi-ries pour indiquer les branches cadettes (L.). — 3. Pas *plus*. — 4. Épithète ironique envers Bussy qui n'avait encore que trois filles. — 5. Manière adroite dont on se sert pour arriver à ses fins (L.); artifice.

envie de vous gronder de votre paresse depuis le commencement de ma lettre jusqu'à la fin; mais je me fais
trop de violence, et il en **(g)** faut revenir à vous dire que
M. de Sévigné et moi vous aimons fort, et que nous par-
20   lons souvent du plaisir qu'il y a d'être avec vous.

2. A MÉNAGE

Aux Rochers, ce 19ᵉ août [1652].

Je suis bien obligée [1] au plus paresseux de tous les
hommes de m'écrire avec tant de bonté et de soin. Il y a
eu un désordre à notre poste de Vitré, qui **(k)** certaine-
ment est cause que je n'ai pas reçu vos dernières lettres,
5   car je n'ai eu que celles d'Angers; mais dans la pensée
que ce n'est pas votre faute, je ne fais simplement que
me plaindre de l'infidélité de nos courriers et me loue si
fort de votre tendresse [2] et de votre amitié [3], que je
veux prendre à tâche désormais d'en dire autant de
10   bien que j'en ai dit de mal. Pour moi, j'ai bien de l'avantage sur vous; car j'ai toujours continué à vous aimer,
quoi que vous en **(g)** ayez voulu dire, et vous ne me faites cette querelle d'Allemand [4] que pour vous donner
tout entier à Mˡˡᵉ de La Vergne [5]. Mais enfin, quoiqu'elle
15   soit mille fois plus aimable que moi, vous avez eu honte
de votre injustice, et votre conscience vous a donné de si
grands remords, que vous avez été contraint de vous
partager plus également que vous n'aviez **(f)** fait
d'abord. Je loue Dieu de ce bon sentiment et vous pro-
20   mets de m'accorder si bien avec cette aimable rivale,
que vous n'entendrez aucune plainte ni d'elle ni de moi,
étant **(s)** résolue en mon particulier [6] d'être toute ma vie
la plus véritable amie que vous ayez. Il ne tiendra qu'à
vous désormais d'être bizarre [7] et inégal [8], car je me
25   sens résolue à vous mettre toujours dans votre tort, par
une patience admirable. Faites, je vous supplie **(f),** que
je n'en aie pas besoin, et continuez-moi toujours votre
amitié, dont vous savez bien que je fais un cas tout particulier. [...]

---

1. Attachée par un lien de reconnaissance (L.). — 2. Sentiment tendre d'affection (L.). —
3. Affection profonde. — 4. *Querelle* sans fondements. — 5. Future marquise de La Fayette.
— 6. Pour ce qui me concerne (L.). — 7. Qui s'écarte des usages reçus par singularité (L.). —
8. Qui n'est pas régulier (L.).

3. A MADAME DE LA FAYETTE

A Paris, le mardi 24ᵉ [juillet 1657].

Vous savez, ma belle, qu'on ne se baigne pas tous les jours; de sorte que pendant les trois jours que [1] je n'ai pu me mettre dans la rivière, j'ai été à Livry, d'où je revins hier, avec dessein d'y retourner quand j'aurai
5 achevé mes bains, et que notre abbé [2] aura fait quelques petites affaires qu'il a encore ici.

La veille de mon départ pour Livry, j'allai voir Mademoiselle [3], qui me fit les plus grandes caresses [4] du monde; je lui fis vos compliments [5], et elle les reçut fort
10 bien; du moins ne me parut-il pas qu'elle eût rien sur le cœur. J'étais allée avec Mˡˡᵉ de Rambouillet [6], Mᵐᵉ de Valençay et Mᵐᵉ de Lavardin. Présentement elle s'en va

---

● **Badinage et préciosité**

Lettre 1 : le rabutinage

① La vivacité « rabutine » : en relever les traits précis (interrogation, exclamation, apostrophe, brièveté, etc.).
② La feinte : distinguer de l'indignation factice l'affectation de langage puéril comme à l'égard d'un enfant (Bussy, aîné par l'âge, est de branche cadette pour la généalogie).
③ Le retour à l'aménité : en spécifier l'agrément et le style.
④ Un faire-part déguisé (naissance) : cf. *lettre 35* (p. 77).

Lettre 2 : la préciosité gourmée

① Le style soutenu : étudier la longue phrase et sa syntaxe (dénombrer les *de* et *que*).
② Les piques et aménités : montrer que leur dosage est inverse par rapport à celui de la *lettre 1*, et leur aspect, recherché.

Lettre 3 : le commérage mondain

① Une trace de galanterie précieuse (*Trévigny*) à bien expliquer.
② La lucidité de l'analyse psychologique finale (satisfactions positives et craintes imaginées), à rapprocher des *lettres 35* (p. 77) *et 85* (p. 150).
③ Des allusions discrètes à sonder (Mademoiselle en froid avec Mᵐᵉ de La Fayette?).
④ Une familiarité sans apparat, à relever notamment dans les détails d'hygiène assez prosaïques.

---

1. Où. — 2. Christophe de Coulanges, *abbé* de Livry, oncle de Mᵐᵉ de Sévigné. — 3. Fille de Monsieur, frère de feu Louis XIII. — 4. Marques extérieures d'affection (L.). — 5. Paroles de civilité (L.). — 6. Angélique d'Angennes qui épousera en 1658 le comte de Grignan, plus tard gendre de Mᵐᵉ de Sévigné (1670).

à la cour, et cet hiver elle sera si aise, qu'elle fera bonne
chère [1] à tout le monde.

15   Je ne sais point de nouvelles pour vous mander [2] aujourd'hui, car il y a trois jours que je n'ai vu la Gazette [3].
Vous saurez pourtant que Mme des N*** [4] est morte, et
que Trévigny, son amant, en **(g)** a pensé mourir de douleur; pour moi, j'aurais voulu qu'il en fût mort pour
20   l'honneur des dames.

Je suis toujours couperosée, ma pauvre petite, et je
fais toujours des remèdes [5]; mais comme je suis entre
les mains de Bourdelot [6], qui me purge avec des melons
et de la glace, et que tout le monde me **(g)** vient dire que
25   cela me tuera, cette pensée me met dans une telle incertitude, qu'encore que je me trouve bien de ce qu'il
m'ordonne, je ne le fais pourtant qu'en tremblant.
Adieu, ma très chère : vous savez bien qu'on ne peut
vous aimer plus tendrement que je fais **(f)**.

Nicolas Fouquet
par Nanteuil

1. Bon accueil (L.). — 2. Faire savoir par lettre ou message (L.). — 3. Surnom mérité par
Mme de Lavardin. — 4. Mme des Nétumières. — 5. *Faire des remèdes :* se soumettre à un trai-
tement (L.). — 6. P. Michon, dit abbé *Bourdelot.*

LE PROCÈS FOUQUET

Nicolas Fouquet (1615-1680), magistrat et financier, avait acquis en 1653 la charge de surintendant des finances et lui avait donné une ampleur inconnue en alimentant le Trésor public par divers expédients, qui l'enrichirent lui aussi. Son opulence donnera ombrage au jeune roi Louis XIV, dont le premier acte d'autorité personnelle sera justement l'arrestation de Fouquet en septembre 1661, à la suggestion de Colbert. Ce dernier glisse le plus possible de ses créatures dans la Chambre de Justice créée par le roi en novembre 1661, en vue du procès, qui commencera trois ans plus tard. Heureusement, un des rapporteurs de la cause, Olivier d'Ormesson, ayant pour sœur la tante de Mme de Sévigné, n'avait pas de secret pour cette dernière; ainsi pourra-t-elle relater, sans y avoir jamais assisté, toutes les séances du procès, à l'intention de M. de Pomponne, ami alors exilé dans ses terres, et qui se passionnait pour l'affaire autant qu'elle-même. Elle s'était en effet vu courtiser par Fouquet au début de son veuvage, et avait profité de ces bonnes dispositions au bénéfice de ses cousins germains La Trousse. Mais la découverte de ces lettres de requête, au milieu de la correspondance galante gardée par Fouquet, avait donné matière à la médisance; d'où la lettre à Ménage. Les suivantes relatent avec passion les principales étapes du procès, Mme de Sévigné manifestant envers l'accusé la même loyale amitié dont fait preuve de son côté un La Fontaine. Déjà, l'engagement passionné et l'imagination vive permettent à la marquise d'animer ce qui resterait, chez d'autres, une sèche ou terne relation.

4. A MÉNAGE

[*Aux Rochers*], ce 9e octobre [*1661*].

J'ai bien de la joie de recevoir de vos lettres, mais je voudrais bien que ce fût pour un sujet moins triste que celui qui vous oblige de me les écrire. Je vous avoue que je suis fort en peine de la santé de notre chère amie [1], et qu'après tant d'autres maux je ne comprends pas qu'elle ait la force de supporter celui qu'elle a présentement.

---

1. Il s'agit sans doute de Mme de La Fayette.

Vous me faites espérer pourtant qu'elle en sortira bientôt, et je le crois; car sans cette espérance (quoi que vous disiez de mon amitié), je vous assure que je ne
10 serais pas consolable.

Je vous remercie, mon cher Monsieur, de toutes vos nouvelles; il y en a deux ou trois dans votre lettre que **(k)** je ne savais point. Pour celles de M. Fouquet, je n'entends **(x)** parler d'autre chose. Je pense que vous
15 savez bien le déplaisir que j'ai eu d'avoir été trouvée dans le nombre de celles qui lui ont écrit. Il est vrai que ce n'était ni la galanterie [1], ni l'intérêt qui m'avaient obligée d'avoir un commerce [2] avec lui : l'on voit clairement que ce n'était que pour les affaires de M. de La
20 Trousse; mais cela n'empêche pas que je n'aie été fort touchée [3] de voir qu'il les avait mises dans la cassette de ses poulets [4], et de me voir nommée parmi celles qui n'ont pas eu des sentiments si **(y)** purs que moi. Dans cette occasion, j'ai besoin que mes amis instruisent ceux
25 qui ne le sont pas [5] : je vous crois assez généreux pour vouloir bien en dire ce que Mme de La Fayette vous en apprendra, et j'ai reçu tant d'autres marques de votre amitié que je ne fais nulle façon de vous conjurer de me donner encore celle-ci.

30
                    M. DE RABUTIN CHANTAL

Les oncles et ma fille vous font mille civilités : recevez-les, s'il vous plaît.

5. A M. DE POMPONNE

Le jeudi 20ᵉ novembre [*1664*].

Monsieur Fouquet a été interrogé ce matin sur le marc d'or [6]; il y a très bien répondu. Plusieurs juges l'ont salué [7]. M. le chancelier [8] en a fait reproche, et dit que ce n'était point la coutume, et au conseiller breton :
5 « C'est à cause que vous êtes de Bretagne que vous saluez si bas M. Fouquet [9]. » En repassant par l'Arsenal [10], à pied pour le promener **(r),** il a demandé quels

---

1. Commerce amoureux (L.). — 2. Relations de société ou d'affaires (L.); correspondance. — 3. Durement frappée. — 4. Missives d'amour. — 5. Ne sont pas instruits de la vérité. — 6. Droit qu'on prélevait sur tous les offices de France à chaque changement de titulaire (L.). — 7. Fouquet était, depuis 1650, procureur général du Parlement de Paris. — 8. Séguier. — 9. Fouquet avait acquis Belle-Isle, en Bretagne, où il pensait pouvoir résister à toute disgrâce, fût-ce par les armes, comme le prouvait un plan d'opérations fait de sa main; d'où l'accusation de haute trahison. — 10. Promenade publique au long de la Seine (Fouquet était jugé au Petit Arsenal qui touche à la Bastille).

ouvriers il voyait : on lui a dit que c'étaient des gens qui
travaillaient à un bassin de fontaine. Il y est allé, et en a
10 dit son avis, et puis s'est tourné en riant vers Artagnan [1], et lui a dit : « N'admirez-vous point [2] de quoi je
me mêle? Mais c'est que j'ai été autrefois assez habile
sur ces sortes de choses-là. » Ceux qui aiment M. Fouquet trouvent cette tranquillité admirable, je suis de ce
15 nombre. Les autres disent que c'est une affectation :
voilà le monde. Mme Fouquet la mère a donné un emplâtre [3] à la Reine, qui **(k)** l'a guérie de ses convulsions [4], qui étaient à proprement parler des vapeurs [5].
La plupart, suivant leur désir, se **(g)** vont imaginant que
20 la Reine prendra cette occasion pour demander au Roi
la grâce de ce pauvre prisonnier; mais pour moi qui
entends un peu parler des tendresses de ce pays-là [6], je
n'en crois rien du tout. Ce qui est admirable, c'est le
bruit que tout le monde fait de cet emplâtre, disant que
25 c'est une sainte que Mme Fouquet, et qu'elle peut faire
des miracles.

Vendredi 21e novembre [*1664*].

Aujourd'hui vendredi 21e, on a interrogé M. Fouquet
sur les cires et les sucres [7]. Il s'est impatienté sur certaines objections qu'on lui faisait, et qui lui ont paru ridi-
30 cules. Il l'a un peu trop témoigné, a répondu avec un air
et une hauteur qui ont déplu. Il se corrigera, car cette
manière n'est pas bonne; mais en vérité la patience
échappe : il me semble que je ferais tout comme lui.

J'ai été à Sainte-Marie [8], où j'ai vu Madame votre
35 tante [9], qui m'a paru abîmée [10] en Dieu; elle était à la
messe comme en extase. Madame votre sœur [11] m'a
paru jolie, de beaux yeux, une mine spirituelle. La pauvre enfant s'est évanouie ce matin; elle est très incom-
modée. Sa tante a toujours la même douceur pour
40 elle [12]. Monsieur de Paris [13] lui a donné une certaine

1. Le célèbre capitaine des mousquetaires, qui l'avait arrêté et le gardait depuis trois ans. —
2. Ne vous étonnez-vous point. — 3. Pansement. — 4. Maladie épidémique de nature convul-
sive (L.). — 5. Accidents subits qui portent au cerveau (L.). — 6. La Cour. — 7. Droits sur
ces produits, que Fouquet était accusé de s'être procurés à vil prix. — 8. Au couvent de la
Visitation de *Sainte-Marie*, faubourg Saint-Jacques. — 9. Agnès Arnauld, sœur du grand
Arnauld et d'Arnauld d'Andilly, ce dernier étant le père de M. de Pomponne; abbesse de
Port-Royal des Champs avant sa nièce Angélique, elle était enfermée avec elle à la Visitation
pour son refus de signer le formulaire condamnant le jansénisme. — 10. Plongée. — 11.
Angélique (1624-1684). — 12. Bien qu'elle ait signé le formulaire rejeté par sa tante. — 13.
L'archevêque *de Paris*, Hardouin de Péréfixe.

manière de contre-lettre [1] qui lui a gagné le cœur : c'est
cela qui l'a obligée de signer ce diantre de formulaire :
je ne leur ai parlé ni à l'une ni à l'autre; Monsieur de
Paris l'avait défendu. Mais voici encore une image de la
45 prévention [2]; nos sœurs de Sainte-Marie m'ont dit :
« Enfin Dieu soit loué! Dieu a touché le cœur de cette
pauvre enfant : elle s'est mise dans le chemin de l'obéissance et du salut. » De là je vais à Port-Royal : j'y
trouve un certain grand solitaire [3] que vous connaissez,
50 qui commence par me dire : « Eh bien! ce pauvre oison
a signé; enfin Dieu l'a abandonnée, elle a fait le saut. »
Pour moi, j'ai pensé mourir de rire en faisant réflexion
sur ce que fait la préoccupation [2]. Voilà bien le monde
en son naturel. Je crois que le milieu de ces extré-
55 mités [4] est toujours le meilleur.

Samedi au soir.

M. Fouquet a **(p)** entré ce matin à la chambre. On l'a
interrogé sur les octrois [5] : il a été très mal attaqué, et il
s'est très bien défendu. Ce n'est pas, entre nous, que ce
60 ne soit [6] un des endroits de son affaire le plus glissant
(d). Je ne sais quel bon ange l'a averti qu'il avait été trop
fier; mais il s'en est corrigé aujourd'hui, comme on s'est
corrigé aussi de le saluer.

On ne rentrera que mercredi à la chambre; je ne vous
65 écrirai aussi que ce jour-là. Au reste, si vous continuez à
me **(g)** tant plaindre de la peine que je prends de vous
écrire, et à me prier de ne point continuer, je croirai que
c'est vous qui vous ennuyez de lire mes lettres, et qui
vous trouvez fatigué d'y faire réponse, mais sur cela je
70 vous promets encore de faire mes lettres plus courtes, si
je puis; et je vous quitte [7] de la peine de me répondre,
quoique j'aime infiniment vos lettres. Après ces déclara-
tions, je ne pense pas que vous espériez d'empêcher le
cours de mes gazettes. Quand je songe que je vous fais
75 un peu de plaisir, j'en ai beaucoup. Il se présente si peu
d'occasions de témoigner son estime et son amitié, qu'il

---

1. Acte secret par lequel on déroge aux stipulations d'un acte public (ce dernier étant ici le
formulaire). — 2. La *préoccupation* exprime seulement que l'esprit est occupé d'avance par
une opinion; la *prévention* ajoute que la préoccupation est indépendante des bonnes raisons
(L.). — 3. D'Andilly. — 4. Juste milieu entre les extrêmes. — 5. Droits qu'on lève sur certaines denrées à leur entrée dans une ville (L.); Fouquet en aurait détourné certains. — 6. *Entre
nous,* c'est... — 7. Dispense (L.).

ne faut pas les perdre quand elles se présentent. Je vous
supplie de faire tous mes compliments [1] chez vous et
dans votre voisinage. La Reine est bien mieux.

6. A M. DE POMPONNE

Jeudi 27ᵉ novembre [*1664*].

On a continué aujourd'hui les interrogations sur les
octrois. M. le chancelier avait bonne intention de pous-
ser M. Fouquet aux extrémités, et de l'embarrasser;
mais il n'en est pas venu à bout. M. Fouquet s'est fort
5 bien tiré d'affaire. Il n'est entré qu'à onze heures, parce
que M. le chancelier a fait lire le rapporteur [2], comme je
vous l'ai mandé; et malgré toute cette belle dévotion [3],
il disait toujours tout le pis contre notre pauvre ami. Le
rapporteur prenait toujours son [4] parti, parce que le
10 chancelier ne parlait que pour un côté. Enfin il [5] a dit :
« Voici un endroit sur quoi **(j)** l'accusé ne pourra pas
répondre. » Le rapporteur a dit : « Ah! Monsieur, pour
cet endroit-là, voici l'emplâtre [6] qui le guérit », et a dit
une très forte raison, et puis il a ajouté : « Monsieur,
15 dans la place où je suis, je dirai toujours la vérité, de
quelque manière qu'elle se rencontre. » On a souri de
l'*emplâtre,* qui a fait souvenir de celui qui a fait tant de
bruit [6]. Sur cela on a fait entrer l'accusé, qui n'a pas été
une heure dans la chambre; et, en sortant, plusieurs ont
20 fait compliment à T*** [7] de sa fermeté.

Il faut que je vous conte ce que j'ai fait. Imaginez-
vous que des dames m'ont proposé d'aller dans une maison qui regarde droit dans [8] l'Arsenal, pour voir revenir
notre pauvre ami. J'étais masquée [9], je l'ai vu venir
25 d'assez loin. M. d'Artagnan était auprès de lui; cinquante mousquetaires derrière, à trente ou quarante
pas. Il paraissait assez rêveur. Pour moi, quand je l'ai
aperçu, les jambes m'ont tremblé, et le cœur m'a battu
si fort, que je n'en pouvais plus. En s'approchant **(s)** de

---

1. Cf. lettre 3, p. 23, l. 9. — 2. Commissaire chargé d'examiner le dossier d'un procès et
d'exposer en détail, devant la chambre de justice, les faits de la cause. — 3. Du chancelier
envers saint François de Sales, narrée dans une lettre antérieure (24 novembre). — 4. Le *parti*
de Fouquet. — 5. Le chancelier. — 6. Cf. lettre 5 (p. 27, l. 17). — 7. Tobie, surnom d'Olivier
d'Ormesson. — 8. Dont les ouvertures sont situées juste en face de. — 9. D'un loup de
velours noir pour protéger le teint.

30 nous pour rentrer dans son trou, M. d'Artagnan l'a
poussé, et lui a fait remarquer que nous étions là. Il
nous a donc saluées, et a pris cette mine riante que vous
connaissez. Je ne crois pas qu'il m'ait reconnue; mais je
35 vous avoue que j'ai été étrangement saisie, quand je l'ai
vu rentrer dans cette petite porte. Si vous saviez combien on est malheureuse (i) quand on a le cœur fait
comme je l'ai, je suis assurée que vous auriez pitié de
moi; mais je pense que vous n'en êtes pas quitte à meilleur marché [1], de la manière dont je vous connais. [...]

7. A M. DE POMPONNE

Mercredi 17e décembre [1664].

Vous languissez [2], mon pauvre Monsieur, mais nous
languissons bien aussi. J'ai été fâchée [3] de vous avoir
mandé que l'on aurait mardi un arrêt [4]; car, n'ayant
point eu de mes nouvelles, vous avez cru que tout est
5 perdu; cependant nous avons encore toutes nos espérances. Je vous mandai samedi comme M. d'Ormesson
avait rapporté l'affaire et opiné [5]; mais je ne vous parlai
point assez de l'estime extraordinaire qu'il s'est acquise
par cette action. J'ai ouï dire à des gens du métier que
10 c'est un chef-d'œuvre que ce qu'il a fait, pour s'être
expliqué si nettement, et avoir appuyé son avis sur des
raisons si solides et si fortes; il y mêla de l'éloquence, et
même de l'agrément. Enfin jamais homme de sa profes-
sion n'a eu une plus belle occasion de se faire paraître [6],
15 et ne s'en est jamais mieux servi. S'il avait voulu ouvrir
sa porte aux louanges, sa maison n'aurait pas désempli;
mais il a voulu être modeste, il s'est caché avec soin.
Son camarade [7] très indigne Sainte-Hélène parla
lundi et mardi : il reprit toute l'affaire pauvrement et
20 misérablement, lisant ce qu'il disait, et sans rien
augmenter ni donner un autre tour à l'affaire. Il opina,
sans s'appuyer sur rien, que M. Fouquet aurait la tête
tranchée, à cause du crime d'État [8]; et pour attirer plus
de monde à lui et faire un trait de Normand [9], il dit qu'il

---

1. N'êtes pas moins malheureuse. — 2. Attendez avec impatience (L.). — 3. Peinée, contra-
riée (L.). — 4. Décision judiciaire, verdict. — 5. Dit son sentiment pour la délibération (L.);
« M. d'Ormesson a donc opiné au bannissement perpétuel et à la confiscation de biens au
Roi » (13 décembre 1664). — 6. Briller. — 7. Collègue. — 8. C'était le projet de résistance
armée, rédigé de sa main : voir p. 26, note 9. — 9. Qui ne dit ni oui ni non (expression proverbiale).

25 fallait croire que le Roi donnerait grâce; que c'était lui
seul qui le **(g)** pouvait faire. Ce fut hier qu'il fit cette
belle action, dont tout le monde fut aussi touché [1],
qu'on avait été aise de l'avis de M. d'Ormesson.

Ce matin, Pussort a parlé quatre heures, mais avec
30 tant de véhémence, tant de chaleur, tant d'emportement, tant de rage, que plusieurs des juges en étaient
scandalisés, et l'on croit que cette furie peut faire plus
de bien que de mal à notre pauvre ami. Il a redoublé de
force sur la fin de son avis, et a dit sur ce crime d'État,
35 qu'un certain Espagnol nous devait faire bien de la
honte, qui **(k)** avait eu tant d'horreur d'un rebelle qu'il
avait brûlé sa maison, parce que Charles de Bourbon y
avait passé; qu'à plus forte raison nous devions avoir en
abomination le crime de M. Fouquet; que pour le punir
40 il n'y avait que la corde et les gibets; mais qu'à cause des
charges [2] qu'il avait possédées, et qu'il avait **(w)** plusieurs parents considérables, il se relâchait [3] à prendre
l'avis de M. de Sainte-Hélène.

Que dites-vous de cette modération? C'est à cause
45 qu'il est oncle de M. Colbert et qu'il a été récusé, qu'il a
voulu en user si honnêtement. Pour moi, je saute aux
nues quand je pense à cette infamie. Je ne sais demain si
on jugera, ou si l'on traînera l'affaire toute la semaine.
Nous avons encore de grandes salves à essuyer [4]; mais
50 peut-être que quelqu'un reprendra l'avis de ce pauvre
M. d'Ormesson, qui jusqu'ici a été si mal suivi. Mais
écoutez, je vous prie, trois ou quatre petites choses qui
sont très véritables, et qui sont assez extraordinaires.

Premièrement, il y a une comète qui paraît depuis
55 quatre jours. Au commencement elle n'a été annoncée
que par des femmes, on s'en est moqué; mais présentement tout le monde l'a vue. M. d'Artagnan veilla la nuit
passée, et la vit fort à son aise. M. de Neuré, grand
astrologue [5], dit qu'elle est d'une grandeur considéra-
60 ble. J'ai vu M. de Foix qui l'a vue avec trois ou quatre
savants. Moi qui vous parle, je fais veiller cette nuit
pour la voir aussi : elle paraît sur les trois heures; je
vous en avertis, vous pouvez en avoir le plaisir ou le
déplaisir.

---

1. Cf. lettre 4 (p. 26, l. 21). — 2. Fonctions qui donnent pouvoir et autorité. — 3. Se laissait
aller. — 4. Supporter. — 5. Astronome.

65   Berrier [1] est devenu fou, mais au pied de la lettre,
c'est-à-dire qu'après avoir été saigné excessivement, il
ne laisse pas d'être en fureur [2]. Il parle de potence, de
roue [3], il choisit des arbres exprès; il dit qu'on le **(g)**
veut pendre : il fait un bruit si épouvantable qu'il le **(g)**
70   faut tenir et lier. Voilà une punition de Dieu assez visible et assez à point nommé.

Il y a eu un nommé La Mothe qui a dit, sur le point de
recevoir son arrêt, que MM. de Bezemaux et Chamil-
lard et Berrier (on y met Poncet, mais je n'en suis pas si
75   assurée) l'avaient pressé plusieurs fois de parler contre
M. Fouquet et contre de Lorme [4]; que moyennant cela
ils le feraient sauver, et qu'il ne l'a pas voulu, et le
déclare avant que d'être jugé. Il a été condamné aux
galères. Mmes Fouquet ont obtenu une copie de cette
80   déposition, qu'elles présenteront demain à la chambre.
Peut-être qu'on ne la recevra pas, parce qu'on est aux
opinions [5]; mais elles peuvent le dire; et comme ce bruit
est répandu, il doit faire un grand effet dans l'esprit des
juges. N'est-il pas vrai que tout ceci est assez extraordi-
85   naire?

Il faut que je vous conte encore une action héroïque
de Masnau [6]. Il était malade à mourir, il y a huit jours,
d'une colique néphrétique; il prit plusieurs remèdes, et
se fit saigner à minuit. Le lendemain, à sept heures, il se
90   fit traîner à la chambre de justice, il y souffrit des douleurs inconcevables. M. le chancelier le vit pâlir, il lui
dit : « Monsieur, vous n'en pouvez plus, retirez-vous. »
Il lui répondit : « Monsieur, il est vrai, mais il faut mourir ici. » M. le chancelier, le voyant quasi s'évanouir, lui
95   dit, le voyant s'opiniâtrer : « Eh bien, Monsieur, nous
vous attendrons. » Sur cela il sortit pour un quart
d'heure, et dans ce temps il fit deux pierres [7] d'une gros-
seur si considérable, qu'en vérité cela pourrait passer
pour un miracle, si les hommes étaient dignes que Dieu
100   en voulût faire. Ce bonhomme [8] rentra gai et gaillard, et
en vérité chacun fut surpris de cette aventure.

Voilà tout ce que je sais. Tout le monde s'intéresse
dans [9] cette grande affaire. On ne parle **(x)** d'autre

---

1. Magistrat acquis à Colbert. — 2. Il est quand même en frénésie. — 3. Instrument de supplice. — 4. Commis de Fouquet, arrêté aussi. — 5. Suffrages (L.). — 6. Un des juges. — 7.
Expulsa deux calculs. — 8. Homme qui commence à vieillir (L.). — 9. Prend intérêt à.

105 chose; on raisonne, on tire des conséquences, on compte sur ses doigts [1]; on s'attendrit, on espère, on craint, on peste, on souhaite, on hait, on admire, on est triste, on est accablé; enfin mon pauvre Monsieur, c'est une chose extraordinaire que l'état où l'on est présente-
110 ment; mais c'est une chose divine que la résignation et la fermeté de notre cher malheureux. Il sait tous les jours ce qui se passe, et tous les jours il faudrait faire des volumes à sa louange.

Je vous conjure de bien remercier Monsieur votre père [2] de l'aimable petit billet qu'il m'a écrit, et des bel-
115 les choses qu'il m'a envoyées. Hélas! je les ai lues, quoi-que j'aie la tête en quatre. Dites-lui que je suis ravie qu'il m'aime un peu, c'est-à-dire beaucoup, et que pour moi je l'aime encore davantage. J'ai reçu votre dernière lettre. Eh! mon Dieu, vous me payez au-delà de ce que
120 je fais pour vous : je vous dois du reste.

8. A M. DE POMPONNE

Vendredi 19ᵉ décembre [*1664*].

Voici un jour qui nous donne de grandes espérances; mais il faut reprendre de plus loin. Je vous ai mandé comme M. Pussort opina mercredi à [3] la mort; jeudi, Noguez, Gisaucourt, Fériol, Hérault, à [3] la mort
5 encore. Roquesante finit la matinée; et après avoir parlé une heure admirablement bien, il reprit l'avis de M. d'Ormesson. Ce matin, nous avons été au-dessus du vent [4], car deux ou trois incertains ont été fixés, et tout d'un article nous avons eu La Toison, Masnau, Verdier,
10 La Baume et Catinat [5], de l'avis de M. d'Ormesson. C'était à Poncet à parler; mais jugeant que ceux qui res-tent sont quasi tous à [3] la vie, il n'a pas voulu parler, quoiqu'il ne fût qu'onze heures. On croit que c'est pour consulter [6] ce qu'on veut qu'il dise, et qu'il n'a pas voulu
15 se décrier [7] et aller à [8] la mort sans nécessité. Voilà où nous en sommes, qui [9] est un état si avantageux que la joie n'en est point entière; car il faut que vous sachiez que M. Colbert est tellement enragé, qu'on attend quel-

---

1. Le nombre des juges favorables à Fouquet, ou des autres. — 2. D'Andilly. — 3. Pour. — 4. En posture favorable. — 5. Le père du futur maréchal. — 6. *Consulter* le chancelier sur. — 7. Se déshonorer. — 8. Se prononcer pour. — 9. Ce *qui*.

20 que chose d'atroce et d'injuste qui nous remettra au désespoir. Sans cela, mon pauvre Monsieur, nous aurons le plaisir et la joie de voir notre ami, quoique bien malheureux, au moins avec la vie sauve, qui [1] est une grande affaire. Nous verrons demain ce qui arri-
25 vera. Nous en avons sept, ils en ont six. Voici ceux qui restent : Le Féron, Moussy, Brillac, Bernard, Renard, Voisin, Pontchartrain et le chancelier. Il y en a plus qu'il ne nous en faut de bons à ce reste-là.

Samedi 20ᵉ décembre.

Louez Dieu, Monsieur, et le remerciez **(g)** : notre
30 pauvre ami est sauvé. Il a passé de treize [2] à l'avis de M. d'Ormesson, et neuf à celui de Sainte-Hélène. Je suis si aise que je suis hors de moi [3].

● **Une chronique judiciaire moins précise...**

Noter le vague des allusions aux questions de fond et notamment à l'argumentation juridique, et le peu d'importance de la culpabilité effective ou non de Fouquet.

... que passionnée...

① De la sympathie à la partialité : en étudier les étapes, de la *lettre 5* à la *lettre 8*, avec les détails précis qui les impliquent (par exemple, *lettre 8 : nous... ils...* (l. 24-25); *bons* (l. 28); *joie* (l. 17), *désespoir* (l. 21), *aise* (l. 33), etc.).
② Des péripéties dramatiques : les discerner dans l'attitude de Fouquet *(lettre 5)*, les affrontements *(lettre 6)*, les variétés d'avis et le suspense *(lettre 7)*, les espérances et le dénouement *(lettre 8)*.

... et étoffée :

③ Relever la variété des digressions entre elles (par exemple les anecdotes de la *lettre 7*) et distinguer leur degré d'éloignement par rapport au procès (par exemple *lettre 5 :* les civilités finales sont tout en marge, mais l'affaire du formulaire fait contrepoint au procès et engage vivement M. de Pomponne, sinon Mᵐᵉ de Sévigné comme le prouvent ses derniers mots).
④ Déceler le talent narratif plus dans des anecdotes (notamment avec les jansénistes de la *lettre 5*, l'entrevue romanesque de la *lettre 6* ou l'état des esprits à la fin de la *lettre 7*), que dans la chronique du procès (y relever des répétitions de termes et de menues négligences).

---

1. Ce *qui*. — 2. Par *treize* voix. — 3. Je ne me domine plus.

LA CHRONIQUE FAMILIALE ET MONDAINE

Tableau de famille et préoccupations du temps, dispute avec Bussy autour du portrait acidulé de sa cousine, publié malgré lui dans son Histoire amoureuse des Gaules, *faire-part pour le mariage de Françoise de Sévigné avec le comte de Grignan, et plus tard pour la naissance de Marie-Blanche de Grignan, s'y succèdent entre autres, avant la chronique d'une tragédie romanesque à la Cour : le mariage manqué de l'aventureux Lauzun avec la Grande Mademoiselle, cousine germaine de Louis XIV.*

9. A M. DE POMPONNE

A Fresnes [1], *ce 1er d'août* [1667].

N'en déplaise au service du Roi, je crois, Monsieur l'Ambassadeur, que vous seriez tout aussi aise d'être ici avec nous que d'être à Stockholm à ne regarder le soleil que du coin de l'œil. Il faut que je vous dise comme je
5 suis présentement. J'ai M. d'Andilly [2] à ma main gauche, c'est-à-dire du côté de mon cœur; j'ai Mme de La Fayette à ma droite; Mme du Plessis devant moi, qui s'amuse à barbouiller de petites images; Mme de Motteville [3] un peu plus loin, qui rêve profondément; notre
10 oncle de Cessac [4], que je crains parce que je ne le connais guère; Mme de Caderousse [5]; sa sœur, qui est un fruit nouveau que vous ne connaissez pas, et Mlle de Sévigné sur le tout, allant et venant par le cabinet [6] comme de petits frelons. Je suis assurée, Monsieur, que
15 toute cette compagnie vous plairait fort, et surtout si vous voyiez de quelle manière on se souvient de vous, combien l'on vous aime, et le chagrin que nous commençons d'avoir contre Votre Excellence [7], ou pour mieux dire contre votre mérite [7], qui vous tient long-
20 temps à quatre ou cinq cents lieues de nous.

---

1. Château de Mme du Plessis-Guénégaud, près de Meaux. — 2. Père de M. de Pomponne. — 3. Auteur de *Mémoires* sur Anne d'Autriche. — 4. *Oncle* par ironie, le personnage étant dès alors suspect; il fut plus tard exilé « pour avoir trompé au jeu » (18 mars 1671). — 5. Fille de Mme du Plessis; le duc de Caderousse avait failli épouser Mlle de Sévigné. — 6. Pièce retirée dans le plus bel appartement. — 7. Jeu sur le titre, *Votre Excellence,* et la qualité : votre excellence, mise en parallèle avec *votre mérite.*

La dernière fois que je vous écrivis, j'avais toute ma tristesse et toute celle de mes amis. Présentement, sans que rien soit changé, nous avons toutes repris courage : ou l'on s'est accoutumé à son malheur, ou l'espérance
25 nous soutient le cœur [1]. Enfin nous revoilà tous ensemble avec assez de joie pour parler avec plaisir des Bayards [2] et des comtesses de Chivergny [2], et même pour souhaiter encore quelque nouvel enchantement. Mais les magies d'Amalthée [3] ne sont pas encore en
30 train, de sorte que nous remettons l'ouverture du théâtre pour la Saint-Martin.

Cependant le Roi s'amuse à prendre la Flandre, et Castel Rodrigue [4] à se retirer de toutes les villes que Sa Majesté veut avoir. Presque tout le monde est en
35 inquiétude ou de son fils, ou de son frère, ou de son mari; car, malgré toutes nos prospérités, il y a toujours quelque blessé ou quelque tué. Pour moi, qui espère y avoir quelque gendre, je souhaite en général la conservation de toute la chevalerie.

10. AU COMTE DE BUSSY-RABUTIN

A Paris, ce 26ᵉ juillet [1668].

[...] Il y eut des gens qui me dirent en ce temps-là : « J'ai vu votre portrait entre les mains de Mᵐᵉ de la Baume [5], je l'ai vu. » Je ne réponds que par un sourire dédaigneux, ayant pitié de ceux qui s'amusaient à croire
5 à leurs yeux. « Je l'ai vu », me dit-on encore au bout de huit jours; et moi de sourire encore. Je le redis en riant à Corbinelli [6]; je repris le même sourire moqueur qui m'avait déjà servi en deux occasions, et je demeurai cinq ou six mois de cette sorte, faisant pitié à ceux dont
10 je m'étais moquée. Enfin le jour malheureux arriva où je vis moi-même, et de mes propres yeux *bigarrés* [7], ce que je n'avais pas voulu croire. Si les cornes me fussent venues à la tête, j'aurais été bien moins étonnée. Je le

---

1. Autant d'allusions à Fouquet, emprisonné à Pignerol depuis trente mois. — 2. Personnages de petites pièces de théâtre adaptées de romans de chevalerie et jouées à Fresnes. — 3. Surnom mythologique de Mᵐᵉ du Plessis dans la *Clélie* de Mˡˡᵉ de Scudéry. — 4. Gouverneur espagnol de la Flandre. — 5. Qui avait emprunté à Bussy le manuscrit de l'ouvrage et, au lieu de le lui rendre, l'avait divulgué et fait publier. — 6. Homme de lettres et fidèle ami de Mᵐᵉ de Sévigné et de sa fille. — 7. De couleurs qui tranchent l'une sur l'autre; terme cité de l'*Histoire amoureuse des Gaules* : « Mᵐᵉ de Sévigné est inégale jusqu'aux prunelles des yeux et jusqu'aux paupières ».

15 lus, et je le relus, ce cruel portrait; je l'aurais trouvé très
joli s'il eût été d'une autre que de moi, et d'un autre que
de vous. Je le trouvai même si bien enchâssé, et tenant
si bien sa place dans le livre, que je n'eus pas la consolation de me **(g)** pouvoir flatter qu'[1]il fût d'un autre que
20 de vous. Je le reconnus à plusieurs choses que j'en avais
ouï dire, plutôt qu'à la peinture de mes sentiments, que
je méconnus entièrement [2]. Enfin je vous vis au Palais-
Royal, où je vous dis que ce livre courait. Vous voulûtes
me conter qu'il fallait qu'on eût fait ce portrait de
25 mémoire, et qu'on l'avait mis là. Je ne vous crus point
du tout. Je me ressouvins alors des avis qu'on m'avait
donnés, et dont je m'étais moquée. Je trouvai que la
place où était ce portrait était si juste, que l'amour paternelle [3] vous avait empêché de vouloir défigurer cet
30 ouvrage, en l'ôtant d'un lieu où il tenait si bien son coin.
Je vis que vous vous étiez moqué et de Mme de Mont-
glas [4], et de moi; que j'avais été votre dupe, que vous
aviez abusé de ma simplicité, et que vous aviez eu sujet
de me trouver bien innocente [5], en voyant le retour de
35 mon cœur pour vous [6], et sachant que le vôtre me trahis-
sait : vous savez la suite.

Être dans les mains de tout le monde; se trouver
imprimée; être le livre de divertissement de toutes les
provinces, où ces choses-là font un tort irréparable; se
40 rencontrer dans les bibliothèques, et recevoir cette douleur, par qui? Je ne veux point vous étaler davantage
toutes mes raisons : vous avez bien de l'esprit, je suis
assurée que si vous voulez faire un quart d'heure de
réflexions, vous les verrez, et vous les sentirez comme
moi. [...]

11. AU COMTE DE BUSSY-RABUTIN

A Paris, ce 4e décembre [*1668*].

N'avez-vous pas reçu ma lettre où je vous donnais la
vie [7], et ne voulais pas vous tuer à terre? J'attendais une
réponse sur cette belle action; mais vous n'y avez pas
pensé; vous vous êtes contenté de vous relever, et de

---

1. *De pouvoir* entretenir l'espérance *que*. — 2. Ne reconnus pas du tout. — 3. D'un auteur
pour son œuvre. — 4. Amie de Mme de La Baume et maîtresse de Bussy, à qui elle avait
demandé de détruire le portrait. — 5. Naïve. — 6. Réconciliation après une brouille antérieure (1658). — 7. *La vie* sauve; tout le paragraphe est rédigé par jeu en termes de chevalerie, le combat singulier représentant sans doute la querelle du portrait (cf. lettre 10).

⁵ reprendre votre épée comme je vous l'ordonnais.
J'espère que ce ne sera pas pour vous en servir jamais
contre moi.

Il faut que je vous apprenne une nouvelle qui sans
doute vous donnera de la joie; c'est qu'enfin la plus jolie
¹⁰ fille de France ¹ épouse, non pas le plus joli garçon ²,
mais un des plus honnêtes hommes ³ du royaume : c'est
M. de Grignan, que vous connaissez il y a longtemps.
Toutes ses femmes sont mortes ⁴ pour faire place à votre
cousine ¹, et même son père et son fils, par une bonté
¹⁵ extraordinaire, de sorte qu'étant plus riche qu'il n'a
jamais été ⁵, et se trouvant d'ailleurs, et par sa naissance, et par ses établissements ⁶, et par ses bonnes qualités, tel que nous le pouvons souhaiter, nous ne le mar-
chandons point, comme on a accoutumé de **(f)** faire :
²⁰ nous nous en fions bien aux deux familles qui ont **(p)**
passé devant ⁷ nous. Il paraît fort content de notre
alliance ⁸; et aussitôt que nous aurons des nouvelles de
l'archevêque d'Arles son oncle, son autre oncle l'évêque
d'Uzès étant ici, ce sera une affaire qui s'achèvera avant
²⁵ la fin de l'année. Comme je suis une dame assez régulière ⁹, je n'ai pas voulu manquer à vous en demander
votre avis, et votre approbation. Le public ¹⁰ paraît
content, c'est beaucoup : car on est si sot que c'est quasi
sur cela qu'on se règle. [...]

12. AU COMTE DE GRIGNAN

A Paris, mercredi 19ᵉ novembre [1670].

DE MADAME DE GRIGNAN

Si ma bonne santé peut vous consoler de n'avoir
qu'une fille, je ne vous demanderai point pardon de ne
vous avoir pas donné un fils. Je suis hors de tout péril, et
ne songe qu'à vous aller trouver. Ma mère vous dira le
⁵ reste.

DE MADAME DE SÉVIGNÉ

Mᵐᵉ de Puisieux dit que si vous avez envie d'avoir un
fils, vous preniez la peine de le faire : je trouve ce dis-

---

1. La fille de Mᵐᵉ de Sévigné, ainsi surnommée par Bussy. — 2. M. de Grignan, quoique bel homme, était laid de visage. — 3. *Honnête* : qui a toutes les qualités propres à se rendre agréable dans la société (L.). — 4. Angélique d'Angennes en 1664; Marie-Angélique du Puy-du-Fou en 1667. — 5. En fait, criblé de dettes. — 6. Sa position sociale. — 7. Avant. — 8. Union par le mariage (L.). — 9. Peut-être réponse à l'accusation d'« inégalité » portée dans le portrait par Bussy. — 10. L'opinion publique.

cours le plus juste et le meilleur du monde. Vous nous
avez laissé une petite fille, nous vous la rendons. Jamais
10 il n'y eut un accouchement si heureux. Vous saurez que
ma fille et moi nous allâmes samedi dernier nous promener à l'Arsenal [1]; elle sentit de petites douleurs : je voulus au retour envoyer querir Mme Robinet [2]; elle ne le
voulut jamais. On soupa, elle mangea très bien. M. le
15 Coadjuteur [3] et moi nous voulûmes donner à cette
chambre un air d'accouchement; elle s'y opposa encore
avec un air qui nous persuadait qu'elle n'avait qu'une
colique [4] de fille. Enfin, comme j'allais malgré elle querir la Robinette [2], voilà des douleurs si vives, si extrê-
20 mes, si redoublées, si continuelles; des cris si violents, si
perçants, que nous comprîmes très bien qu'elle allait
accoucher. La difficulté est qu'il n'y avait point de sage-
femme; nous ne savions tous où nous en étions; j'étais
au désespoir. Elle demandait du secours et une sage-
25 femme; c'était alors qu'elle la souhaitait, ce n'était pas
sans raison; car comme nous eûmes **(z)** fait venir en diligence la sage-femme de la Deville [5], elle reçut l'enfant
un quart d'heure après. Dans ce moment l'ecquet [6]
arriva, qui aida à la délivrer. Quand tout fut fait, la
30 Robinette arriva, un peu étonnée; c'est qu'elle s'était
amusée [7] à accommoder [8] Madame la Duchesse [9], pensant en avoir pour toute la nuit. D'abord Hélène [10] me
dit : « Madame, c'est un petit garçon. » Je le dis au
Coadjuteur; et puis quand nous le regardâmes de plus
35 près, nous trouvâmes que c'était une petite fille. Nous
en sommes un peu honteuses, quand nous songeons que
tout l'été nous avons fait *des béguins au saint père* [11], et
qu'après de si belles espérances

La signora met au monde une fille [11].

40 Je vous assure que cela rabaisse le caquet. Rien ne
console que la parfaite santé de ma fille; elle n'a pas eu
la fièvre de son lait. Sa fille a été baptisée et nommée
Marie-Blanche; M. le Coadjuteur pour Monsieur
d'Arles [12], et moi pour moi. Voilà un détail [13] qu'on haï-

---

1. Voir p. 26, note 10. — 2. Sage-femme, appelée plus loin (l. 19) *la Robinette*. — 3. Frère
du comte de Grignan, dit *Seigneur Corbeau*, coadjuteur de son oncle l'archevêque d'Arles.
— 4. Douleur intense dans les entrailles (L.), tranchées. — 5. La petite *Deville*, femme de
chambre de Mme de Grignan; elle venait d'accoucher (lettre du 15 août 1670). — 6. Médecin
de Fouquet. — 7. Avait perdu du temps. — 8. Arranger le lit, la toilette de (L.). — 9. Belle-
fille du Grand Condé. — 10. Femme de chambre de Mme de Sévigné. — 11. Citations de
l'Ermite, conte de La Fontaine. — 12. L'archevêque *d'Arles*, son oncle.

45 rait bien pour des choses indifférentes; mais on l'aime
fort pour celles qui tiennent au cœur. M. le premier président de Provence [1] est revenu exprès de Saint-Germain pour faire son compliment ici : jamais je n'ai vu de
si grandes apparences d'une véritable amitié. Que vous
50 dirai-je encore? Oserai-je le dire? Je crois que la santé
de votre chère épouse vous en consolera [2] : c'est que
notre aimable duchesse de Saint-Simon [3] a la petite
vérole si dangereusement que l'on craint pour sa vie.
Adieu, mon cher; je laisse à votre pauvre cœur à démê-
55 ler tous ces divers sentiments; vous savez les miens il y a
longtemps sur votre sujet.

Les médisants disent que Blanche d'Adhémar [4] ne
sera pas d'une beauté surprenante; et les mêmes gens
ajoutent qu'elle vous ressemble : si cela est, vous ne
doutez pas que je ne l'aime fort.

- **La chronique familiale**

Lettre 9 : intimité

① Apprécier le tableau familier, intimiste, composé.
② Noter la fidélité affective (Pomponne, Fouquet).
③ Dégager les ombres : angoisses familiales comme envers de la
gloire guerrière; soucis matrimoniaux (marier Françoise).

Lettre 10 : grand style

① Analyser cette grandeur (art de la formule, brièveté harmo-
nieuse, noblesse de ton et d'attitude).
② Noter le recours à un critère littéraire dans la recherche de la
vérité (l'auteur trahi par la qualité de composition de son œuvre).
③ Dégager le comique et l'auto-ironie.

Lettre 11 : badinage et sérieux

① Expliquer la transposition de la querelle en termes de roman de
chevalerie.
② Distinguer le faire-part explicite de celui que recèle la *lettre 2.*
③ Analyser le caractère « moraliste » de la fin.

Lettre 12 : faire-part à deux voix

① Relever l'aspect circonstancié du faire-part.
② Différencier l'attitude de l'épouse et celle de la belle-mère
devant la déception du père, soucieux d'assurer la lignée.
③ Dégager l'évolution du drame à la comédie, et la pointe finale
(mouchetée à la fin).
④ Caractériser la valeur concrète et gaillarde du récit, et la verve
mi-badine mi-féministe du début.

---

1. Henri, baron d'Oppède. — 2. *Vous consolera* de la nouvelle suivante. — 3. Première
femme du père du célèbre mémorialiste, morte peu après. — 4. Les Grignan s'appelaient
Adhémar de Monteil de Grignan.

13. A COULANGES

A Paris, ce lundi 15ᵉ décembre [1670].

Je m'en vais vous mander la chose la plus étonnante,
la plus surprenante, la plus merveilleuse, la plus miraculeuse, la plus triomphante, la plus étourdissante, la plus
inouïe, la plus singulière, la plus extraordinaire, la plus
5 incroyable, la plus imprévue, la plus grande, la plus
petite, la plus rare, la plus commune, la plus éclatante,
la plus secrète jusqu'aujourd'hui, la plus brillante, la
plus digne d'envie : enfin une chose dont on ne trouve
qu'un exemple dans les siècles passés, encore cet exem-
10 ple n'est-il pas juste [1]; une chose que l'on ne peut pas
croire [2] à Paris (comment la pourrait-on croire à
Lyon [2] ?); une chose qui fait crier miséricorde à tout le
monde; une chose qui comble de joie Mᵐᵉ de Rohan [3] et
Mᵐᵉ d'Hauterive [3]; une chose enfin qui se fera diman-
15 che, où ceux qui la verront croiront avoir la berlue; une
chose qui se fera dimanche, et qui ne sera peut-être pas
faite lundi. Je ne puis me résoudre à la dire; devinez-la :
je vous le donne en trois. Jetez-vous votre langue aux
chiens? Eh bien! il faut donc vous la dire : M. de Lau-
20 zun [4] épouse dimanche au Louvre, devinez qui? Je vous
le donne en quatre, je vous le donne en dix; je vous le
donne en cent. Mᵐᵉ de Coulanges dit : Voilà qui est bien
difficile à deviner; c'est Mᵐᵉ de la Vallière [5]. — Point du
tout, Madame. — C'est donc Mˡˡᵉ de Retz [6]? — Point du
25 tout, vous êtes bien provinciale. — Vraiment nous sommes bien bêtes, dites-vous, c'est Mˡˡᵉ Colbert [7] ? —
Encore moins. — C'est assurément Mˡˡᵉ de Créquy? —
Vous n'y êtes pas. Il faut donc à la fin vous le dire : il
épouse, dimanche, au Louvre, avec la permission du
30 Roi, Mademoiselle, Mademoiselle de... Mademoiselle... devinez le nom : il épouse Mademoiselle, ma
foi! par ma foi! ma foi jurée! Mademoiselle [8], la grande
Mademoiselle; Mademoiselle, fille de feu Monsieur [8],
Mademoiselle, petite-fille de Henri IV; mademoiselle
35 d'Eu, mademoiselle de Dombes, mademoiselle de
Montpensier, mademoiselle d'Orléans; Mademoiselle,
cousine germaine du Roi; Mademoiselle, destinée au

---

1. Applicable. — 2. Résidence de Coulanges. — 3. Épouses de petits gentilshommes. — 4.
Pauvre cadet de Gascogne. — 5. Favorite du Roi. — 6. Nièce du cardinal. — 7. Fille cadette
du ministre. — 8. Voir p. 23, note 3.

trône; Mademoiselle, le seul parti [1] de France qui fût
digne de Monsieur [2]. Voilà un beau sujet de discourir.
40 Si vous criez, si vous êtes hors de vous-même, si vous
dites que nous avons menti, que cela est faux, qu'on se
moque de vous, que voilà une belle raillerie [3], que cela
est bien fade [4] à imaginer; si enfin vous nous dites des
injures : nous trouverons que vous avez raison; nous en
45 avons fait autant que vous.

Adieu; les lettres qui seront portées par cet ordinaire [5] vous feront voir si nous disons vrai ou non.

14. A COULANGES

A Paris, ce mercredi 24e décembre [1670].

Vous savez présentement l'histoire romanesque de
Mademoiselle et de M. de Lauzun. C'est le juste [6] sujet
d'une tragédie dans toutes les règles du théâtre. Nous en
réglions les actes et les scènes l'autre jour; nous pre-
5 nions quatre jours au lieu de vingt-quatre heures, et
c'était une pièce parfaite. Jamais il ne s'est vu de tels
changements en si peu de temps; jamais vous n'avez vu
une émotion si générale; jamais vous n'avez ouï une si
extraordinaire nouvelle. M. de Lauzun a joué son per-
10 sonnage [7] en perfection; il a soutenu ce malheur avec
une fermeté, un courage, et pourtant une douleur mêlée
d'un profond respect, qui l'ont fait admirer de tout le
monde. Ce qu'il a perdu est sans prix; mais les bonnes
grâces du Roi, qu'il a conservées, sont sans prix aussi, et
15 sa fortune [8] ne paraît pas déplorée [9]. Mademoiselle a
fort bien fait aussi; elle a bien pleuré; elle a recommencé
aujourd'hui à rendre ses devoirs [10] au Louvre [11], dont
elle avait reçu toutes les visites. Voilà qui est fini.
Adieu.

● **La chronique mondaine** (lettres 13 et 14)

① Lettre 13 : apprécier la verve et la devinette de salon.
② Lettre 14 : noter le découpage dramatique et la psychologie
romanesque.

---

1. Personne à marier considérée par rapport à son bien ou à sa naissance (L.). — 2. Frère de
Louis XIV. — 3. Invraisemblance. — 4. Dépourvu d'esprit. — 5. Courrier. — 6. Bien appro-
prié. — 7. Rôle. — 8. Situation sociale. — 9. Désespérée (L.); cela ne dura guère : un an
après, il rejoignait Fouquet à Pignerol; sur la suite de sa carrière, voir les *Mémoires* de Saint-
Simon. — 10. De civilité. — 11. Aux gens de la Cour.

II. LA SÉPARATION (1671-1672)

A PARIS (FÉVRIER-MAI 1671)

Voici, avec l'apparition d'une nouvelle destinataire, que s'ouvrent les trésors d'un cœur déchiré, bouleversé, comme une terre profondément retournée livre cailloux brisés à la tranche étincelante, glèbe sombre et bestioles fugitives. La chronique toutefois demeure, alterne avec les lamentos quand elle ne s'y mêle pas; le primesaut de ce voisinage et le vain effort de l'épistolière pour endiguer les flots de sa passion blessée, gênants et comme scanda- leux pour la cartésienne Mme de Grignan, attestent la vérité sans artifice de ces épanchements et les rendent encore plus précieux au lecteur. Dans ces lettres se des- sine enfin le singulier et séduisant visage de Charles de Sévigné, jeune homme couvert de femmes, libertin pres- que malgré lui, personnage « moderne » comme on l'était au temps de Colette, de Paul Morand et de Scott Fitzgerald.

15. A MADAME DE GRIGNAN

A Paris, vendredi 6ᵉ février [1671].

Ma douleur serait bien médiocre [1] si je pouvais vous la dépeindre; je ne l'entreprendrai pas aussi [2]. J'ai beau chercher ma chère fille, je ne la trouve plus, et tous les pas qu'elle fait l'éloignent de moi. Je m'en allai donc à
5 Sainte-Marie [3], toujours pleurant et toujours mourant : il me semblait qu'on m'arrachait le cœur et l'âme; et en effet quelle rude séparation! Je demandai la liberté d'être seule; on me mena dans la chambre de Mme du Housset, on me fit du feu; Agnès me regardait sans me
10 parler, c'était notre marché [4]; j'y passai jusqu'à cinq heures sans cesser de sangloter : toutes mes pensées me faisaient mourir. J'écrivis à M. de Grignan, vous pouvez penser sur quel ton. J'allai ensuite chez Mme de La Fayette, qui redoubla mes douleurs par la part qu'elle y
15 prit. Elle était seule, et malade, et triste de la mort

---

1. Ordinaire. — 2. Donc pas. — 3. Voir p. 27, note 8. — 4. Convention.

d'une sœur religieuse : elle était comme je la (g) pouvais
désirer. M. de La Rochefoucauld y vint; on ne parla que
de vous, de la raison que j'avais d'être touchée [1], et du
dessein de parler comme il faut à *Merlusine* [2]. Je vous
20 réponds qu'elle sera bien relancée. D'Hacqueville [3]
vous rendra un bon compte de cette affaire. Je revins
enfin à huit heures de chez Mme de La Fayette; mais en
entrant ici, bon Dieu [4]! comprenez-vous bien ce que je
sentis [5] en montant ce degré [6]? Cette chambre où
25 j'entrais toujours, hélas! j'en trouvai les portes ouver-
tes; mais je vis tout démeublé, tout dérangé, et votre
pauvre petite fille [7] qui me représentait la mienne [8].
Comprenez-vous bien tout ce que je souffris? Les
réveils de la nuit ont été noirs, et le matin je n'étais
30 point avancée d'un pas pour le repos de mon esprit.
L'après-dînée [9] se passa avec Mme de La Troche à
l'Arsenal [10]. Le soir, je reçus votre lettre, qui me remit
dans les premiers transports [11], et ce soir j'achèverai
celle-ci chez M. de Coulanges [12], où j'apprendrai des
35 nouvelles; car pour moi, voilà ce que je sais, avec les
douleurs de tous ceux que vous avez laissés ici. Toute
ma lettre serait pleine de compliments [13] si je voulais
[...].

16. A MADAME DE GRIGNAN

A Paris, lundi 9ᵉ février [1671].

Je reçois vos lettres, ma bonne, comme vous avez
reçu ma bague; je fonds en larmes en les lisant; il semble
que mon cœur veuille se fendre par la moitié; il semble
que vous m'écriviez des injures ou que vous soyez
5 malade ou qu'il vous soit arrivé quelque accident, et
c'est tout le contraire : vous m'aimez, ma chère enfant,
et vous me le dites d'une manière que je ne puis soutenir
sans des pleurs en abondance. Vous continuez votre
voyage sans aucune aventure fâcheuse; et lorsque
10 j'apprends tout cela, qui est justement tout ce qui me

---

1. Cf. lettre 4, l. 21. — 2. Nom d'une méchante fée redoutée pour ses clameurs nocturnes,
donné ici à Mme de Marans qui avait fâcheusement jasé sur une fausse couche de Mme de Grignan. — 3. Abbé et ami des plus serviables. — 4. Grand Dieu! — 5. Ressentis. — 6. Escalier.
— 7. Marie-Blanche, restée avec sa grand'mère. — 8. Était votre image. — 9. L'après-midi.
— 10. Voir p. 26, note 10. — 11. Mouvements de passion. — 12. Le cousin Emmanuel. — 13.
Cf. lettre 3, l. 9.

(g) peut être le plus agréable, voilà l'état où je suis.
Vous vous avisez donc de penser à moi, vous en parlez,
et vous aimez mieux m'écrire vos sentiments que vous
n'aimez à me les dire. De quelque façon qu'ils me vien-
15   nent, ils sont reçus avec une tendresse et une sensibilité
qui n'est comprise que de ceux qui savent aimer comme
je **(f)** fais. Vous me faites sentir pour vous tout ce qu'il
est possible de sentir de tendresse : mais si vous songez
à moi, ma pauvre bonne, soyez assurée aussi que je
20   pense continuellement à vous; c'est ce que les dévots
appellent une pensée habituelle [1]; c'est ce qu'il faudrait
avoir pour Dieu, si l'on faisait son devoir. Rien ne me
donne de distraction [2]; je suis toujours avec vous; je
vois ce carrosse qui avance toujours et qui n'approchera
25   jamais de moi : je suis toujours dans les grands chemins;
il me semble même que j'ai quelquefois peur qu'il ne
verse; les pluies qu'il fait depuis quelques jours me mettent
au désespoir; le Rhône me fait une peur étrange. J'ai
une carte devant les yeux; je sais tous les lieux où vous
30   couchez : vous êtes ce soir à Nevers, et vous serez
dimanche à Lyon, où vous recevrez cette lettre. Je n'ai
pu vous écrire qu'à Moulins par Mme de Guénégaud. Je
n'ai reçu que deux de vos lettres; peut-être que la troisième viendra; c'est la seule consolation que je souhaite;
35   pour d'autres, je n'en cherche pas. [...]

17. A MADAME DE GRIGNAN

A Paris, mercredi 11e février [1671].

Je n'en ai reçu que trois de ces aimables lettres qui me
pénètrent le cœur; il y en a une qui me manque. Sans
que [3] je les aime toutes, et que je n'aime point à perdre
ce qui me vient de vous, je croirais n'avoir rien perdu; je
5   trouve qu'on ne peut rien souhaiter qui ne soit dans celles que j'ai reçues. Elles sont premièrement très bien
écrites; et de plus si tendres et si naturelles qu'il est
impossible de ne les **(g)** pas croire; la défiance même en
serait convaincue : elles ont ce caractère de vérité que je
10   maintiens toujours, qui **(l)** se fait voir avec autorité,
pendant que le mensonge demeure accablé sous les

---

1. Constamment tournée vers son objet sans effort de volonté; se dit aussi de la grâce
divine; antonyme : actuelle. — 2. Ne me détourne de vous. — 3. N'était que.

paroles sans pouvoir persuader; plus elles [1] s'efforcent de paraître, plus elles sont enveloppées. Les vôtres sont vraies et le paraissent. Vos paroles ne servent tout au
15 plus qu'à vous expliquer; et dans cette noble simplicité, elles ont une force à quoi **(j)** l'on ne peut résister. Voilà, ma bonne, comme vos lettres m'ont paru. Mais quel effet elles me font, et quelle sorte de larmes je répands, en me trouvant persuadée de la vérité de toutes les véri-
20 tés que je souhaite le plus sans exception! Vous pourrez juger par là de ce que m'ont fait les choses qui m'ont donné autrefois des sentiments contraires. Si mes paro-les ont la même puissance que les vôtres, il ne faut pas vous en dire davantage : je suis assurée que mes vérités
25 ont fait en vous leur effet ordinaire; mais je ne veux point que vous disiez que j'étais un rideau qui vous cachait; tant pis [2] si je vous cachais, vous êtes encore

---

● **Les effets de la séparation** (lettres 15 à 17)

Éclairage psychologique :

Description impressionniste à étudier à l'occasion d'un tableau significatif *(lettre 15)* et de la psychologie vécue et paradoxale : *il semble que... (lettre 16, l. 2); il me semble... (lettre 17,* l. 30). Ana-lyse psychologique autour d'une idée, à voir dans le compte rendu d'état d'âme *(lettre 15)* et la lucidité du jugement sur la lettre de Mme de Grignan *(lettre 17)*.

Primauté de l'affectif :

Sélection des gens selon la sympathie avec l'état d'âme ou avec Mme de Grignan *(lettres 15 et 17)* ou l'antipathie avec celle-ci *(lettre 15 : Merlusine,* l. 18).
Imagination angoissée et rapprochement avec la religion *(lettre 16)*.
L'affectif efface le littéraire ou le social *(lettre 17)*.

Coups de projecteur :

Sur Mme de Grignan, plus expansive à distance *(lettre 16)*.
Sur les relations mère-fille, soit inégales *(choses... contraires, lettre 17,* l. 21), soit ambiguës : *rideau* protecteur, mais étouffant *(lettre 17,* l. 26); cf. le rideau qu'on mettait alors devant les tableaux pour les protéger en les cachant.

Imagination vive : présence du lointain et du futur; aidée et orientée par l'affectivité *(lettre 16)*.

Style à petites touches, avec des expressions fortes : *réveils noirs (lettre 15,* l. 29); *il semble que mon cœur veuille se fendre par la moi-tié (lettre 16,* l. 3); *toute nue (lettre 17,* l. 31).

---

1. Les paroles. — 2. C'était grand dommage.

plus aimable quand on a tiré le rideau; il faut que vous
soyez à découvert pour être dans votre perfection; nous
30 l'avons dit mille fois. Pour moi, il me semble que je suis
toute nue, qu'on m'a dépouillée de tout ce qui me rendait aimable. Je n'ose plus voir le monde, et quoi qu'on
ait fait pour m'y remettre, j'ai passé tous ces jours-ci
comme un loup-garou [1], ne pouvant faire autrement.
35 Peu de gens sont dignes de comprendre ce que je sens;
j'ai cherché ceux qui sont de ce petit nombre, et j'ai
évité les autres. [...]

18. A MADAME DE GRIGNAN

Vendredi 20ᵉ février [1671].

Je vous avoue que j'ai une extraordinaire envie de
savoir de vos nouvelles; songez, ma chère bonne, que je
n'en ai point eu depuis La Palice [2]. Je ne sais rien du
reste de votre voyage jusqu'à Lyon, ni de votre route
5 jusqu'en Provence : je me dévore, en un mot; j'ai une
impatience qui trouble mon repos. Je suis bien assurée
qu'il me viendra des lettres; je ne doute point que vous
ne m'ayez écrit; mais je les attends, et je ne les ai pas : il
faut se consoler, et s'amuser [3], en vous écrivant.
10 Vous saurez, ma petite, qu'avant-hier, mercredi,
après être revenue de chez M. de Coulanges [4], où nous
faisons nos paquets les jours d'ordinaire [5], je revins me
coucher. Cela n'est pas extraordinaire; mais ce qui l'est
beaucoup, c'est qu'à trois heures après minuit j'entendis
15 crier au voleur, au feu, et ces cris si près de moi et si
redoublés, que je ne doutai point que ce ne fût ici; je
crus même entendre qu'on parlait de ma petite-fille; je
ne doutai pas qu'elle ne fût brûlée. Je me levai dans
cette crainte, sans lumière, avec un tremblement qui
20 m'empêchait quasi de me soutenir. Je courus à mon
appartement, qui est le vôtre : je trouvai tout dans une
grande tranquillité; mais je vis la maison de Guitaut [6]
toute en feu, les flammes passaient par-dessus la maison

---

1. Homme qui est insociable et qui vit isolé (L.). — 2. Lapalisse, ville entre Moulins et
Roanne. — 3. Passer le temps. — 4. Cf. lettre 15, l. 34. — 5. *Nos paquets* de lettres *les jours*
fixés pour le départ du courrier. — 6. Ami et correspondant de Mᵐᵉ de Sévigné, son voisin
alors à Paris, rue de Thorigny, et de tout temps en Bourgogne à Époisse.

de Mme de Vauvineux [1]. On voyait dans nos cours, et
25 surtout chez M. de Guitaut, une clarté qui faisait horreur : c'étaient des cris, c'était une confusion, c'étaient
des bruits épouvantables, des poutres et des solives qui
tombaient. Je fis ouvrir ma porte, j'envoyai mes gens [2]
au secours. M. de Guitaut m'envoya une cassette de ce
30 qu'il a de plus précieux; je la mis dans mon cabinet [3], et
puis je voulus aller dans la rue pour bayer [4] comme les
autres; j'y trouvai M. et Mme de Guitaut quasi nus,
Mme de Vauvineux, l'ambassadeur de Venise [1], tous ses
gens [2], la petite Vauvineux qu'on portait toute endor-
35 mie chez l'ambassadeur, plusieurs meubles et vaissel-
les [5] d'argent qu'on sauvait chez lui. Mme de Vauvineux
faisait démeubler. Pour moi, j'étais comme dans une
île, mais j'avais grand'pitié de mes pauvres voisins.
Mme Guéton et son frère donnaient de très bons
40 conseils; nous étions tous dans la consternation : le feu
était si allumé qu'on n'osait en approcher, et l'on
n'espérait la fin de cet embrasement qu'avec la fin de la
maison de ce pauvre Guitaut. Il faisait pitié; il voulait
aller sauver sa mère qui brûlait au troisième étage; sa
45 femme s'attachait à lui, qui **(k)** le retenait avec violence;
il était entre la douleur de ne pas secourir sa mère et la
crainte de blesser [6] sa femme, grosse de cinq mois : il
faisait pitié. Enfin il me pria de tenir sa femme, je le fis :
il trouva que sa mère avait **(p)** passé au travers de la
50 flamme et qu'elle était sauvée. Il voulut aller retirer
quelques papiers; il ne put approcher du lieu où ils
étaient. Enfin il revint à nous dans cette rue où j'avais
fait asseoir sa femme. Des capucins [7], pleins de charité
et d'adresse, travaillèrent si bien, qu'ils coupèrent [8] le
55 feu. On jeta de l'eau sur les restes de l'embrasement, et

Le combat finit faute de combattants [9];

enfin c'est-à-dire après que le premier et le second étage
de [10] l'antichambre et de la petite chambre et du cabinet [11], qui sont à main droite du salon, eurent été entiè-
60 rement consommés [12]. On appela bonheur ce qui restait

---

1. Autres voisins. — 2. Domestiques. — 3. Buffet à plusieurs volets et tiroirs. — 4. Tenir la
bouche ouverte en regardant (L.). — 5. Tous les ustensiles du service de table, avec assiettes,
plats, bassins, aiguières, couverts, salières, sucriers, coquetiers, chandeliers, flambeaux, etc.
— 6. Faire faire une fausse couche à. — 7. Moines franciscains qui faisaient alors office de
pompiers. — 8. Circonscrirent. — 9. « Et *le combat* cessa *faute de combattants* » (Corneille, *le
Cid*, IV, 3). — 10. Au-dessus *de*. — 11. Voir p. 35, note 6. — 12. Consumés.

de la maison, quoiqu'il y ait pour le pauvre Guitaut pour plus de dix mille écus [1] de perte; car on compte de faire rebâtir cet appartement, qui était peint et doré. Il y avait aussi plusieurs beaux tableaux à M. Le Blanc, à
65 qui est la maison : il y avait aussi plusieurs tables, et miroirs, miniatures, meubles, tapisseries. Ils ont grand regret à des lettres : je me suis imaginée que c'étaient des lettres de Monsieur le Prince [2]. Cependant, vers les cinq heures du matin, il fallut songer à Mme de Gui-
70 taut : je lui offris mon lit; mais Mme Guéton la mit dans le sien, parce qu'elle a plusieurs chambres meublées. Nous la fîmes saigner; nous envoyâmes querir Boucher : il craint bien que cette grande émotion ne la fasse accoucher devant les neuf jours, c'est grand hasard s'il
75 **(e)** ne vient. Elle est donc chez cette pauvre Mme Guéton; tout le monde les **(g)** vient voir, et moi je continue mes soins, parce que j'ai trop bien commencé pour ne pas achever.
80 Vous m'**(g)** allez demander comment le feu s'était mis à cette maison : on n'en sait rien; il n'y en avait point [3] dans l'appartement où il a pris. Mais si on avait pu rire dans une si triste occasion, quels portraits n'aurait-on point faits de l'état où nous étions tous? Guitaut était nu

---

- **L'art de l'anecdote** (lettre 18)

  L'encadrement entre un lamento intense et concis, et les angoisses du couvage maternel : le *feu* (l. 97), l'*eau* (l. 99).
  L'impressionnisme : le bruit et la fureur (sensations hallucinantes, angoisses, cause tardivement révélée, ordre « à la Dostoïevski »), le rassurement (senti, puis rationnel), l'horreur (lumière étrange, fracas confus et énorme).
  Le tableau : croquis d'ensemble avec deux menus détails : *quasi nus* (l. 32), *endormie* (l. 34); caricatures comiques (saugrenu); sensualité esthétique : la poitrine du secrétaire d'ambassade (l. 91).
  Le drame : scène cornélienne (débat, décision) résorbée.
  Le recul : pointe critique *(on appela bonheur,* l. 60), traits comiques, conclusion pratique (la *ronde* du maître d'hôtel, l. 96).
  La vivacité de style : brièveté du tour syntaxique (sauf quelques formules moralistes); répétitions intensives (*c'était,* l. 26-27) ou formulaires (la fin); de menues négligences (répétitions notamment) authentifiant le style « à bride abattue ».
  ① Relever quelques-unes de ces répétitions.

---

1. Un *écu* valait trois livres ou francs et un charpentier gagnait (voir p. 79, l. 38) 0,60 franc par jour. — 2. Le Grand Condé, au service duquel avait été Guitaut. — 3. Pour le chauffage.

85 en chemise [1], avec des chausses [2]; Mme de Guitaut était
nue jambe, et avait perdu une de ses mules de chambre;
Mme de Vauvineux était en petite jupe [3], sans robe de
chambre; tous les valets, tous les voisins, en bonnets de
nuit. L'ambassadeur était en robe de chambre et en per-
90 ruque, et conserva fort bien la gravité de la Sérénis-
sime [4]. Mais son secrétaire était admirable; vous parlez
de la poitrine d'Hercule! Vraiment, celle-ci était bien
autre chose; on la voyait toute entière : elle est blanche,
grasse, potelée, et surtout sans aucune chemise, car le
95 cordon qui la **(g)** devait attacher avait été perdu à la
bataille. Voilà les tristes nouvelles de notre quartier. Je
prie M. Deville [5] de faire tous les soirs une ronde pour
voir si le feu est éteint partout; on ne saurait avoir trop
de précaution pour éviter ce malheur. Je souhaite, ma
100 bonne, que l'eau vous ait été favorable [6]; en un mot, je
vous souhaite tous les biens, et prie Dieu qu'il vous
garantisse de tous les maux. [...]

19. A MADAME DE GRIGNAN

[Mardi 3e mars 1671.]

Si vous étiez ici, ma chère bonne, vous vous moque-
riez de moi; j'écris de provision [7], mais c'est une raison
bien différente de celle que je vous donnais pour
m'excuser [8] : c'était parce que je ne me souciais guère
5 de ces gens-là, et que dans deux jours je n'aurais pas
autre chose à leur dire. Voici tout le contraire; c'est que
je me soucie beaucoup de vous, que j'aime à vous entretenir [9] à toute heure, et que c'est la seule consolation
que je puisse avoir présentement. Je suis aujourd'hui
10 toute seule dans ma chambre par l'excès de ma mauvaise humeur [10]. Je suis lasse de tout; je me suis fait un
plaisir de dîner ici, et je m'en fais un de vous écrire hors
de propos : mais, hélas! ma bonne, vous n'avez pas de
ces loisirs-là. J'écris tranquillement, et je ne comprends
15 pas que vous puissiez lire de même : je ne vois pas un
moment où vous soyez à vous. Je vois un mari qui vous
adore, qui ne peut se lasser d'être auprès de vous, et qui

---

1. N'était vêtu que de sa *chemise*. — 2. Culotte à la française. — 3. Le premier et donc le
moins long des jupons qu'on enfilait successivement avant la robe. — 4. Épithète officielle de
la République de Venise. — 5. Maître d'hôtel des Grignan. — 6. A la traversée du Rhône. —
7. En attendant et par précaution (L.). — 8. D'écrire ainsi à des tiers également. — 9. Parler.
— 10. Mélancolie.

peut à peine comprendre son bonheur. Je vois des
harangues, des infinités de compliments, de civilités, des
20 visites; on vous fait des honneurs extrêmes [1], il faut
répondre à tout cela, vous êtes accablée; moi-même, sur
ma petite bonté, je n'y suffirais pas. Que fait votre
paresse pendant tout ce tracas? Elle souffre, elle se
retire dans quelque petit cabinet, elle meurt de peur de
25 ne plus retrouver sa place : elle vous attend dans quelque moment perdu pour vous faire au moins souvenir
d'elle, et vous dire un mot en passant. « Hélas! dit-elle,
mais vous m'oubliez : songez que je suis votre plus
ancienne amie; celle qui ne vous ai **(m)** jamais abandon-
30 née, la fidèle compagne de vos plus beaux jours; celle
qui vous consolais **(m)** de [2] tous les plaisirs, et qui même
quelquefois vous les faisais **(m)** haïr; celle qui vous ai
(m) empêchée de mourir d'ennui et en Bretagne et dans
votre grossesse. Quelquefois votre mère troublait nos
35 plaisirs, mais je savais bien où vous reprendre, et elle
avait des égards pour moi; présentement je ne sais plus
où j'en suis; la dignité et l'éclat de votre mari me fera
périr, si vous n'avez soin de moi. » Il me semble que
vous lui dites en passant un petit mot d'amitié, vous lui
40 donnez quelque espérance de la posséder à Grignan;
mais vous passez vite, et vous n'avez pas le loisir d'en
dire davantage. Le devoir et la raison sont autour de
vous, qui **(k)** ne vous donnent pas un moment de repos.
Moi-même, qui les ai toujours tant honorées [3], je leur
45 suis contraire, et elles [3] me le sont; le moyen qu'elles [3]
vous donnent le temps de lire de telles lanterneries [4]? Je
vous assure, ma chère bonne, que je songe à vous continuellement, et je sens tous les jours ce que vous me
dîtes une fois, qu'il ne fallait point appuyer sur ces pen-
50 sées. Si l'on ne glissait pas dessus, on serait toujours en
larmes, c'est-à-dire moi. Il n'y a lieu dans cette maison
qui ne me blesse le cœur. Toute votre chambre me tue;
j'y ai fait mettre un paravent tout au milieu, pour rompre un peu la vue d'une fenêtre sur ce degré [5] par où je
55 vous vis monter dans le carrosse de d'Hacqueville [6], et
par où je vous rappelai. Je me fais peur quand je pense
combien alors j'étais capable de me jeter par la fenêtre,

---

1. Dans les fêtes données en Provence à M. et Mme de Grignan. — 2. De l'absence *de*. — 3. Accord avec le nom le plus proche, ici féminin *(raison)*. — 4. Contes absurdes. — 5. Cf. lettre 15, l. 24. — 6. Voir p. 44, note 3.

car je suis folle quelquefois; ce cabinet, où je vous
embrassai sans savoir ce que je faisais; ces [1] Capucins,
60 où j'allai entendre la messe; ces larmes qui tombaient de
mes yeux à terre, comme si c'eût été de l'eau qu'on eût
répandue; Sainte-Marie [2], Mme de La Fayette, mon
retour dans cette maison, votre appartement, la nuit et
le lendemain; et votre première lettre, et toutes les
65 autres, et encore tous les jours, et tous les entretiens de
ceux qui entrent dans [3] mes sentiments : ce pauvre
d'Hacqueville est le premier; je n'oublierai jamais la
pitié qu'il eut de moi. Voilà donc où j'en reviens : il faut
glisser sur tout cela et se **(g)** bien garder de s'abandon-
70 ner à ses pensées et aux mouvements de son cœur.
J'aime mieux m'occuper de la vie que vous faites [4] présentement; cela me fait une diversion, sans m'éloigner
pourtant de mon sujet et de mon objet, qui est ce qui
s'appelle poétiquement l'objet [5] aimé. Je songe donc à
75 vous, et je souhaite toujours de vos lettres; quand je
viens d'en recevoir, j'en voudrais bien encore. J'en
attends présentement, et reprendrai ma lettre quand
j'en aurai reçu. J'abuse de vous, ma chère bonne : j'ai
voulu aujourd'hui me permettre cette lettre d'avance;
80 mon cœur en avait besoin, je n'en ferai pas une coutume.

Mercredi 4e mars 1671.

Ah! ma bonne, quelle lettre! quelle peinture de
l'état [6] où vous avez été! et que je vous aurais mal tenu
ma parole, si je vous avais promis de n'être point
85 effrayée d'un si grand péril! Je sais bien qu'il est passé.
Mais il est impossible de se représenter votre vie si proche de sa fin, sans frémir d'horreur. Et quand M. de
Grignan vous laisse conduire la barque, et quand vous
êtes téméraire, il trouve plaisant de l'être encore plus
90 que vous; au lieu de vous faire attendre que l'orage fût
passé, il veut bien vous exposer, et vogue la galère! Ah
mon Dieu! qu'il eût été bien mieux d'être timide [7], et de
vous dire que si vous n'aviez point de peur, il en avait,
lui, et ne souffrirait [8] point que vous traversassiez le
95 Rhône par un temps comme celui qu'il faisait! Que j'ai
de la peine à comprendre sa tendresse [9] en cette occa-

---

1. Ce couvent de. — 2. Voir p. 27, note 8. — 3. Comprennent. — 4. Menez. — 5. L'être. —
6. Situation (lors de la traversée d'Avignon sur le Rhône en bateau). — 7. Timoré. — 8. Sup-
porterait. — 9. Comment sa conduite se concilie avec *sa tendresse* pour vous.

sion! Ce Rhône qui fait peur à tout le monde! Ce pont
d'Avignon où l'on aurait tort de passer en prenant de
100 loin toutes ses mesures! Un tourbillon de vent vous jette
violemment sous une arche! Et quel miracle que vous
n'ayez pas été brisée et noyée dans un moment [1]! Ma
bonne, je ne soutiens [2] pas cette pensée, j'en frissonne,
et m'en suis réveillée avec des sursauts dont je ne suis
105 pas la maîtresse. Trouvez-vous toujours que le Rhône
ne soit que de l'eau? De bonne foi, n'avez-vous point
été effrayée d'une mort si proche et si inévitable? avez-
vous trouvé ce péril d'un bon goût? une autre fois ne
serez-vous point un peu moins hasardeuse [3]? une aven-
110 ture comme celle-là ne vous fera-t-elle point voir les
dangers aussi terribles qu'ils **(f)** sont? Je vous prie de
m'avouer ce qui vous en est resté; je crois du moins que
vous avez rendu grâce à Dieu de vous avoir sauvée.
Pour moi, je suis persuadée que les messes que j'ai fait
115 dire tous les jours pour vous ont fait ce miracle.
C'est à M. de Grignan que je me prends. Le Coadjuteur [4] a bon temps : il n'a été grondé que pour la monta-

---

- **Expressions contrastées de l'affectivité** (lettre 19)

  L'analyse sereine :

  Le plaisir à l'écriture solitaire et à la rumination affective.
  L'allégorie (personnification et prosopopée) de la paresse; précio-
  sité, ingéniosité, psychologie conventionnelle.
  L'analyse sur soi et le coup de sonde sur les abîmes (coin de folie).
  La remémoration (cf. *lettre 15*) avec démonstratifs et style énumé-
  ratif; un enfer toujours recommencé (fin); inconséquence avec la
  leçon de sa fille (il faut glisser).
  Les excuses finales.

  L'expression passionnée :

  Style intensif (exclamations, interrogations).
  Imprécations énergiques (et non plus lamento).
  Glissement de responsabilité de l'imprudente *(hasardeuse,* l. 108) au
  gendre complaisant.
  Retour au calme par recul réflexif (prise de conscience du décalage
  épistolaire).
  Résurgence véhémente empêchant toute clausule (fin abrupte).

---

1. En un instant. — 2. Supporte. — 3. Aventureuse. — 4. D'Arles, frère de M. de Grignan
qui accompagnait Mme de Grignan depuis Paris.

gne de Tarare [1]; elle me paraît présentement comme les
pentes de Nemours [2]. M. Busche [3] m'**(g)**est venu voir

120 tantôt et rapporter des assiettes; j'ai pensé l'embrasser
en songeant comme il vous a bien menée; je l'ai fort
entretenu de vos faits et gestes, et puis je lui ai donné de
quoi boire un peu à ma santé. Cette lettre vous paraîtra
bien ridicule; vous la recevrez dans un temps où vous ne

125 songerez plus au pont d'Avignon. Mais j'y pense, moi,
présentement! C'est le malheur des commerces [4] si éloi-
gnés : toutes les réponses paraissent rentrées de pique
noire [5]; il faut s'y résoudre, et ne pas même se révolter
contre cette coutume : cela est naturel, et la contrainte
serait trop grande d'étouffer toutes ses pensées. Il faut

130 entrer dans [6] l'état naturel où l'on est, en répondant à [7]
une chose qui vous tient au cœur : résolvez-vous donc à
m'excuser souvent. J'attends des relations de votre
séjour à Arles; je sais que vous y aurez trouvé bien du
monde; à moins que les honneurs, comme vous m'en

135 menacez, changent les mœurs, je prétends [8] de plus
grands détails. Ne m'aimez-vous point de vous avoir
appris l'italien? Voyez comme vous vous en êtes bien
trouvée avec ce légat [9] : ce que vous dites de cette scène
est excellent; mais que j'ai peu goûté le reste de votre

140 lettre [10]! Je vous épargne mes éternels recommence-
ments sur le pont d'Avignon : je ne l'oublierai **(x)** de ma
vie et suis plus obligée [11] à Dieu de vous avoir conser-
vée [12] dans cette occasion que de m'avoir fait naître,
sans comparaison.

20. A MADAME DE GRIGNAN

A Paris, ce [vendredi] 13ᵉ mars 1671.

Me voici à la joie de mon cœur, toute seule dans ma
chambre à vous écrire paisiblement; rien ne m'est si **(y)**
agréable que cet état. J'ai dîné aujourd'hui chez Mme de
Lavardin [13], après avoir été en Bourdaloue [14], où

---

1. Ville au nord-ouest de Lyon, aux abords difficiles pour un carrosse (cf. lettre du 25
février 1671). — 2. *Pentes* de petites collines. — 3. Cocher de Mme de Grignan jusqu'à Lyon.
— 4. Voir p. 26, note 2. — 5. Au jeu de cartes, rentrée malencontreuse de couleur noire, tirée
du talon en remplacement de ce qu'on avait écarté (L.); ici : mal à propos et sans rapport. —
6. S'adapter à. — 7. S'accordant avec. — 8. Revendique. — 9. Vice-légat du pape, chargé de
gouverner Avignon, alors terre papale. — 10. Où est narrée la traversée du Rhône. — 11.
Attachée par un lien de reconnaissance (L.). — 12. Gardée en vie. — 13. Voir p. 24, note 3.
— 14. Illustre prédicateur jésuite; noter le tour hardi, analogue à celui de : entrer en religion.

5 étaient les Mères de l'Église : c'est ainsi que j'appelle
les princesses de Conti et de Longueville. Tout ce qui
est au monde était à ce sermon, et ce sermon était digne
de tout ce qui l'écoutait. J'ai songé vingt fois à vous, et
vous ai souhaitée autant de fois auprès de moi; vous
10 auriez été ravie de l'entendre, et moi encore plus ravie
de vous le voir entendre.

M. de La Rochefoucauld a reçu très plaisamment,
chez Mme de Lavardin, le compliment [1] que vous lui faites; on a fort parlé de vous. M. d'Ambres y était avec sa
15 cousine de Brissac; il a paru s'intéresser beaucoup à
votre prétendu naufrage [2]. On a parlé de votre har-
diesse; M. de La Rochefoucauld a dit que vous aviez
voulu paraître brave, dans l'espérance que quelque cha-
ritable personne vous en empêcherait; et que n'en ayant
20 point trouvé, vous aviez dû être dans le même embarras
que Scaramouche.

Nous avons été voir à la foire [3] une grande diablesse
de femme, plus grande que Riberpré de toute la tête;
elle accoucha l'autre jour de deux gros enfants qui vin-
25 rent de front, les bras au côté : c'est une grande femme
tout à fait.

J'ai été faire des compliments [1] pour vous à l'hôtel de
Rambouillet [4]; on vous en rend mille. Mme de Montau-
sier [5] est au désespoir de ne vous **(g)** pouvoir venir voir.
30 J'ai été chez Mme du Puy-du-Fou [6]; j'ai été pour la troisième fois chez Mme de Maillanes [7]. Je me fais rire en
observant le plaisir que j'ai de faire toutes ces choses.

Au reste, si vous croyez les filles [8] de la Reine enra-
gées, vous croirez bien. Il y a huit jours que Mme de
35 Ludres, Coëtlogon et la petite de Rouvroy furent mor-
dues d'une petite chienne, qui était à Théobon. Cette
petite chienne est morte enragée; de sorte que Ludres,
Coëtlogon et Rouvroy sont parties ce matin pour aller à
Dieppe, et se faire jeter trois fois dans la mer [9]. Ce
40 voyage est triste; Benserade [10] en était au désespoir.
Théobon n'a pas voulu y aller, quoiqu'elle ait été mor-
due. La Reine ne veut pas qu'elle la serve, qu'on ne

---

1. Voir p. 23, note 5. — 2. La traversée d'Avignon sur le Rhône. — 3. *La foire* Saint-Germain, entre le 3 février et la Semaine sainte. — 4. Haut lieu de la préciosité dans la première moitié du siècle. — 5. Née Julie d'Angennes et dédicataire de la célèbre *Guirlande;* fille de Mme de Rambouillet et sœur de la première Mme de Grignan. — 6. Mère de la seconde Mme de Grignan. — 7. Famille provençale. — 8. *Filles* d'honneur, attachées au service *de la Reine.* — 9. Remède du temps contre la rage. — 10. Poète élégant que Mme de Sévigné estime à l'égal de La Fontaine.

sache [1] ce qui arrivera de toute cette aventure. Ne trouvez-vous point, ma bonne, que Ludres ressemble à
45   Andromède [2]? Pour moi, je la vois attachée au rocher,
et Tréville [3] sur un cheval ailé, qui tue le monstre. « *Ah,
Zésu! matame te Crignan, l'étranse sose t'être zetée toute
nue dans la mer* [4]. »

En voici une à mon sens, encore plus étrange : c'est
50   de coucher demain avec M. de Ventadour [5], comme **(f)**
fera Mlle d'Houdancourt. Je craindrais plus ce monstre
que celui d'Andromède, *contra il qual non val'elmo ne
scudo* [6].

Voilà bien des lanternes [7], et je ne sais rien de vous.
55   Vous croyez que je devine ce que vous faites; mais j'y
prends trop d'intérêt, et à votre santé, et à l'état de
votre esprit, pour n'en savoir que ce que je m'imagine.
Les moindres circonstances sont chères de ceux qu'on
aime parfaitement, autant qu'elles sont ennuyeuses des
60   autres : nous l'avons dit mille fois, et cela est vrai. La
Vauvineux [8] vous fait cent compliments; sa fille a été
bien malade; Mme d'Arpajon l'a été aussi : nommez-moi
tout cela, à votre loisir, avec Mme de Verneuil. Voilà une
lettre de M. de Condom [9], qu'**(k)**il m'a envoyée avec un
65   billet fort joli. Votre frère entre sous les lois de Ninon [10];
je doute qu'elles lui soient bonnes. Il y a des esprits à
qui elles ne valent rien; elle avait gâté son père. Il faut le

---

● **Le bavardage épistolaire** (lettre 20)

Le rôle central de Mme de Grignan : écrire c'est parler avec elle, les
mondanités sont les siennes; la troisième belle-mère de M. de Grignan va voir la deuxième, après la première belle-sœur de celui-ci.
Anecdotes : pure (la géante, l. 22-26), narrative (la rage, l. 33-48),
gaillarde (l. 49-53).
Détails révélateurs : interprétation réductrice par La Rochefoucauld; Ninon et les Sévigné; correspondance de Mme de Sévigné à sa
fille enfant (aujourd'hui perdue).
Sautillement : pas de plan; des reprises de thème (mondanités;
Bourdaloue).

---

1. Avant *qu'on ne*. — 2. Héroïne mythologique liée sur un rocher, gardée par un monstre et
délivrée par Persée monté sur Pégase. — 3. Ancien commandant de mousquetaires. — 4.
Graphie à l'alsacienne pour rendre l'accent de Mme de Ludres. — 5. Aussi débauché que
hideux. — 6. « Contre lequel ne prévaut heaume ni bouclier »; formule de la littérature épique italienne bien connue de l'épistolière. — 7. Bagatelles. — 8. Cf. lettre 18, l. 24. — 9. Bossuet, évêque *de Condom*. — 10. Ninon de Lanclos, courtisane célèbre et brillant esprit libertin, maîtresse d'Henri de Sévigné, puis de son fils Charles.

recommander à Dieu : quand on est chrétienne **(i),** ou
du moins qu'on le veut être, on ne peut voir ces dérégle-
70 ments sans chagrin.

Ah! Bourdaloue, quelles divines vérités nous avez-
vous dites aujourd'hui sur la mort! Mme de La Fayette y
était pour la première fois de sa vie, elle était transportée d'admiration. Elle est ravie de votre souvenir et
75 vous embrasse de tout son cœur. Je lui ai donné une
belle copie de votre portrait; il pare sa chambre, où vous
n'êtes jamais oubliée. Si vous êtes encore de l'humeur
dont vous étiez à Sainte-Marie ^1, et que vous gardiez
mes lettres, voyez si vous n'avez pas reçu celle du
80 18e février. Adieu, ma très aimable bonne. Vous dirai-je
que je vous aime? C'est se moquer d'en être encore là;
cependant, comme je suis ravie quand vous m'assurez
de votre tendresse, je vous assure de la mienne, afin de
vous donner de la joie, si vous êtes de mon humeur : et
85 ce Grignan, mérite-t-il que je lui dise un mot ^2 ?

21. A MADAME DE GRIGNAN

A Livry, ce [mardi saint] 24e mars [1671].

Voici une terrible causerie, ma pauvre bonne. Il y a
trois heures que je suis ici, ma chère bonne. Je suis partie de Paris avec l'abbé ^3, Hélène, Hébert ^4 et Mar-
phise ^5, dans le dessein de me retirer ^6 pour jusqu'à
5 jeudi au soir du monde et du bruit. Je prétends être en
solitude; je fais de ceci une petite Trappe ^7; je veux y
prier Dieu, y faire mille réflexions. J'ai dessein d'y jeûner beaucoup par toutes sortes de raisons; marcher
pour ^8 tout le temps que j'ai été dans ma chambre, et sur
10 le tout ^9 m'ennuyer pour l'amour de Dieu. Mais, ma
pauvre bonne, ce que je ferai beaucoup mieux que tout
cela, c'est de penser à vous. Je n'ai pas encore cessé
depuis que je suis arrivée, et ne pouvant tenir ^10 tous
mes sentiments, je me suis mise à vous écrire au bout de
15 cette petite allée sombre que vous aimez, assise sur ce

---

1. Couvent de Nantes où Mme de Sévigné mit quelques mois en pension sa fille âgée de dix
ans et où elle lui écrivit des lettres qui ne nous sont point parvenues. — 2. Feinte rancune à
cause de la dangereuse traversée du Rhône. — 3. Christophe de Coulanges, son oncle, abbé
de Livry, monastère près de Meaux. — 4. Femme de chambre, et valet de chambre assez let-
tré. — 5. Petite chienne. — 6. Pour la retraite pascale en cette semaine sainte. — 7. Une
retraite presque aussi solitaire et silencieuse que les couvents des trappistes. — 8. En compen-
sation de. — 9. De plus. — 10. Contenir.

siège de mousse où je vous ai vue quelquefois couchée.
Mais, mon Dieu, où ne vous ai-je point vue ici? et de
quelle façon toutes ces pensées me traversent [1]-elles le
cœur? Il n'y a point d'endroit, point de lieu, ni dans la
20 maison, ni dans l'église, ni dans le pays, ni dans le jardin, où je ne vous aie vue; il n'y en a point qui ne me
fasse souvenir de quelque chose de quelque manière
que ce soit; et de quelque façon que ce soit aussi, cela
me perce le cœur. Je vous vois, vous m'êtes présente; je
25 pense et repense à tout; ma tête et mon esprit se creuse
(o) : mais j'ai beau tourner, j'ai beau chercher; cette
chère enfant que j'aime avec tant de passion est à deux
cents lieues [2] de moi; je ne l'ai plus. Sur cela je pleure
sans pouvoir m'en empêcher; je n'en puis plus, ma
30 chère bonne : voilà qui est bien faible, mais pour moi, je
ne sais point être forte contre une tendresse si juste et si
naturelle. Je ne sais en quelle disposition vous serez en
lisant cette lettre. Le hasard peut faire qu'elle viendra
mal à propos, et qu'elle ne sera peut-être pas lue de la
35 manière qu'elle est écrite. A cela je ne sais point de
remède; elle sert toujours à me soulager présentement;
c'est tout ce que je lui demande. L'état où ce lieu ici m'a
mise est une chose incroyable. Je vous prie de ne me **(g)**
40 point parler de mes faiblesses; mais vous devez les aimer
et respecter mes larmes, qui viennent d'un cœur tout à
vous.

> [A Livry], *jeudi saint 26ᵉ mars.*

Si j'avais autant pleuré mes péchés que j'ai pleuré
pour [3] vous depuis que je suis ici, je serais fort bien disposée pour faire mes pâques et mon jubilé [4]. J'ai passé

- **La sensibilité de Mᵐᵉ de Sévigné** (lettre 21)

  ① Étudier la religion : un esprit positif (projets), lucide (mesure des insuffisances), exigeant (devoir réel).
  ② Analyser l'affectivité : reconnue comme faiblesse; justifiée comme passion (dignité du ton); lucidement confrontée avec l'affection ordinaire (imagination et mémoire occasionnelle).
  ③ Étudier le lamento : approche par la complicité du souvenir (démonstratifs allusifs); redoublement d'insistance et rythme binaire; effet d'accumulation.
  ④ Dégager l'esthétique de la mélancolie (bilan énumératif à la Chateaubriand; sobriété efficace).

---

1. Transpercent. — 2. Soit 800 km. — 3. A cause de. — 4. Pratique de dévotion lors de fêtes où l'Église catholique accorde indulgences et grâces aux fidèles.

⁴⁵ ici le temps que j'avais résolu, de la manière dont je
l'avais imaginé, à la réserve de votre souvenir, qui m'a
plus tourmentée que je ne l'avais prévu. C'est une chose
étrange ¹ qu'une imagination vive, qui représente toutes
choses comme si elles étaient encore : sur cela on songe
⁵⁰ au présent, et quand on a le cœur comme je l'ai, on se
meurt. Je ne sais où me sauver de vous : notre maison
de Paris m'assomme ² encore tous les jours, et Livry
m'achève. Pour vous, c'est par un effort de mémoire
que vous pensez à moi : la Provence n'est point obligée
⁵⁵ de me rendre ³ à vous, comme ces lieux-ci doivent vous
rendre à moi. J'ai trouvé de la douceur dans la tristesse
que j'ai eue ici : une grande solitude, un grand silence,
un office triste, des ténèbres ⁴ chantées avec dévotion
(je n'avais jamais été à Livry la semaine sainte), un
⁶⁰ jeûne canonique ⁵, et une beauté dans ces jardins, dont
(k) vous seriez charmée : tout cela m'a plu. Hélas!
que je vous y ai souhaitée! Quelque difficile que vous
soyez sur les solitudes, vous auriez été contente de celle-
ci; mais je m'en retourne à Paris par nécessité; j'y trou-
⁶⁵ verai de vos lettres, et je veux demain aller à la passion ⁶
du P. Bourdaloue ou du P. Mascaron ⁷; j'ai toujours
honoré les belles passions. Adieu, ma chère Comtesse :
voilà ce que vous aurez de Livry; j'achèverai cette lettre
à Paris. Si j'avais eu la force de ne vous **(g)** point écrire
⁷⁰ d'ici, et de faire un sacrifice à Dieu de tout ce que j'y ai
senti ⁸, cela vaudrait mieux que toutes les pénitences du
monde; mais, au lieu d'en faire un bon usage, j'ai cherché de la consolation à vous en parler : ah! ma bonne,
que cela est faible et misérable!

A Paris, vendredi saint 27ᵉ mars.

⁷⁵ [...] Quelque aversion que je vous aie toujours vue
pour les narrations, j'ai cru que vous aviez trop d'esprit
pour ne pas voir qu'elles sont quelquefois agréables et
nécessaires. Je crois qu'il n'y a rien qu'il faille entièrement bannir de la conversation, et que le jugement et
⁸⁰ les occasions doivent y faire entrer tour à tour ce qui est
le plus à propos. [...]

---

1. Extraordinaire. — 2. M'afflige profondément. — 3. Représenter. — 4. Office pascal du soir. — 5. Conforme aux règles. — 6. Sermon sur la Passion. — 7. Prédicateurs illustres. — 8. Ressenti.

22. A MADAME DE GRIGNAN

A Paris, [mercredi] 8ᵉ avril [1671].

[...] Parlons un peu de votre frère : il a eu son congé
de Ninon [1]. Elle s'est lassée d'aimer sans être aimée;
elle a redemandé ses lettres, on les a rendues : j'ai été
fort aise de cette séparation. Je lui disais toujours un
5   petit mot de Dieu, et le faisais souvenir de ses bons sentiments passés, et le priais de ne point étouffer le Saint-
Esprit dans son cœur. Sans cette liberté de lui dire en
passant quelque mot, je n'aurais pas souffert cette
confidence [2] dont je n'avais que faire. Mais ce n'est pas
10 tout : quand on rompt d'un côté, on croit se racquitter [3]
de l'autre; on se trompe. La jeune merveille [4] n'a pas
rompu, mais je crois qu'elle rompra. Voici pourquoi :
mon fils vint hier me chercher du bout de Paris pour me
dire l'accident qui lui était arrivé. Il avait trouvé une
15 occasion favorable, et cependant oserais-je le dire? *Son
dada demeura court à Lérida* [5]. Ce fut une chose
étrange; la demoiselle ne s'était jamais trouvée à telle
fête : le cavalier en désordre sortit en déroute, croyant
être ensorcelé; et ce qui vous paraîtra plaisant, c'est
20 qu'il mourait d'envie de me conter sa déconvenue. Nous
rîmes fort; je lui dis que j'étais ravie qu'il fût puni par où
il avait péché. Il s'est pris à moi, et me dit que je lui
avais donné de ma glace [6], qu'il se passerait fort bien de
cette ressemblance, que j'aurais bien mieux fait de la
25 donner à ma fille. Il voulait que Pecquet [7] le restaurât [8];
il disait les plus folles choses du monde, et moi aussi :
c'était une scène digne de Molière. Ce qui est vrai, c'est
qu'il a l'imagination tellement bridée, que je crois qu'il
n'en reviendra pas si tôt. J'eus beau l'assurer que tout
30 l'empire amoureux est rempli d'histoires tragiques [9] : il
ne peut se consoler. La petite Chimène [4] dit qu'elle voit
bien qu'il ne l'aime plus, et se console ailleurs. Enfin
c'est un désordre qui me fait rire, et que je voudrais de
tout mon cœur qui **(I)** le pût retirer d'un état si malheu-
35 reux à l'égard de Dieu [...].

---

1. Voir p. 56, note 10. — 2. De Charles sur ses amours. — 3. Se dédommager. — 4. La
Champmeslé, alors âgée de vingt-neuf ans. — 5. Vers de chanson sur le fiasco du siège de
Lérida. — 6. Tempérament froid. — 7. Cf. lettre 12, l. 28. — 8. Remît en vigueur. — 9. Tour
romanesque, ici ironiquement emphatique.

23. A MADAME DE GRIGNAN

A Paris, ce [mercredi] 15ᵉ avril [1671].

[...] Vous avez très bien deviné : votre frère est dans
le bel air [1] par-dessus les yeux; point de pâques [2], point
de jubilé [3], *avaler le péché comme de l'eau :* tout cela est
admirable [4]. Je n'ai rien trouvé de bon en lui, que la
5 crainte de faire un sacrilège : c'était mon soin aussi que
de l'en empêcher; mais la maladie de son âme est tombée sur son corps, et ses maîtresses sont d'une manière à
ne pas supporter cette incommodité [5] avec patience :
Dieu fait tout pour le mieux. J'espère qu'un voyage en
10 Lorraine rompra toutes ces vilaines chaînes. Il est plaisant, il dit qu'il est comme le bonhomme [6] Éson [7]; il
veut se faire bouillir dans une chaudière avec des herbes
fines pour se ravigoter un peu. Il me conte toutes ses
folies, je le gronde, et je fais scrupule de les écouter; et
15 pourtant je les écoute. Il me réjouit, il cherche à me
plaire; je connais la sorte d'amitié [8] qu'il a pour moi. Il
est ravi, à ce qu'il dit, de celle que vous me témoignez; il
me donne mille attaques en riant de l'attachement que
j'ai pour vous : je vous avoue, ma bonne, qu'il est
20 grand, quand même [9] je le cache. Je vous avoue encore
une autre chose, c'est que je crois que vous m'aimez
[...].

24. A MADAME DE GRIGNAN

A Paris, vendredi 17ᵉ avril [1671].

[...] Mon fils n'est pas encore guéri de ce mal qui fait
douter ses précieuses maîtresses de sa passion. Il me
disait hier au soir que, pendant la semaine sainte, il
avait été si épouvantablement dévergondé, qu'il lui
5 avait pris un dégoût de tout cela, qui lui faisait bondir le
cœur; il n'osait y penser, il avait envie de vomir. Il lui
semblait toujours de voir autour de lui des panerées [10]
de tétons [11], et quoi encore? des tétons, des cuisses, des
10 panerées de baisers, des panerées de toutes sortes de
choses en telle abondance, qu'il en avait l'imagination

---

1. Manières élégantes, et ici libertines. — 2. Communion pascale. — 3. Voir p. 58, note 4.
— 4. Étonnant. — 5. Voir la lettre 22. — 6. Cf. lettre 7, l. 100. — 7. Père de l'argonaute
Jason, rajeuni et ragaillardi par la magicienne Médée qui pour cela le fit bouillir. — 8. Voir la
lettre 2, l. 8. — 9. Même si. — 10. Contenu de paniers pleins. — 11. Seins.

frappée et l'a encore, et ne pouvait pas regarder une femme : il était comme les chevaux rebutés [1] d'avoine. Ce mal n'a pas été d'un moment [2]. J'ai pris mon temps
15 pour faire un petit sermon là-dessus : nous avons fait ensemble des réflexions chrétiennes; il entre dans [3] mes sentiments [4], et particulièrement pendant que son dégoût dure encore. Il me montra des lettres qu'il a retirées de cette comédienne [5]; je n'en ai jamais vu de si chaudes ni de si passionnées : il pleurait, il mourait. Il
20 croit tout cela quand il écrit, et s'en moque un moment après : je vous dis qu'il vaut son pesant d'or [...].

25. A MADAME DE GRIGNAN

A Paris, ce [mercredi] 22ᵉ avril [1671].

[...] Parlons un peu de votre frère, ma fille : il est tout ce qui plaît aux autres; il est d'une faiblesse à faire mal au cœur. Il plut hier à trois de ses amis de le mener souper dans un lieu d'honneur [6] : il y fut. Ces messieurs
5 sont trop habiles pour vouloir courir la fortune [7]; ils disent à votre frère de payer, je dis payer de sa personne : tout misérable qu'il est encore, il paye, et puis il me **(g)** vient tout conter, en disant qu'il se fait mal au cœur à lui-même. Je lui dis qu'il me fait mal au cœur
10 aussi, je lui fais honte; je lui dis que ce n'est point là la vie d'un honnête homme [8], qu'il trouvera quelque chape-chute [9], et qu'à force de s'exposer il aura son fait [10]. Je prêche un peu ensuite; il demeure d'accord de tout, et n'en fait ni plus ni moins. Il a quitté la comé-
15 dienne [11], après l'avoir aimée par-ci par-là. Quand il la voyait, quand il lui écrivait, c'était de bonne foi; un moment après, il s'en moquait à bride abattue. Ninon [12] l'a quitté : il était malheureux quand elle l'aimait; il est au désespoir de n'en être plus aimé, et d'autant plus
20 qu'elle n'en parle pas avec beaucoup d'estime : « C'est une âme de bouillie, dit-elle, c'est un corps de papier mouillé, un cœur de citrouille fricassé dans de la neige » : je vous l'ai déjà dit. Elle voulut l'autre jour lui

---

1. Excédés. — 2. *Été* court. — 3. Cf. lettre 19, l. 66. — 4. Opinions. — 5. Reprises à la Champmeslé. — 6. De débauche. — 7. Tenter le sort (ici, risquer une contamination). — 8. Voir p. 38, note 3. — 9. Malheur qui profite à autrui. — 10. Recevra quelque châtiment. — 11. La Champmeslé. — 12. Voir p. 56, note 9.

25 faire donner les lettres de la comédienne [1]; il les lui [2] donna; elle en a été jalouse. Elle voulait les donner à un amant de la princesse [1], afin de lui [1] faire donner quelques petits coups de baudrier. Il me le **(g)** vint dire; je lui dis que c'était infâme que de couper ainsi la gorge à [3] cette petite créature [1] pour l'avoir aimé **(q)**; qu'elle 30 n'avait point sacrifié [4] ses lettres, comme on **(f)** lui voulait faire croire pour l'animer [5]; qu'elle les lui avait rendues; que c'était une vilaine trahison et basse et indigne d'un homme de qualité [6], et que même dans les choses malhonnêtes [7], il y avait de l'honnêteté à observer [8]. Il 35 entra dans [9] mes raisons, il courut chez Ninon, et moitié figue moitié raisin, moitié par adresse, moitié par force, il retira les lettres de cette pauvre diablesse [1] : je les ai fait brûler. Vous voyez par là combien le nom de comédienne m'est de quelque chose [10]. Cela est un peu de la 40 Visionnaire de la comédie [11]; elle en eût fait autant, et je fais comme elle. Mon fils a conté ces folies à M. de La Rochefoucauld, qui aime les originaux [12]. Il approuva ce que je lui dis l'autre jour, que mon fils n'était point fou par la tête, c'est par le cœur : ses sentiments sont tout 45 vrais, sont tout faux, sont tout froids, sont tout brûlants, sont tout fripons, sont tout sincères; enfin son cœur est fou. Nous rîmes fort de tout cela, et avec mon fils

---

● **Charles de Sévigné** (lettres 22 à 25. — Voir portrait p. 147)

① Apprécier sa personnalité : fantaisie séduisante; sensibilité singulière, influençable et inconstante (faiblesses); expliquer les formules de Ninon; faire le portrait du jeune homme.

② Étudier le dilettantisme maternel : sympathie mi-désolée, mi-amusée; relations psychologiques (mère-confidente) et morales (rectitude maternelle).

③ Analyser le comique : réduction au vaudeville (imbroglio éclairci, mise en valeur de la drôlerie, épisodes scabreux).

④ Mettre en valeur l'art de la formulation (*lettre 22 :* énoncé enveloppé du fiasco, jeu sur les sens militaire et psychologique de *désordre* et *déroute*, l. 18) et des formules *(lettre 25).*

---

1. La Champmeslé. — 2. A Ninon. — 3. Faire le plus grand tort à (L.). — 4. Communiqué à un tiers. — 5. Irriter. — 6. Noble. — 7. Contraires à l'honneur. — 8. De l'honneur à mettre en pratique. — 9. Voir la lettre 19, l. 66. — 10. Importe à mes yeux. — 11. Sestiane, rôle d'amoureuse dans *les Visionnaires,* pièce de Desmarets de Saint-Sorlin. — 12. Histoires vécues.

même, car il est de bonne compagnie, et dit *tôpe* à [1]
50 tout. Nous sommes très bien ensemble, je suis sa
confidente, et je conserve cette vilaine qualité, qui
m'attire de si vilaines confidences, pour être en droit de
lui dire mes sentiments [2] sur tout. Il me croit autant qu'il
peut, il me prie que je le redresse : je le fais comme une
amie. Il veut venir avec moi en Bretagne pour cinq ou
55 six semaines : s'il n'y a point de camp en Lorraine, je
l'emmènerai. Voilà bien des folies [...].

26. A MADAME DE GRIGNAN

A Paris, ce [dimanche] 26ᵉ avril [1671].

Il est dimanche 26ᵉ avril; cette lettre ne partira que
mercredi; mais ceci n'est pas une lettre, c'est une relation [3] que vient de me faire Moreuil, à votre intention,
de ce qui s'est passé à Chantilly [4] touchant Vatel [5]. Je
5 vous écrivis vendredi qu'il s'était poignardé : voici
l'affaire en détail.

Le Roi arriva jeudi au soir; la chasse, les lanternes [6],
le clair de la lune, la promenade, la collation [7] dans un
lieu tapissé de jonquilles, tout cela fut à souhait. On
10 soupa : il y eut quelques tables où le rôti [8] manqua, à
cause de plusieurs dîners où [9] l'on ne s'était point
attendu. Cela saisit Vatel, il dit plusieurs fois : « Je suis
perdu d'honneur; voici un affront que je ne supporterai
pas. » Il dit à Gourville [10] : « La tête me tourne, il y a
15 douze nuits que je n'ai dormi; aidez-moi à donner des
ordres. » Gourville le soulagea en ce qu'il put. Ce rôti
qui avait manqué, non pas à la table du Roi, mais aux
vingt-cinquièmes, lui revenait toujours à la tête. Gourville le dit à Monsieur le Prince [11]. Monsieur le Prince
20 alla jusque dans sa chambre, et lui dit : « Vatel, tout va
bien, rien n'était si beau que le souper du Roi. » Il lui
dit : « Monseigneur, votre bonté m'achève; je sais que
le rôti a manqué à deux tables. — Point du tout, dit
Monsieur le Prince, ne vous fâchez [12] point, tout va

---

1. Accepte. — 2. Voir la lettre 24, l. 16. — 3. Un récit. — 4. Château du Grand Condé. —
5. Maître d'hôtel de Condé après l'avoir été de Fouquet. — 6. Illuminant le parc. — 7. Petit
repas entre le dîner de midi et le souper du soir. — 8. Le second et le principal des trois services habituels des grands repas, après potages et entrées, et avant entremets et desserts; au
souper, les deux premiers services se ramenaient souvent à un seul; d'où le désespoir de Vatel
qui croit le repas du Roi réduit au dernier service. — 9. Auxquels. — 10. Intendant de Condé,
après avoir été secrétaire de La Rochefoucauld. — 11. Le Grand Condé. — 12. Désolez.

25 bien. » La nuit vient : le feu d'artifice ne réussit pas, il
fut couvert d'un nuage; il coûtait seize mille francs. A
quatre heures du matin, Vatel s'en va partout, il trouve
tout endormi, il rencontre un petit pourvoyeur [1] qui lui
apportait seulement deux charges de marée [2]; il lui
30 demanda : « Est-ce là tout? » Il [3] lui dit : « Oui, Monsieur. » Il ne savait pas que Vatel avait envoyé [4] à tous
les ports de mer. Il attend quelque temps; les autres
pourvoyeurs ne viennent point; sa tête s'échauffait, il
croit qu'il n'aura point d'autre marée; il trouve Gour-
35 ville, et lui dit : « Monsieur, je ne survivrai pas à cet
affront-ci; j'ai de l'honneur et de la réputation à perdre [5]. » Gourville se moqua de lui. Vatel monte à sa
chambre, met son épée contre la porte, et se la passe au
travers du cœur; mais ce ne fut qu'au troisième coup,
40 car il s'en donna deux qui n'étaient pas mortels : il
tombe mort. La marée cependant arrive de tous côtés;
on cherche Vatel pour la distribuer; on va à sa chambre;
on heurte, on enfonce la porte; on le trouve noyé dans
son sang; on court à Monsieur le Prince, qui fut au
45 désespoir. Monsieur le Duc [6] pleura : c'était sur Vatel
que roulait [7] tout son voyage de Bourgogne. Monsieur
le Prince le dit au Roi fort tristement : on dit que c'était
à force d'avoir de l'honneur en sa manière; on le loua
fort, on loua et blâma son courage. Le Roi dit qu'il y
50 avait cinq ans qu'il retardait de venir à Chantilly, parce
qu'il comprenait l'excès de cet embarras. Il dit à Monsieur le Prince qu'il ne devait avoir que deux tables et ne

---

● **L'art de la relation** (lettre 26)

Ordre chronologique et causal rigoureux.
Mise en évidence des causes psychologiques (sommeil, honneur,
etc.).
Sens du « beau geste » (suicide d'honneur), avec nuances religieuses
(suicide interdit).
Un drame absurde (manque bénin mal interprété; ignorance du
pourvoyeur et quiproquo sur la portée de son association; arrivée du
poisson trop tard; perte « irréparable », en fait réparée).
Vivacité du style (syntaxe brève, action rapide, présent de narration
au cœur de l'épisode) et menues négligences (noms propres répétés,
pronoms équivoques, temps des verbes, etc.).

---

1. Domestique affecté au ravitaillement du château. — 2. Poissons de mer, pour le repas
maigre du vendredi. — 3. Le pourvoyeur. — 4. Dépêché des envoyés. — 5. En jeu. — 6.
D'Enghien, fils de Condé. — 7. Reposait.

se **(g)** point charger de tout le reste. Il jura qu'il ne souffrirait plus que Monsieur le Prince en usât ainsi; mais
55 c'était trop tard pour le pauvre Vatel. Cependant Gourville tâche de réparer la perte de Vatel; elle le fut : on
dîna très bien, on fit collation, on soupa, on se pro-
mena, on joua, on fut à la chasse; tout était parfumé de
jonquilles, tout était enchanté [1]. Hier, qui était samedi,
60 on fit encore de même; et le soir, le Roi alla à Lian-
court [2], où il avait commandé un *médianoche* [3]; il y **(g)**
doit demeurer aujourd'hui.

Voilà ce que m'a dit Moreuil, pour vous **(f)** mander.
Je jette mon bonnet par-dessus le moulin [4], et je ne sais
65 rien du reste. M. d'Hacqueville, qui était à tout cela,
vous fera des relations sans doute; mais comme son écriture n'est pas si **(y)** lisible que la mienne, j'écris toujours. Voilà bien des détails, mais parce que je les aime-
rais en pareille occasion, je vous les mande.

27. A MADAME DE GRIGNAN

Commencée à Paris, le lundi 27ᵉ avril [1671].
[...] A Livry, ce mercredi 29ᵉ avril [5].

Depuis que j'ai écrit ce commencement de lettre, j'ai
fait hier, ma chère bonne, un fort joli voyage. Je partis
assez matin de Paris; j'allai dîner à Pomponne [6]; j'y
trouvai notre bonhomme [7] qui m'attendait; je n'aurais
5   pas voulu manquer à lui dire adieu. Je le trouvai dans
une augmentation de sainteté qui m'étonna : plus il
approche de la mort, et plus il s'épure. Il me gronda très
sérieusement; et transporté de zèle et d'amitié pour
moi, il me dit que j'étais folle de ne point songer à me
10 convertir; que j'étais une jolie païenne; que je faisais de
vous une idole dans mon cœur; que cette sorte d'idolâtrie était aussi dangereuse qu'une autre, quoiqu'elle me
parût moins criminelle; qu'enfin je songeasse à moi. Il
me dit tout cela si fortement que je n'avais pas le mot à
15 dire. Enfin, après six heures de conversation très agréable, quoique très sérieuse, je le quittai, et vins ici, où je

---

1. D'un charme magique. — 2. Dans l'Oise. — 3. Repas gras après minuit. — 4. Je ne sais
comment finit le conte (L.). — 5. Certaines lettres portent plusieurs dates, lorsqu'elles ont été
reprises durant plusieurs jours. — 6. Près de Lagny-sur-Marne. — 7. Vieillard; ici M.
d'Andilly, janséniste, père de M. de Pomponne.

trouvai tout le triomphe du mois de mai. Le rossignol, le
coucou, la fauvette,

Dans nos forêts ont ouvert le printemps.

20   Je m'y suis promenée tout le soir toute seule; j'y ai
trouvé toutes mes tristes pensées; mais je ne veux plus
vous en parler. Ce matin on m'a apporté vos lettres du
4e de ce mois : qu'elles viennent de loin quand elles arri-
vent à Paris! J'ai destiné une partie de cet après-dîner [1]
25   à vous écrire dans ce jardin [2], où je suis étourdie de trois
ou quatre rossignols qui sont sur ma tête. Ce soir je
m'en retourne à Paris pour faire mon paquet [3] et vous
l'envoyer.

       Il est vrai, ma bonne, qu'il manqua un degré de cha-
30   leur à mon amitié [4], quand je rencontrai la chaîne des
galériens : je devais aller avec eux vous trouver, au lieu
de ne songer qu'à vous écrire; je m'en fais des reproches
à moi-même. Que vous eussiez été agréablement surprise à Marseille de me trouver en si bonne compagnie [5]
[...].

---

1. Après-midi. — 2. Cf. lettre 21, l. 20. — 3. Voir p. 47, note 5. — 4. *Mon* affection (pour
vous). — 5. Cf. lettre du 10 avril 1671; ce badinage, au spectacle de malheureux, parut fort
déplacé à Sainte-Beuve (« côté Dorine » de Mme de Sévigné).

Le château des Rochers
« L'aimable liberté des Rochers »
« Il y a sur la porte : Sainte Liberté,
ou Fais ce que tu voudras »

RETRAITE BRETONNE (MAI-FIN 1671)

28. A MADAME DE GRIGNAN

A Malicorne [1], *samedi 23ᵉ mai* [1671].

[...] Nous serons le 27ᵉ aux Rochers, où je trouverai une de vos lettres : hélas! c'est mon unique joie. Vous pouvez ne me **(g)** plus écrire qu'une fois la semaine, parce qu'aussi bien elles ne partiront de Paris que le mercredi, et j'en recevrais deux à la fois. Il me semble que je m'ôte la moitié de mon bien; cependant, j'en suis aise, parce que c'est autant de fatigue retranchée en l'état où vous êtes. Il faut que je sois devenue de bonne humeur pour vouloir bien que vous preniez cela sur moi. Mais, ma fille, au nom de Dieu, conservez-vous, si vous m'aimez. N'aurez-vous jamais un moment de repos? Faut-il user sa vie à cette continuelle fatigue [2]? Je comprends les raisons [3] de M. de Grignan; mais en vérité, quand on aime une femme, quelquefois on en a pitié.

Mon éventail est donc venu bien à propos; ne l'avez-vous pas trouvé joli? Hélas! quelle bagatelle! ne m'ôtez pas ce petit plaisir [4] quand l'occasion s'en présente, et remerciez-moi de la joie que je me donne, quoique ce ne soit que des riens. Mandez-moi bien de vos nouvelles : c'est là de quoi il est question. Songez que j'aurai une de vos lettres tous les vendredis; songez aussi que je ne vous vois plus, que vous êtes à mille lieues de moi, que vous êtes grosse, que vous êtes malade; songez... non, ne songez à rien, laissez-moi tout songer dans mes grandes allées, dont la tristesse augmentera la mienne [5]; j'aurai beau m'y promener, je n'y trouverai point ce que j'y avais la dernière fois que j'y fus. Adieu, ma très chère enfant; vous ne me parlez point assez de vous. Marquez toujours bien la date de mes lettres [6]. Hélas!

---

1. Château du marquis de Lavardin, près du Mans. — 2. Troisième grossesse de Mᵐᵉ de Grignan en trois ans. — 3. Désir d'un héritier mâle. — 4. De faire un cadeau. — 5. Mᵐᵉ de Grignan. — 6. Des *lettres* que vous m'adressez.

30   que diront-elles présentement? Mon fils vous embrasse
mille fois. Il me désennuie extrêmement; il songe fort à
me plaire. Nous lisons, nous causons, comme vous le
devinez fort bien. La Mousse [1] tient bien sa partie; et
par-dessus tout notre abbé [2], qui se fait adorer parce
35   qu'il vous adore. Il m'a enfin [3] donné tout son bien : il
n'a point eu de repos que cela n'ait été fait; n'en parlez à
personne, la famille le dévorerait; mais aimez-le bien
sur ma parole, et sur ma parole aimez-moi aussi.
J'embrasse ce fripon de Grignan, malgré ses forfaits.

29. A MADAME DE GRIGNAN

Aux Rochers, ce mercredi 10ᵉ juin [1671].

[...] Une de mes grandes envies, c'est d'être dévote;
j'en tourmente tous les jours La Mousse [1]. Je ne suis ni
à Dieu, ni au diable; cet état m'ennuie [4], quoiqu'entre
nous je le trouve le plus naturel du monde. On n'est
5   point au diable, parce qu'on craint Dieu et qu'au fond
on a un principe de religion; on n'est point à Dieu aussi,
parce que sa loi est dure et qu'on n'aime point à se
détruire soi-même [5]. Cela compose les tièdes, dont le
grand nombre ne m'inquiète point du tout; j'entre
10   dans [6] leurs raisons. Cependant Dieu les hait : il faut
donc en sortir, et voilà la difficulté. Mais peut-on jamais
être plus insensée que je le suis en vous écrivant à l'infini
toutes ces rapsodies [7]? Ma chère enfant, *je vous
demande excuse* à la mode du pays; je cause avec vous,
15   cela me fait plaisir. Gardez-vous bien de m'y faire
réponse; mandez-moi seulement des nouvelles de votre
santé, un demi-brin de vos sentiments, pour voir seulement si vous êtes contente et comme vous trouvez Grignan : voilà tout. Aimez-moi; quoique nous ayons
20   tourné ce mot en ridicule, il est naturel, il est bon; et
pour moi, je ne vous dirai point si je suis à vous, de quel
cœur, ni avec quelle tendresse naturelle. J'embrasse le
Comte [8]. Notre abbé [2] vous adore, et La Mousse.

---

1. Abbé fort érudit et ami de Mᵐᵉ de Sévigné. — 2. Christophe de Coulanges, plus que jamais le Bien Bon. — 3. Au bout du compte. — 4. Tourmente. — 5. Mortifier sa personna-lité. — 6. Cf. lettre 19, l. 66. — 7. Pièces et morceaux cousus. — 8. Grignan.

30. A MADAME DE GRIGNAN

Aux Rochers, dimanche 14ᵉ juin [1671].

Je comptais recevoir vendredi deux de vos lettres à la
fois; et comment se peut-il que je n'en aie seulement pas
une? Ah! ma fille, de quelque endroit que vienne ce
retardement, je ne puis vous dire ce qu'il me fait souf-
5 frir. J'ai mal dormi ces deux nuits passées; j'ai renvoyé[1]
deux fois à Vitré, pour chercher à m'amuser de[2] quelque espérance; mais c'est inutilement. Je vois par là que
mon repos est entièrement attaché à la douceur de recevoir de vos nouvelles. Me voilà insensiblement tombée
10 dans la radoterie de Chésières[3] : je comprends sa peine
si elle est comme la mienne; je sens ses douleurs de
n'avoir pas reçu cette lettre du 27ᵉ : on n'est pas heureux quand on est comme lui; Dieu me préserve de son
état; et vous, ma fille, préservez-m'en sur toutes cho-
15 ses[4]. Adieu, je suis chagrine, je suis de mauvaise compagnie; quand j'aurai reçu de vos lettres, la parole me
reviendra. Quand on se couche, on a des pensées qui ne
sont que gris-brun, comme dit M. de La Rochefoucauld;
20 et la nuit elles deviennent tout à fait noires : je sais
qu'en dire.

31. A D'HACQUEVILLE[5]

Aux Rochers, mercredi 17ᵉ juin 1671.

Je vous écris avec un serrement de cœur qui me tue;
je suis incapable d'écrire à d'autres qu'à vous, parce
qu'il n'y a que vous qui ayez la bonté d'entrer dans[6]
mes extrêmes tendresses. Enfin, voilà le second ordi-
5 naire[7] que[8] je ne reçois point de nouvelles de ma fille :
je tremble depuis la tête jusqu'aux pieds, je n'ai pas
l'usage de raison, je ne dors point; et si je dors, je me
réveille avec des sursauts qui sont pires que de ne pas
dormir. Je ne puis comprendre ce qui empêche que je
10 n'aie des lettres comme j'ai accoutumé. Dubois[9] me
parle de mes lettres qu'il envoie très fidèlement; mais il
ne m'envoie rien, et ne me donne point de raison de cel-

---

1. Voir p. 65, note 4. — 2. Me donner le change par. — 3. Oncle maternel de Mᵐᵉ de Sévigné. — 4. Par-dessus tout. — 5. Voir p. 44, note 3. — 6. Cf. lettre 19, l. 66. — 7. Courrier. —
8. Où. — 9. « Mon petit ami de la poste » (lettre du 18 mai 1671).

les de Provence. Mais, mon cher Monsieur, d'où cela
vient-il? Ma fille ne m'écrit-elle plus? Est-elle malade?
15 Me prend-on mes lettres? car, pour les retardements de
la poste, cela ne pourrait pas faire un tel désordre. Ah!
mon Dieu, que je suis malheureuse de n'avoir personne
avec qui pleurer! J'aurais cette consolation avec vous, et
toute votre sagesse ne m'empêcherait pas de vous faire
20 voir toute ma folie. Mais n'ai-je pas raison d'être en
peine? Soulagez donc mon inquiétude, et courez dans
les lieux où [1] ma fille écrit, afin que je sache au moins
comme elle se porte. Je m'accommoderai mieux de voir
qu'elle écrit à d'autres, que de l'inquiétude où je suis de
25 sa santé. Enfin, je n'ai pas reçu de ses lettres depuis le 5e
de ce mois, elles étaient du 23e et 26e mai (c); voilà donc
douze jours et deux ordinaires de poste. Mon cher Monsieur, faites-moi promptement réponse; l'état où je suis
vous ferait pitié. Écrivez un peu mieux; j'ai peine à lire
30 vos lettres [2], et j'en meurs d'envie. Je ne réponds point
à toutes vos nouvelles, je suis incapable de tout. Mon
fils est revenu de Rennes; il y a dépensé quatre cents
francs en trois jours : la pluie est continuelle. Mais tous
ces chagrins seraient légers, si j'avais des lettres de Pro-
35 vence [3]. Ayez pitié de moi; courez à la poste, apprenez

- **La sensibilité de Mme de Sévigné** (lettres 28 à 31)

  ① Le passage de l'amour-possession à l'amour-don : en étudier les
  manifestations (Trois dans la *lettre 28,* une capitale dans la *lettre 31*).

  ② L'inquiétude : en différencier, dans les *lettres 30* et *31,* les deux
  étapes (la seconde aggravée par le temps) et les deux aspects :
  — encore contrôlé et indirect grâce à des rapprochements;
  — direct et proliférant, avec hypothèses déraisonnables reconnues
  telles et irrépressibles; cumul des chagrins; expression intense et
  accumulée.

  ③ La religion *(lettre 29)* : dégager par quoi elle se révèle prise au
  sérieux et comment Mme de Sévigné se voit avec une lucidité sans
  complaisance; esquisser un rapprochement avec son fatalisme plus
  que janséniste.

  ④ Le dilettantisme maternel *(lettre 28)* : rattacher le charme de
  Charles et sa prodigalité; montrer leurs effets également accessoires
  par rapport à la passion et à l'angoisse au sujet de Mme de Grignan.

---

1. Chez les gens auxquels. — 2. Voir la lettre 26, l. 67. — 3. Mme de Sévigné les recevra à la
fin de la semaine (lettre du 21 juin 1671).

ce qui m'empêche d'en avoir comme à l'ordinaire. Je
n'écris à personne et je serais honteuse de vous faire
voir tant de faiblesses, si je ne connaissais vos extrêmes
bontés.

40   Le gros abbé [1] se plaint de moi; il dit qu'il n'a reçu
qu'une de mes lettres. Je lui ai écrit deux fois; dites (f)-
lui, et que (w) je l'aime toujours.

32. A MADAME ET MONSIEUR DE GRIGNAN

Aux Rochers, dimanche 5ᵉ juillet [*1671*].

[...] Je vous ai parlé de la Launay [2]; elle était bariolée
comme la chandelle des Rois [3], et nous trouvâmes
qu'elle ressemblait au second tome d'un méchant [4]
roman, ou au *Roman de la Rose* tout d'un coup [5].
5   Mᶦᶦᵉ du Plessis [6] est toujours à un pas de moi : quand je
lis les douceurs que vous dites pour elle, j'en rougis
comme du feu. L'autre jour la biglesse [6] joua *Tartuffe*
au naturel. Après avoir demandé à table *bœuve et mou-
tonne* à La Mousse [7], elle tomba dans le malheur de
10   mentir sur je ne sais quoi; en même temps je la relevai [8],
et lui dis qu'elle était menteuse; elle me répond en bais-
sant les yeux : « Ah! oui, Madame, je suis la plus
grande menteuse du monde; je vous remercie de m'en
avertir. » Nous éclatâmes tous, car c'était du ton de Tar-
15   tuffe : *Oui, mon frère, je suis un misérable, un vase
d'iniquité* [9], etc. Elle veut aussi se mêler quelquefois
d'être sentencieuse et de faire la personne de bon sens :
cela lui sied encore plus mal que son naturel. Vous voilà
bien instruite des Rochers. Je voudrais pouvoir vous
20   décrire les pleurs et les cris, et le langage breton de Jac-
quine et de la Turquesine, en voyant monter votre frère
à cheval : c'est une scène. Pour moi, j'eusse pleuré;

> ... Mais les voyant ainsi,
> Je me suis mise à rire, et tout le monde aussi [...].

---

1. De Pontcarré. — 2. Une voisine des Rochers. — 3. *Chandelle* bigarrée qu'on brûlait à
l'Épiphanie. — 4. Qui ne vaut rien en son genre (L.). — 5. En son entier; mais on sait qu'il eut
deux auteurs successifs et dissemblables. — 6. Autre voisine, dévouée, mais d'une irritante
niaiserie, surnommée de Kerlouche. — 7. Voir p. 70, note 1. — 8. Repris avec sévérité. — 9.
Texte exact (III, 6, v. 1074-75) : « Oui, mon frère, je suis méchant, un coupable. — Un malheureux pécheur tout plein d'iniquité. »

33. A MADAME DE GRIGNAN

Aux Rochers, dimanche 12ᵉ juillet [1671].

[...] Avez-vous la cruauté de ne point achever
Tacite [1]? Laisserez-vous Germanicus au milieu de ses
conquêtes? Si vous lui faites ce tour, mandez-moi
l'endroit où vous serez demeurée, et je l'achèverai :
5 c'est tout ce que je puis faire pour votre service. Nous
achevons Le Tasse [2] avec plaisir, nous y trouvons des
beautés qu'on ne voit point quand on n'a qu'une demi-
science. Nous avons commencé la *Morale* [3], c'est de la
même étoffe que Pascal. A propos de Pascal [4], je suis en
10 fantaisie d'admirer l'honnêteté de ces messieurs les postillons, qui sont incessamment sur les chemins pour porter et reporter nos lettres; enfin, il n'y a jour dans la
semaine qu'ils n'en portent quelqu'une à vous et à moi;
il y en a toujours et à toutes les heures par la campagne :
15 les honnêtes gens! qu'ils sont obligeants! et que c'est
une belle invention que la poste, et un bel effet de la

● **Littérature et philosophie mêlées** (lettre 33)

① Prouver en Mᵐᵉ de Sévigné la solidité de culture et l'intrépidité
de lecture (quantité, difficulté, austérité).

② Dégager le classicisme de son goût du style.

③ Définir le « baroquisme » de son goût du romanesque; en voir la
primauté par rapport aux critères classiques.

④ Cerner les formes du naturel chez Mᵐᵉ de Sévigné : naïveté philosophique (tantôt générosité, tantôt égoïsme comme critères impli-
cites), aveu candide de puérilité, sincère incertitude d'une pensée
qui se cherche.

⑤ Examiner en détail les qualités d'analyse et de formulation de
l'auteur.

● **Les postillons**

Le mot *postillon,* parfois appliqué aux valets qui conduisent les chevaux de la voiture de poste, désigne souvent, et notamment ici, les
courriers responsables du transport de l'ordinaire (envois postaux
faits à dates régulières); la fonction de ces derniers n'est pas de tout
repos et leur fait affronter les passages dangereux (cf. la montée de
Tarare ou la traversée du Rhône telles que les connut Mᵐᵉ de Grignan) ainsi que les intempéries, qu'il faut bien franchir pour parve-
nir aux dates fixées (cf. à notre époque l'épopée de l'aéropostale
chez Saint-Exupéry, *Vol de nuit*).

---

1. Les *Annales* de l'historien latin. — 2. La *Jérusalem délivrée* du poète italien. — 3. *Essais de morale* du janséniste Nicole. — 4. Qui réorganisa le service des postes à Paris.

Providence que la cupidité [1]! J'ai quelquefois envie de
leur écrire pour leur témoigner ma reconnaissance, et je
20 crois que je l'aurais déjà fait, sans [2] que je me souviens
de ce chapitre de Pascal [3], et qu'ils ont **(w)** peut-être
envie de me remercier de ce qu'ils portent mes lettres :
voilà une belle digression.

Je reviens à nos lectures, et sans préjudice de *Cléo-
25 pâtre* [4] que j'ai gagé d'achever : vous savez comme je
soutiens mes gageures. Je songe quelquefois d'où vient
la folie que j'ai pour ces sottises-là; j'ai peine à le comprendre. Vous vous souvenez peut-être assez de moi
pour savoir que je suis assez blessée des méchants sty-
30 les; j'ai quelque lumière pour les bons, et personne n'est
plus touchée que moi des charmes de l'éloquence. Le
style de La Calprenède est maudit en mille endroits : de
grandes périodes [5] de roman, de méchants mots, je sens
tout cela. J'écrivis l'autre jour une lettre à mon fils de ce
35 style, qui **(k)** était fort plaisante. Je trouve donc qu'il est
détestable, et je ne laisse pas [6] de m'y prendre comme à
de la glu. La beauté des sentiments, la violence des passions, la grandeur des événements, et le succès miraculeux de leur **(h)** redoutable épée, tout cela m'entraîne
40 comme une petite fille; j'entre dans [7] leurs **(h)** affaires;
et si je n'avais M. de La Rochefoucauld et M. d'Hacqueville pour me consoler, je me pendrais de trouver
encore en moi cette faiblesse.

Vous m'apparaissez pour me faire honte; mais je me
dis de méchantes raisons [8], et je continue [...].

34. A COULANGES

Aux Rochers, 22ᵉ juillet 1671.

Ce mot sur la semaine est par-dessus le marché de
vous écrire seulement tous les quinze jours, et pour vous
donner avis, mon cher cousin, que vous aurez bientôt
l'honneur de voir Picard [10]; et comme il est frère du

---

1. Qui pousse l'homme aux tâches pénibles. — 2. N'était. — 3. *Troisième Discours sur la condition des grands*. — 4. Roman de La Calprenède (l. 31), en 12 tomes. — 5. Longues phrases complexes. — 6. Ne puis m'empêcher. — 7. Je prends part à. — 8. Justifications de mauvaise qualité. — 9. Cette *semaine*-ci. — 10. Domestique, appelé, comme souvent alors, d'après sa province d'origine.

⁵ laquais de Mme de Coulanges, je suis bien aise de vous rendre compte de mon procédé [1].

Vous savez que Mme la duchesse de Chaulnes [2] est à Vitré [3]; elle y attend le duc, son mari, dans dix ou douze jours, avec les états de Bretagne : vous croyez que
¹⁰ j'extravague? Elle attend donc son mari avec tous les états; et en attendant, elle est à Vitré toute seule, mourant d'ennui. Vous ne comprenez pas que cela puisse jamais revenir à Picard? Elle meurt donc d'ennui; je suis sa seule consolation, et vous croyez bien que je
¹⁵ l'emporte d'une grande hauteur sur Mlle de Kerbone et de Kerqueoison [4]. Voici un grand circuit, mais pourtant nous arriverons au but. Comme je suis donc sa seule consolation, après l'**(g)** avoir été voir **(r)**, elle viendra ici, et je veux qu'elle trouve mon parterre net et mes
²⁰ allées nettes, ces grandes allées que vous aimez. Vous ne comprenez pas encore où cela peut aller? Voici une autre petite proposition incidente [5] : vous savez qu'on fait les foins; je n'avais pas d'ouvriers; j'envoie dans cette prairie, que les poëtes ont célébrée, prendre tous
²⁵ ceux qui travaillaient, pour venir nettoyer ici : vous n'y voyez encore goutte? Et, en leur place, j'envoie tous mes gens [6] faner. Savez-vous ce que c'est que faner? Il faut que je vous l'explique : faner est la plus jolie chose

---

- **L'art de l'enjolivement** (lettre 34)

  ① Bien voir que le sujet pratique de la lettre est peu reluisant (empêcher un valet d'être repris), et les sentiments peu nobles (colère brusque, rancune froide).

  ② En déduire la nécessité d'enjoliver en recourant :
  — au critère esthétique (*indigne*…, l. 44) et à la joliesse toute apparente de faner (en fait, opération fatigante pour qui la fait, non aux yeux de qui la voit faire);
  — au jeu de structure (grand circuit de la cause lointaine vers l'effet connu), d'énigme (jusqu'aux approches de la cause immédiate), de redondance (répétitions lors des enchaînements) et de mots : *ferme comme un rocher* (l. 38-39)… dans le château des Rochers;
  — à l'ironie par antiphrase au début (l. 4, *honneur*) et surtout à la fin, mêlée d'humour.

  ③ Déceler l'accord de ces artifices avec la personnalité du destinataire (poète à la fois gai et léger).

  ④ L'authenticité de cette lettre est douteuse.

---

1. Comportement à son égard. — 2. Femme du gouverneur de Bretagne, amie de Mme de Sévigné. — 3. Ville à 6 km des Rochers, où se tenaient *les états,* assemblée annuelle discutant les impôts royaux. — 4. Noms authentiques, à peine déformés. — 5. Accessoire. — 6. Domestiques.

30 du monde, c'est retourner du foin en batifolant dans une prairie; dès qu'on en sait tant, on sait faner. Tous mes gens y allèrent gaiement; le seul Picard [1] me **(g)** vint dire qu'il n'irait pas, qu'il n'était pas entré à mon service pour cela, que ce n'était pas son métier, et qu'il aimait mieux s'en aller à Paris. Ma foi! la colère me monte à la

35 tête. Je songeai que c'était la centième sottise qu'il m'avait faite; qu'il n'avait ni cœur, ni affection; en un mot, la mesure était comble. Je l'ai pris au mot; et quoi qu'on m'**(g)**ait pu dire pour lui, je suis demeurée ferme comme un rocher, et il est parti. C'est une justice de

40 traiter les gens selon leurs bons ou mauvais services. Si vous le revoyez, ne le recevez point, ne le protégez point, ne me blâmez point, et songez que c'est le garçon du monde qui aime le moins à faner, et qui est le plus indigne qu'on le traite bien.

45 Voilà l'histoire en peu de mots. Pour moi, j'aime les narrations où l'on ne dit que ce qui est nécessaire, où l'on ne s'écarte point ni à droite, ni à gauche, où l'on ne reprend point les choses de si loin; enfin je crois que c'est ici, sans vanité, le modèle des narrations agréables.

35. A MADAME DE GRIGNAN

Aux Rochers, dimanche 1ᵉʳ novembre [1671].

[...] Je comprends, ma fille, la crainte que vous avez de perdre votre premier président [2]; votre imagination va vite, car il n'est point en danger [3]. Voilà les tours que me fait la mienne à tout moment : il me semble toujours

5 que tout ce que j'aime, tout ce qui m'est bon, va m'échapper; et cela donne de telles tristesses à mon cœur, que si elles étaient continuelles comme elles sont vives, je n'y **(g)** pourrais pas résister. Sur cela il faut faire des actes de résignation à l'ordre et la volonté de

10 Dieu. M. Nicole [4] n'est-il pas encore admirable là-dessus? J'en suis charmée, je n'ai rien vu de pareil. Il est vrai que c'est une perfection un peu au-dessus de l'humanité, que l'indifférence qu'il veut de nous pour

1. Picard seul; voir p. 75, note 10. — 2. Cf. lettre 12, l. 46. — 3. Il mourra peu après. — 4. Voir page 74, note 3.

l'estime ou l'improbation [1] du monde : je suis moins
capable que personne de la [2] comprendre; mais quoique
dans l'exécution [3] on se trouve faible, c'est pourtant un
plaisir que de méditer avec lui, et de faire réflexion sur
la vanité [4] de la joie ou de la tristesse que nous recevons
d'une telle fumée [5]; et à force de trouver ses raisonne-
ments vrais, il ne serait pas impossible qu'on s'en **(g)** pût
servir dans certaines occasions. En un mot, c'est toujours un trésor, quoi que nous en **(g)** puissions faire,
d'avoir un si bon miroir des faiblesses de notre cœur.
M. d'Andilly [6] est aussi content que nous de ce beau
livre. [...]

36. A MADAME ET A MONSIEUR DE GRIGNAN

Aux Rochers, mercredi 4ᵉ novembre [1671].

Ah! ma fille, il y a aujourd'hui deux ans qu'il se passa
une étrange scène à Livry [7], et que mon cœur fut dans
une terrible presse [8]. Il faut passer légèrement sur de
tels souvenirs. Il y a de certaines pensées qui égratignent
la tête.
Parlons un peu de M. Nicole : il y a longtemps que
nous n'en avons rien dit. Je trouve votre réflexion fort
bonne et fort juste sur ce que vous dites de l'indifférence
qu'il veut que l'on ait pour l'approbation ou l'improbation [1] du prochain. Je crois, comme vous, qu'il faut un
peu de grâce [9], et que la philosophie seule ne suffit pas.
Il nous met à un si haut point la paix et l'union avec le
prochain, et nous conseille de l'acquérir aux dépens de
tant de choses, qu'il n'y a pas de moyen après cela d'être
indifférente **(i)** sur ce qu'il pense de nous. Devinez ce
que je fais : je recommence [10] ce traité; je voudrais bien
en faire un bouillon et l'avaler. Ce qu'il dit de l'orgueil,
et de l'amour-propre qui se trouve dans toutes les dispu-
tes, et que l'on couvre du beau nom de l'amour de la
vérité, est une chose qui me ravit. Enfin ce traité est fait
pour bien du monde; mais je crois principalement qu'on
n'a eu que moi en vue. Il dit que l'éloquence et la facilité

---

1. La désapprobation. — 2. L'indifférence. — 3. La mise en pratique. — 4. L'inconsistance. — 5. Ce qui est sans valeur (L.). — 6. Voir p. 66, note 7. — 7. Dangereuse fausse couche de Mᵐᵉ de Grignan. — 8. Oppression. — 9. *Grâce* divine. — 10. A lire.

de parler donnent un certain *éclat* aux pensées : cette
25 expression m'a paru belle et nouvelle; le mot d'*éclat* est
bien placé [1], ne le trouvez-vous pas? Il faut que nous
relisions ce livre à Grignan; si j'étais votre garde pendant votre couche [2], ce serait notre fait : hélas! que
puis-je faire de si loin? Je fais dire tous les jours la messe
30 pour vous; voilà mon emploi, et d'avoir **(w)** bien des
inquiétudes qui ne vous serviront de rien, mais qu'il est
impossible de n'avoir pas **(x)**.

Cependant j'ai dix ou douze charpentiers en l'air, qui
(k) lèvent ma charpente, qui courent sur les solives, qui
35 ne tiennent à rien, qui sont à tout moment sur le point
de se rompre le cou, qui me font mal au dos à force de
leur **(v)** aider d'en bas. On songe à ce bel effet de la Providence que fait la cupidité [3]; et l'on remercie Dieu qu'il
y ait des hommes qui pour douze sous veuillent bien
40 faire ce que d'autres ne feraient pas pour cent mille
écus. « Ô trop heureux, ceux qui plantent des choux!
quand ils ont un pied à terre, l'autre n'en est pas loin. »
Je tiens ceci d'un bon auteur [4] [...].

- **Philosophie et théologie** (lettres 35 et 36)
  ① Spécifier la tendance à équilibrer la théorie par des vues pratiques et réalistes *(lettre 35)*.
  ② Noter le passage, par discussion avec Mme de Grignan, sur un
  plan théorique (examiner la valeur de l'objection faite à Nicole sur
  l'indifférence).
  ③ Dégager la jouissance intellectuelle chez Mme de Sévigné : pensée pensante plus que pensée pensée *(lettre 35)*.
  ④ Dégager la jouissance littéraire de l'artiste devant une métaphore à l'état naissant *(éclat, lettre 36, l. 23-25)*.
  ⑤ Relever deux éclairs psychologiques :
  — affectivité anxieuse et pessimisme a priori *(lettre 35)*;
  — sympathie nerveuse et physique avec les gens en danger *(lettre
  36)*.
  ⑥ Expliquer les redites d'idées (Nicole et l'indifférence, Pascal et la
  cupidité); voir la vivacité et le talent de l'auteur, moindres en spécu-
  lation qu'en expression immédiate du vécu; trait commun : l'art de
  la formule.

---

1. Dont on fait bon emploi (L.). — 2. Accouchement : il aura lieu dans le mois; cf. lettre
37. — 3. Cf. lettre 33, l. 17-22. — 4. Citation un peu approximative de Rabelais, *Quart Livre*,
ch. XVIII, où Panurge pastiche à son propre usage les *Géorgiques* de Virgile : « *O nimium
fortunatos agricolas...* »

37. A MADAME DE GRIGNAN

Aux Rochers, dimanche 29ᵉ novembre [1671].

Il m'est impossible, très impossible de vous dire, ma
chère fille, la joie que j'ai reçue en ouvrant ce bienheureux paquet [1] qui m'a appris votre heureux accouchement. En voyant une lettre de M. de Grignan, je me suis
5   doutée que vous étiez accouchée; mais de ne point voir
de ces aimables dessus de lettre [2] de votre main, c'était
une étrange [3] affaire. Il y en avait pourtant une de vous
du 15ᵉ; mais je la regardais sans la voir, parce que celle
de M. de Grignan me troublait la tête. Enfin je l'ai
10 ouverte avec un tremblement extraordinaire, et j'ai
trouvé tout ce que je pouvais souhaiter au monde. Que
pensez-vous qu'on fasse dans ces accès de joie? Demandez au Coadjuteur [4]; vous ne vous y êtes jamais trouvée. Savez-vous donc ce que l'on fait? Le cœur se serre,
15 et l'on pleure sans pouvoir s'en empêcher; c'est ce que
j'ai fait, ma très belle, avec beaucoup de plaisir : ce sont
des larmes d'une douceur qu'on ne peut comparer à
rien, pas même aux joies les plus brillantes. Comme
vous êtes philosophe, vous savez les raisons de tous ces
20 effets. Pour moi, je les sens, et je m'en vais faire dire
autant de messes pour remercier Dieu de cette grâce,
que j'en faisais dire pour la lui demander. Si l'état où je
suis durait longtemps, la vie serait trop agréable; mais il
faut jouir du bien présent, les chagrins reviennent assez
25 tôt. La jolie chose d'accoucher d'un garçon, et de l'avoir
fait nommer par la Provence [5]! Voilà qui est à souhait.
Ma fille, je vous remercie plus de mille fois des trois
lignes que vous m'avez écrites; elles m'ont donné l'achè-
vement d'une joie complète. Mon abbé est transporté
30 comme moi, et notre Mousse est ravi [6]. Adieu, mon
ange; j'ai bien d'autres lettres à écrire que la vôtre [7].

---

1. Voir p. 47, note 5. — 2. Suscriptions manuscrites. — 3. Cf. lettre 21, l. 48. — 4. Voir p.
39, note 3. — 5. Il fut baptisé Louis-Provence, avec pour parrains quarante notables des principales cités provençales. — 6. Voir p. 70, notes 1 et 2. — 7. Qu'à vous.

CHRONIQUE PARISIENNE
(JANVIER-JUILLET 1672)

Mme de Sévigné croyait rentrer à Paris peu de temps et vite repartir pour Grignan où retrouver sa fille; après quelques mondanités et spectacles, elle découvre obstacles et soucis : la maladie de sa tante La Trousse l'empêche de partir, la guerre de Hollande l'inquiète pour son fils, la prodigalité des Grignan et les anicroches de santé de sa fille la désolent; amie, elle compatit avec la peine de ceux qui pleurent les morts de la guerre, et réconforte Mme de La Fayette égrotante; la mort de sa tante la peine enfin plus encore qu'elle ne la délivre. Pourtant, au milieu de ces soucis, quelles brillantes narrations!

38. A MADAME DE GRIGNAN

A Paris, mercredi 13e janvier [1672].

[...] Nous soupons tous les soirs avec Mme Scarron [1]. Elle a l'esprit aimable et merveilleusement droit : c'est un plaisir que de l'entendre raisonner sur les horribles agitations d'un certain pays [2] qu'elle connaît bien, et le
5 désespoir qu'avait cette d'Heudicourt [3] dans le temps que sa place paraissait si miraculeuse, les rages continuelles du petit Lauzun [4], le noir chagrin ou les tristes ennuis [5] des dames de Saint-Germain [2]; et peut-être que la plus enviée [6] n'en est pas toujours exempte. C'est une
10 plaisante chose que l'entendre causer de tout cela. Ces discours nous mènent quelquefois bien loin, de moralité en moralité, tantôt chrétienne, et tantôt politique. Nous parlons très souvent de vous : elle aime votre esprit et vos manières; et quand vous vous
15 retrouverez ici, ne craignez point, ma bonne, de n'être pas à la mode [7].

---

1. Petite-fille du poète d'Aubigné, veuve du poète burlesque Scarron; plus tard, sous le nom de Mme de Maintenon, égérie, puis sans doute épouse morganatique de Louis XIV. — 2. La Cour. — 3. Aussi méchante que belle, elle était en exil depuis un an pour avoir médit de Mme de Montespan et calomnié Mme Scarron. — 4. Voir des lettres 13 et 14. — 5. Tourments. — 6. Mme de Montespan, maîtresse de Louis XIV. — 7. En faveur.

Je vous trouve un peu fatiguée [1] de vos Provençaux.
Voulez-vous que nous fassions une chanson contre eux?
20 Enfin ils ont obéi [2]; mais ç'a été de mauvaise grâce. S'ils
avaient cru d'abord M. de Grignan, il ne leur en aurait
pas coûté davantage, et ils auraient contenté la Cour.
Ce sont des manières charmantes : à quoi vous avez raison de dire que ce n'est pas votre faute et que vous n'y
25 **(g)** sauriez que faire; cet endroit est plaisant.
Mais écoutez la bonté du Roi, et le plaisir de servir un
si aimable maître. Il a fait appeler le maréchal de Bellefonds [3] dans son cabinet, et lui a dit : « Monsieur le
maréchal, je veux savoir pourquoi vous me **(g)** voulez
30 quitter. Est-ce dévotion? est-ce envie de vous retirer?
est-ce l'accablement de vos dettes? Si c'est le dernier [4],
j'y **(g)** veux donner ordre et entrer dans le détail de vos
affaires. » Le maréchal fut sensiblement touché [5] de
cette bonté. « Sire, dit-il, ce sont mes dettes : je suis
35 abîmé [6]; je ne puis voir souffrir quelques-uns de mes
amis qui m'ont assisté [7], à qui je ne puis satisfaire [8]. —

- **Mondanités**

  La Cour (lettre 38)

  Non des commérages (allusions trop rapides), mais des occasions de
  « moraliser » (éclairer cette notion).
  Un éclairage sur Mme de Sévigné (peu attirée par la Cour : « un pays
  qui n'est point pour moi »; en voir les signes) et sur Mme Scarron (à
  concilier avec la future Mme de Maintenon; cf. Saint-Simon).
  L'anecdote édifiante, fondée sur le goût romanesque du beau geste,
  mais surtout sur la bonté familiale, valeur intimiste révélatrice de
  Mme de Sévigné.

  La comédie (lettre 39)

  Non une critique théâtrale (cf. *lettre 40*), mais un compte rendu de
  soirée parisienne, à peu près comme aujourd'hui (faire les rapprochements : jeu de l'actrice en vedette; sa vie privée; le gratin du
  public; les costumes).
  Une touche révélatrice : Mme de Sévigné plus « pleureuse » que sa
  fille (l. 21-22).
  ① Caractériser le style vif, mousseux, de la chronique mondaine.

---

1. Lassée. — 2. Leurs états ont approuvé les impôts royaux. — 3. Premier maître d'hôtel
du roi. — 4. Ce dernier cas. — 5. Vivement frappé. — 6. Ruiné. — 7. Fait des prêts. — 8.
Rembourser.

Eh bien, dit le Roi, il faut assurer leur dette [1]. Je vous donne cent mille francs de votre maison de Versailles, et un brevet de retenue [2] de quatre cent mille francs, qui servira d'assurance, si vous veniez à mourir. Vous paye-
40 rez les arrérages [3] avec les cent mille francs; cela étant, vous demeurerez à mon service. » En vérité, il faudrait avoir le cœur bien dur pour ne pas obéir à un maître qui entre dans les intérêts d'un de ses domestiques [4] avec tant de bonté : aussi le maréchal ne résista pas; et le
45 voilà remis à sa place et surchargé d'obligations. Tout ce détail est vrai. [...]

39. A MADAME DE GRIGNAN

A Paris, vendredi au soir, 15e janvier [1672].

[...] La comédie [5] de Racine m'a paru belle, nous y avons été. Ma belle-fille [6] m'a paru la plus merveilleuse comédienne que j'aie jamais vue : elle surpasse la **(a)** Desœillets [7] de cent lieues loin; et moi, qu'on croit assez
5 bonne pour le théâtre, je ne suis pas digne d'allumer les chandelles [8] quand elle paraît. Elle est laide de près, et je ne m'étonne pas que mon fils ait été suffoqué [9] par sa présence; mais quand elle dit des vers, elle est adorable. *Bajazet* est beau; j'y trouve quelque embarras sur la fin;
10 il y a bien de la passion, et de la passion moins folle que celle de *Bérénice :* je trouve cependant, selon mon goût, qu'elle ne surpasse pas *Andromaque;* et pour ce qui est des belles comédies [5] de Corneille, elles sont autant au-dessus, que celles de Racine sont au-dessus de toutes les
15 autres. Croyez que jamais rien n'approchera (je ne dis pas surpassera) des **(w)** divins endroits de Corneille. Il nous lut l'autre jour une comédie [10] chez M. de La Rochefoucauld, qui **(k)** fait souvenir de la Reine mère.
20 Cependant je voudrais, ma bonne, que vous fussiez venue avec moi après dîner, vous ne vous seriez point ennuyée; vous auriez peut-être pleuré une petite larme, puisque j'en ai pleuré plus de vingt; vous auriez admiré

---

1. Rendre sûre leur créance. — 2. Acte par lequel le roi assurait une somme à payer par le prochain titulaire au titulaire actuel d'une charge non héréditaire. — 3. Intérêts. — 4. Officiers de sa maison. — 5. Pièce de théâtre; ici la tragédie *Bajazet.* — 6. La Champmeslé, ancienne maîtresse de Charles de Sévigné; voir les lettres 22 à 25. — 7. Créatrice des rôles d'Hermione et d'Agrippine, morte en 1670. — 8. Formant la rampe sur scène. — 9. Interdit. — 10. *Pulchérie.*

votre belle-sœur; vous auriez vu les *Anges* [1] devant
vous, et la Bourdeaux [2], qui était habillée en petite
25 mignonne. Monsieur le Duc [3] était derrière, Pomenars [4]
au-dessus, avec les laquais, son manteau dans son nez,
parce que le comte de Créance [5] le **(g)** veut faire pendre, quelque résistance qu'il y fasse; tout le bel air [6]
était sur le théâtre. M. le marquis de Villeroi avait un
30 habit de bal; le comte de Guiche ceinturé comme son
esprit [7]; tout le reste en bandits. J'ai vu deux fois ce
comte chez M. de La Rochefoucauld; il me parut avoir
bien de l'esprit, et il était moins surnaturel [8] qu'à l'ordinaire […].

40. A MADAME DE GRIGNAN

A Paris, mercredi 16ᵉ mars [1672].

Vous me parlez de mon départ [9] : ah! ma chère fille!
je languis [10] dans cet espoir charmant. Rien ne m'arrête
que ma tante [11], qui se meurt de douleur et d'hydropisie. Elle me brise le cœur par l'état où elle est, et par
5 tout ce qu'elle dit de tendre et de bon sens. Son courage, sa patience, sa résignation, tout cela est admirable. M. d'Hacqueville [12] et moi, nous suivons son mal
jour à jour : il voit mon cœur et la douleur que j'ai de
n'être pas libre tout présentement. Je me conduis par
10 ses avis; nous verrons entre ci et Pâques. Si son mal
augmente, comme il a fait depuis que je suis ici, elle
mourra entre nos bras; si elle reçoit quelque soulage-
ment et qu'elle prenne le train de languir, je partirai dès
que M. de Coulanges sera revenu. Notre pauvre abbé [13]
15 est au désespoir aussi bien que moi; nous voirons **(n)**
donc comme cet excès de mal se tournera dans le mois
d'avril. Je n'ai que cela dans la tête : vous ne sauriez
avoir tant d'envie de me voir que j'en ai de vous embrasser; bornez votre ambition, et ne croyez pas me **(g)** pou-
20 voir jamais régaler [14] là-dessus.

---

1. Filles du maréchal de Grancey. — 2. Veuve galante. — 3. Voir p. 65, note 6. — 4. Breton poursuivi pour fausse monnaie et enlèvement galant. — 5. Dont il enleva la fille. — 6.
Beau monde. — 7. Il était tarabiscoté. — 8. Sans naturel ni simplicité. — 9. Pour Grignan. —
10. Cf. lettre 7, l. 1. — 11. Mᵐᵉ de La Trousse. — 12. Voir p. 44, note 3. — 13. Le Bien Bon;
voir p. 23, note 2; c'est sa sœur qui se meurt. — 14. Contenter.

Mon fils me mande qu'ils sont misérables en Allemagne et ne savent ce qu'ils font. Il a été très affligé de la mort du chevalier de Grignan [1].

25 Vous me demandez, ma chère enfant, si j'aime toujours bien la vie. Je vous avoue que j'y trouve des chagrins cuisants; mais je suis encore plus dégoûtée de la mort : je me trouve si malheureuse d'avoir à finir tout ceci [2] par elle, que si je pouvais retourner en arrière, je ne demanderais pas mieux. Je me trouve dans un enga-
30 gement qui m'embarrasse [3] : je suis embarquée [4] dans la vie sans mon consentement; il faut que j'en sorte, cela m'assomme [5]; et comment en sortirai-je? Par où? Par quelle porte? Quand sera-ce? En quelle disposition [6]? Souffrirai-je mille et mille douleurs, qui me feront mou-
35 rir désespérée? Aurai-je un transport au cerveau? Mourrai-je d'un accident? Comment serai-je avec Dieu? Qu'aurai-je à lui présenter? La crainte, la nécessité, feront-elles mon retour vers lui? N'aurai-je aucun autre sentiment que celui de la peur? Que puis-je espé-
40 rer? Suis-je digne du paradis? Suis-je digne de l'enfer? Quelle alternative! Quel embarras! rien n'est si fou que de mettre son salut dans l'incertitude; mais rien n'est si naturel, et la sotte vie que je mène est la chose du monde la plus aisée à comprendre. Je m'abîme dans [7]
45 ces pensées et je trouve la mort si terrible, que je hais plus la vie parce qu'elle y mène, que par les [8] épines qui s'y rencontrent. Vous me direz que je veux vivre éternellement. Point du tout; mais si on m'avait demandé mon avis, j'aurais bien aimé à mourir entre les bras de
50 ma nourrice : cela m'aurait ôté bien des ennuis et m'aurait donné le ciel bien sûrement et bien aisément; mais parlons d'autre chose.

Je suis au désespoir que vous ayez eu *Bajazet* par d'autres que par moi. C'est ce chien de Barbin [9] qui me
55 hait, parce que je ne fais pas des *Princesses de Montpensier* [10]. Vous en avez jugé très juste et très bien, et vous aurez vu [11] que je suis de votre avis. Je voulais vous envoyer la Champmeslé pour vous réchauffer la pièce. Le personnage de Bajazet est glacé; les mœurs des

1. Dit le Beau Chevalier. — 2. Ma vie présente. — 3. Inextricable. — 4. Métaphore pascalienne des *Pensées*, publiées en 1669. — 5. Cf. lettre 21, l. 52. — 6. Sur le plan religieux. — 7. Me plonge au fond de. — 8. En raison des. — 9. Célèbre libraire. — 10. Petit roman de Mme de La Fayette. — 11. Voir la lettre 39.

60 Turcs y sont mal observées; ils ne font point tant de façons pour se marier; le dénouement n'est point bien préparé : on n'entre point dans [1] les raisons de cette grande tuerie. Il y a pourtant des choses agréables, et rien de parfaitement beau, rien qui enlève, point de ces
65 tirades de Corneille qui font frissonner. Ma fille, gardons-nous bien de lui comparer Racine, sentons-en la différence. Il y a des endroits froids et faibles, et jamais il n'ira plus loin qu'*Alexandre* et qu'*Andromaque*. *Bajazet* est au-dessous, au sentiment de bien des gens et au
70 mien, si j'ose me citer. Racine fait des comédies [2] pour la Champmeslé : ce n'est pas pour les siècles à venir. Si jamais il n'est plus jeune, et qu'il cesse d'être amoureux, ce ne sera plus la même chose. Vive donc notre vieil ami Corneille! Pardonnons-lui de méchants [3] vers, en faveur
75 des divines et sublimes beautés qui nous transportent : ce sont des traits de maître qui sont inimitables. Despréaux [4] en dit encore plus que moi; et en un mot, c'est le bon goût : tenez-vous-y [...].

- **Une synthèse de fond** (lettre 40)

① Relever les principaux motifs des *lettres 39* à *43*, ici présents et généralement approfondis.

② Voir le double aspect douloureux de la maladie de la tante La Trousse : négatif (obstacle au départ pour Grignan) et positif (affection doublée d'estime pour la malade : dégager les traits qui les lui valent).

③ Rapprocher la philosophie pessimiste aux malheurs subis, soit de Montaigne et La Rochefoucauld (lucidité, réalisme psychologique), soit de Pascal (emprunts d'expressions), mais aussi spécifier par rapport à ces moralistes l'analyse de Mme de Sévigné et son style.

④ Lire de près le jugement littéraire :
— sur *Bajazet* (cf., en commentaire à la ligne 63 *(grande tuerie)*, l'article de Julien Gracq dans ses *Préférences*);
— sur le parallèle Corneille-Racine, très justifiable si on le relie à l'optique d'une génération encore éprise de sublime et de romanesque plus que d'amour-passion; relever le paradoxe (explicable) qui fait rejeter, par une mère passionnée de façon souvent racinienne, la primauté de Racine.

---

1. Cf. lettre 19, l. 66. — 2. Voir p. 83, note 5. — 3. Voir p. 73, note 4. — 4. Boileau.

41. A MADAME DE GRIGNAN

A Paris, 20ᵉ juin [1672].

Il m'est impossible de me représenter l'état [1] où vous
avez été, ma bonne, sans une extrême émotion; et quoique je sache que vous en êtes quitte, Dieu merci, je ne
puis tourner les yeux sur le passé sans une horreur qui
me trouble. Hélas! que j'étais mal instruite d'une santé
qui m'est si chère! Qui m'eût dit en ce temps-là :
« Votre fille est plus en danger que si elle était à
l'armée »? Hélas! j'étais bien loin de le croire, ma pauvre bonne. Faut-il donc que je trouve cette tristesse avec
tant d'autres qui se trouvent présentement dans mon
cœur? Le péril extrême où se trouve mon fils, la guerre
qui s'échauffe tous les jours, les courriers qui n'appor-
tent plus que la mort de quelqu'un de nos amis ou de
nos connaissances et qui peuvent apporter pis, la crainte
qu'on a des mauvaises nouvelles et la curiosité qu'on a
de les apprendre, la désolation de ceux qui sont outrés
de douleur, avec qui je passe une partie de ma vie;
l'inconcevable état de ma tante [2], et l'envie que j'ai de
vous voir; tout cela me déchire et me tue, et me fait
mener une vie si contraire à mon humeur et à mon tempérament, qu'en vérité il faut que j'aie une bonne santé
pour y résister.

Vous n'avez jamais vu Paris comme il est [3]. Tout le
monde pleure, ou craint de pleurer. L'esprit tourne à la
pauvre Mᵐᵉ de Nogent [4]. Mᵐᵉ de Longueville [5] fait fendre le cœur, à ce qu'on dit : je ne l'ai point vue, mais
voici ce que je sais. Mˡˡᵉ de Vertus [6] était retournée
depuis deux jours au Port-Royal [7], où elle est presque
toujours. On est allé la querir, avec M. Arnauld, pour
dire cette terrible nouvelle. Mˡˡᵉ de Vertus n'avait qu'à
se montrer : ce retour si précipité marquait bien quelque chose de funeste. En effet, dès qu'elle parut : « Ah,
Mademoiselle! comme se porte Monsieur mon
frère [8]? » Sa pensée n'osa pas aller plus loin [9]. « Ma-

---

1. Ici, de maladie. — 2. Cf. lettre 40. — 3. Présentement. — 4. Sœur de Lauzun, devenue
veuve à ce combat. — 5. Dont le fils, qu'elle eut sans doute de La Rochefoucauld, fut tué à ce
combat. — 6. Amie de Mᵐᵉ de Longueville, janséniste comme elle et comme Arnauld. — 7.
Haut lieu du jansénisme. — 8. Condé. — 9. Jusqu'à son fils.

35 dame, il se porte bien de sa blessure. — Il y a eu un combat. Et mon fils? » On ne lui répondit rien. « Ah! Mademoiselle, mon fils, mon cher enfant, répondez-moi, est-il mort? — Madame, je n'ai point de paroles pour vous répondre. — Ah! mon cher fils! est-il mort
40 sur-le-champ? N'a-t-il pas eu un seul moment [1]? Ah mon Dieu! Quel sacrifice! » Et là-dessus elle tombe sur son lit, et tout ce que la plus vive douleur put faire, et par des convulsions, et par des évanouissements, et par
45 un silence mortel, et par des cris étouffés, et par des larmes amères, et par des élans vers le ciel, et par des plaintes tendres et pitoyables, elle a tout éprouvé. Elle voit certaines gens [2]. Elle prend des bouillons, parce que Dieu le veut [3]. Elle n'a aucun repos [4]. Sa santé,
50 déjà très mauvaise, est visiblement altérée. Pour moi, je lui souhaite la mort, ne comprenant pas qu'elle puisse vivre après une telle perte.

Il y a un homme [5] dans le monde qui n'est guère moins touché; j'ai dans la tête que s'ils s'étaient rencon-
55 trés tous deux dans ces premiers moments, et qu'il n'y eût eu que le chat avec eux, je crois que tous les autres

---

- **La guerre de Hollande** (lettres 41 et 44).

① Spécifier le désordre des nouvelles retransmises sur le vif (fin de *lettre 41*); noter l'ordre révélateur des questions, du privé (primordial) au public; noter la répétition du verbe *trouver* (p. 87, l. 9-11). L'atmosphère (accumulation) est en harmonie avec l'humeur de l'auteur *(lettre 41)*.

② Déceler le pacifisme profond de l'épistolière *(lettre 41*, fin). L'art du récit :
— Recréation d'après un témoignage direct (cf. « Les nouvelles que je vous mande sont d'original : c'est de Gourville qui était avec Mme de Longueville quand elle a reçu la nouvelle »), avec art du dialogue coupé et effets d'accumulation *(lettre 41)*.
— Reprise perfectionnée (mort de Longueville) avec grande phrase; un trait drôle à la Panurge *(lettre 44)*.
— Anecdotes avec un aspect extraordinaire (Guiche, p. 92, l. 18-27) ou un tout rapide (Nantouillet, p. 92, l. 28-34); étudier l'art de la vivacité *(lettre 44)*.

---

1. Pour préparer son âme. — 2. Des jansénistes. — 3. Le suicide est interdit par le catholicisme. — 4. Calme de l'âme. — 5. La Rochefoucauld, qui perdit à ce combat un fils naturel et un fils légitime, et y eut son fils aîné blessé.

sentiments auraient fait place à des cris et à des larmes,
qu'on aurait redoublés de bon cœur : c'est une vision [1]
[…]. M. de Turenne assiège Arnheim ; on parle aussi du
fort de Skenk. Ah! que ces beaux commencements
seront suivis d'une fin tragique pour bien des gens! Dieu
60 conserve mon pauvre fils : il n'a point été de ce passage
de rivière, mais la campagne n'est point finie.

A dix heures du soir.

Il y a deux heures que j'ai fait mon paquet, et en revenant de la ville je trouve la paix faite, selon une lettre
65 qu'on m'a envoyée. Il est aisé de croire que toute la
Hollande est en alarme et soumise : le bonheur du Roi
est au-dessus de tout ce qu'on a jamais vu. On va commencer à respirer; mais quel redoublement de douleur à
Mme de Longueville et à ceux qui ont perdu leurs chers
70 enfants! J'ai vu le maréchal du Plessis [2], il est très
affligé, mais en grand capitaine. La maréchale pleure
amèrement, et la Comtesse est fâchée de n'être point
duchesse [3]; et puis c'est tout. Ah! ma fille, sans l'emportement [4] de M. de Longueville, songez que nous aurions
la Hollande, sans qu'il nous en eût rien coûté.

42. A MADAME DE GRIGNAN

A Paris, vendredi 24e juin [1672].

Je suis présentement dans la chambre de ma tante [5].
Si vous la **(g)** pouviez voir en l'état où elle est, vous ne
douteriez pas que je ne partisse demain matin [6]. Elle a
reçu tantôt le viatique [7] pour la dernière fois; mais
5 comme son mal est d'être entièrement consumée, cette
dernière goutte d'huile [8] ne se trouve pas sitôt. Elle est
debout, c'est-à-dire dans sa chaise, avec sa robe de
chambre, sa cornette [9], une coiffe [10] noire par-dessus, et
ses gants. Nulle senteur, nulle malpropreté dans sa
10 chambre; mais son visage est plus changé que si elle
était morte depuis huit jours. Les os lui percent la peau;
elle est entièrement étique et desséchée; elle n'avale
qu'avec des difficultés extrêmes; elle a perdu la parole.
Vesou [11] lui a signifié son arrêt : elle ne prend plus de

---

1. Idée folle. — 2. Plessis-Praslin. — 3. Par la mort de son mari, qui serait devenu duc à
celle du maréchal, son père. — 4. Fougue irréfléchie. — 5. Cf. lettre 40. — 6. Pour Grignan.
— 7. La communion. — 8. A consumer en elle. — 9. Coiffure de femme en déshabillé. — 10.
Étoffe de taffetas, de gaze ou de crêpe. — 11. Médecin fameux.

15 remèdes : la nature ne retient plus rien; elle n'est quasi
plus enflée, parce que l'hydropisie a causé le dessèche-
ment; elle n'a plus de douleurs, parce qu'il n'y a plus
rien à consumer. Elle est fort assoupie, mais elle respire
encore; et voilà à quoi elle tient. Elle a eu des froids et
20 des faiblesses qui nous ont fait croire qu'elle était passée [1]; on a voulu une fois lui donner l'extrême-onction [2].
Je ne quitte plus ce quartier, de peur d'accident [3]. Je
vous assure que, quoi que je voie au-delà [4], cette dernière scène me coûtera bien des larmes. C'est un specta-
25 cle difficile à soutenir, quand on est tendre comme moi.
Voilà, ma chère fille, où nous en sommes. Il y a trois
semaines qu'elle nous donna à tous congé [5], parce
qu'elle avait encore un reste de cérémonie [6]; mais présentement que le masque est ôté, elle nous a fait enten-
30 dre [7], à l'abbé [8] et à moi, en nous tendant la main,
qu'elle recevait une extrême consolation de nous avoir
tous deux dans ces derniers moments. Cela nous creva
le cœur, et nous fit voir qu'on joue longtemps la comédie, et qu'à la mort on dit la vérité. Je ne vous dis plus,
35 ma chère fille, le jour de mon départ :

> Comment vous le pourrais-je dire?
> Rien n'est plus incertain que l'heure de la mort.

Mais enfin, pourvu que vous vouliez bien ne nous **(g)**
40 point mander de ne pas partir, il est très certain que
nous partirons. Laissez-nous donc faire. Vous savez
comme je hais les remords : ce m'eût été un dragon [9]
perpétuel que de n'avoir pas rendu les derniers devoirs à
ma pauvre tante. Je n'oublie rien de ce que je crois lui
devoir dans cette triste occasion [...].

43. A MADAME DE GRIGNAN

A Paris, vendredi 1er juillet [1672].

Enfin [10], ma fille, notre chère tante [11] a fini sa malheureuse vie. La pauvre femme nous a bien fait pleurer
dans cette triste occasion; et pour moi, qui suis tendre
aux larmes, j'en ai beaucoup répandu. Elle mourut hier
5 matin à quatre heures, sans que personne s'en aperçût :

---

1. Trépassée. — 2. Derniers sacrements. — 3. Mort subite. — 4. Le voyage à Grignan enfin
possible. — 5. Invita tous à la quitter. — 6. Ensemble des formalités de civilité (L.). — 7.
Comprendre. — 8. Cf. lettre 40, l. 14. — 9. Tourment moral, hantise. — 10. Au bout du
compte. — 11. Mme de La Trousse.

on la trouva morte dans son lit. La veille, elle était
extraordinairement mal, et par inquiétude [1] elle voulut
se lever; elle était si faible, qu'elle ne pouvait se tenir
dans sa chaise, et s'affaiblissait et coulait jusqu'à terre;
10   on la relevait. Mlle de La Trousse [2] se flattait [3], et trou-
vait que c'était qu'elle avait besoin de nourriture. Elle
avait des convulsions à la bouche : elle disait que c'était
un embarras que le lait avait fait dans sa bouche et dans
ses dents. Pour moi, je la trouvais très mal. A onze heu-
15   res, elle me fit signe de m'en aller : je lui baisai la main,
elle me donna sa bénédiction, et je partis. Ensuite elle
prit son lait par complaisance pour Mlle de La Trousse;
mais en vérité, elle ne put rien avaler, et lui dit qu'elle
n'en pouvait plus. On la recoucha, elle chassa tout le
20   monde, et dit qu'elle s'en allait dormir. A trois heures,
elle eut besoin de quelque chose et fit encore signe
qu'on la laissât en repos. A quatre heures, on dit à
Mlle de La Trousse que sa mère dormait; elle dit qu'il ne
fallait pas l'éveiller pour prendre son lait. A cinq heu-
25   res, elle dit qu'il fallait voir si elle dormait. On approche
de son lit, on la trouve morte. On crie, on ouvre les
rideaux; ma cousine se jette sur cette pauvre femme,
elle la **(g)** veut réchauffer, ressusciter; elle l'appelle, elle
crie, elle se désespère; enfin on l'arrache, et on la met
30   par force dans une autre chambre. On me **(g)** vient avertir; je cours tout ému; je trouve cette pauvre tante
toute froide, et couchée si à son aise, que je ne crois pas
que depuis six mois elle ait eu un moment si **(y)** doux
que celui de sa mort. Elle n'était quasi point changée, à
35   force de l'avoir été auparavant. Je me mis à genoux, et
vous pouvez penser si je pleurai abondamment en
voyant ce triste spectacle. [...]

● **La mort d'une tante** (lettres 42-43)
    ① Définir le caractère nullement oratoire, mais simple, intime,
    vrai, et par là touchant, des détails donnés.
    ② Déceler la sensibilité attentive et juste de Mme de Sévigné, un
    bonté et son goût de la bonté (devoir, mais aussi réconfort; cf. *le
    masque est ôté*, p. 90, l. 29).
    ③ Les derniers instants; art et exactitude; aucun pathos; peinture
    d'une âme discrète qui s'efface (relever les détails qui la révèlent en
    la mourante).
    ④ Comment est obtenu le pathétique de la narration?
    ⑤ Analyser la finesse, l'exactitude, la souplesse exquise du style.

---

1. Agitation. — 2. Fille de la défunte. — 3. Se faisait des illusions.

44. A MADAME DE GRIGNAN

A Livry, ce dimanche au soir [*3ᵉ juillet 1672*].

[...] Vous devez avoir reçu des relations [1] fort exactes, qui vous auront fait voir que l'Yssel [2] était mal défendu; le grand miracle, c'est de l'avoir passé à la nage. Monsieur le Prince [3] et ses Argonautes [4] étaient dans un bateau, et l'escadron qu'ils attaquèrent demandait quartier [5], lorsque le malheur voulut que M. de Longueville [6], qui sans doute ne l'entendit pas, poussé d'une bouillante ardeur, monte sur son cheval qu'il avait traîné après lui, et voulant être le premier, ouvre la barricade derrière quoi **(j)** ils [7] étaient retranchés, et tue le premier qui se trouve sous sa main : en même temps on le perce de cinq ou six coups. Monsieur le Duc [8] le suit, Monsieur le Prince suit son fils, et tous les autres suivent Monsieur le Prince : voilà où se fit la tuerie, qu'on aurait, comme vous voyez, bien évitée, si l'on eût su l'envie que ces gens-là avaient de se rendre; mais tout est marqué [9] dans l'ordre de la Providence.

M. le comte de Guiche a fait une action dont le succès [10] le couvre de gloire; car, si elle eût tourné autrement, il eût été criminel. On l'envoie reconnaître si la rivière est guéable; il dit qu'oui : elle ne l'est pas; des escadrons entiers passent à la nage sans se déranger [11]; il est vrai qu'il est le premier : cela ne s'est jamais hasardé; cela réussit, il enveloppe des escadrons, et les force à se rendre : vous voyez bien que son bonheur [12] et sa valeur ne se sont point séparés; mais vous devez avoir des grandes relations de tout cela.

Un chevalier de Nantouillet était tombé de cheval : il va au fond de l'eau, il revient, il retourne, il revient encore; enfin il trouve la queue d'un cheval, s'y attache; ce cheval le mène à bord, il monte sur le cheval, se trouve à la mêlée, reçoit deux coups dans son chapeau, et revient gaillard [13] : voilà qui est d'un sens froid qui me fait souvenir d'Oronte [14], prince des Massagètes [...].

---

1. Cf. lettre 26, l. 3. — 2. Bras du Rhin. — 3. Condé. — 4. Tels en mythologie Jason et ses compagnons de la nef *Argo*, partis à la conquête de la Toison d'or. — 5. La vie sauve. — 6. Fils de la Rochefoucauld. — 7. Ceux de l'escadron ennemi. — 8. Fils de Condé. — 9. Déterminé. — 10. Issue. — 11. En gardant la formation. — 12. Sa chance. — 13. En grande forme. — 14. Héros du *Grand Cyrus*, roman de Mˡˡᵉ de Scudéry.

III. PREMIÈRES RETROUVAILLES
(1672-1676)

PROVENÇALES (AOÛT 1672-OCTOBRE 1673)

45. A MADAME DE GRIGNAN

A Lambesc [1], mardi 20e décembre [1672],
à dix heures du matin.

Quand on compte sans la Providence, ma chère fille,
on court risque souvent de se mécompter. J'étais toute
habillée à huit heures, j'avais pris mon café [2], entendu
la messe, tous les adieux faits, le bardot [3] chargé; les
5 sonnettes des mulets me faisaient souvenir qu'il fallait
monter en litière; ma chambre était pleine de monde,
qui me priait de ne point partir, parce que depuis plusieurs jours il pleut beaucoup, et depuis hier continuellement, et même dans le moment. Je résistais hardiment
10 à tous ces discours, faisant honneur à la résolution que
j'avais prise et à tout ce que je vous mandai hier par la
poste, en assurant que j'arriverais jeudi, lorsque tout
d'un coup M. de Grignan, en robe de chambre d'ome-
lette [4], m'a parlé si sérieusement de la témérité de mon
15 entreprise, que (w) mon muletier ne suivrait pas ma
litière, que (w) mes mulets tomberaient dans les fossés,
que (w) mes gens seraient mouillés et hors d'état de me
secourir, qu'en un moment j'ai changé d'avis, et j'ai
cédé entièrement à ses sages remontrances. Ainsi cof-
20 fres qu'on rapporte, mulets qu'on dételle, filles et
laquais qui se sèchent pour avoir seulement traversé la
cour, et messager que l'on vous envoie, connaissant vos
bontés et vos inquiétudes, et voulant aussi apaiser les
miennes, parce que je suis en peine de votre santé, et
25 que cet homme ou reviendra nous en rapporter des nouvelles, ou me trouvera par les chemins [5]. En un mot, ma

---

1. Près d'Aix, où Mme de Sévigné se trouve avec M. de Grignan, à l'assemblée des commu-
nautés. — 2. A la mode depuis 1669. — 3. Petit mulet. — 4. Couleur jaune d'œuf. — 5. Du
retour vers Grignan.

chère enfant, il arrivera jeudi au lieu de moi, et moi, je
partirai bien véritablement quand il plaira au ciel et à
M. de Grignan, qui me gouverne de bonne foi, et qui
comprend toutes les raisons qui me font souhaiter pas-
30 sionnément d'être à Grignan [...].

46. A MADAME DE GRIGNAN

A Montélimar [1], jeudi 5e octobre [1673].

Voici un terrible jour [1], ma chère fille; je vous avoue
que je n'en puis plus. Je vous ai quittée dans un état [2]
qui augmente ma douleur. Je songe à tous les pas que
vous faites [3] et à tous ceux que je fais, et combien il s'en
5 faut qu'en marchant toujours de cette sorte, nous puissions jamais nous rencontrer. Mon cœur est en repos
quand il est auprès de vous : c'est son état naturel, et le
seul qui peut lui plaire. Ce qui s'est passé ce matin me
donne une douleur sensible, et me fait un déchirement
10 dont votre philosophie [4] sait les raisons : je les ai senties
(h) et les sentirai longtemps. J'ai le cœur et l'imagination tout remplis de vous; je n'y puis penser sans pleurer, et j'y pense toujours : de sorte que l'état où je suis
n'est pas une chose soutenable; comme il est extrême,
15 j'espère qu'il ne durera pas dans cette violence. Je vous
cherche toujours, et je trouve que tout me manque,
parce que vous me manquez. Mes yeux qui vous ont tant
rencontrée depuis quatorze mois ne vous trouvent plus.
Le temps agréable qui est passé rend celui-ci doulou-
20 reux, jusqu'à ce que j'y sois un peu accoutumée; mais ce
ne sera jamais assez pour ne pas souhaiter ardemment
de vous revoir et de vous embrasser. Je ne dois pas espérer mieux de l'avenir que du passé. Je sais ce que votre
absence m'a fait souffrir; je serai encore plus à plaindre,
25 parce que je me suis fait imprudemment une habitude
nécessaire de vous voir. Il me semble que je ne vous ai
point assez embrassée en partant : qu'avais-je à ménager? Je ne vous ai point assez dit combien je suis
contente de votre tendresse; je ne vous ai point assez

---

1. Mme de Sévigné avait, le matin même, quitté Grignan pour Paris. — 2. De santé.
— 3. Pour aller à Aix. — 4. Cartésienne.

30 recommandée à M. de Grignan [1]; je ne l'ai point assez
remercié de toutes ses politesses et de toute l'amitié [2]
qu'il a pour moi; j'en attendrai les effets sur tous les chapitres : il y en a où il a plus d'intérêt que moi, quoique
j'en sois plus touchée que lui [1]. Je suis déjà dévorée de
35 curiosité [3]; je n'espère de consolation que de vos lettres,
qui me feront encore bien soupirer [4]. En un mot, ma
fille, je ne vis que pour vous. Dieu me fasse la grâce de
l'aimer quelque jour comme je vous aime. Je songe aux
pichons [5] : je suis toute pétrie de Grignans; je tiens par-
40 tout [6]. Jamais un voyage n'a été si **(y)** triste que le
nôtre [7]; nous [7] ne disons pas un mot.

Adieu, ma chère enfant, aimez-moi toujours : hélas!
nous revoilà dans les lettres. Assurez Monsieur l'Archevêque [8] de mon respect très tendre, et embrassez le
45 Coadjuteur [9]; je vous recommande à lui. Nous avons
encore dîné à vos dépens [10]. Voilà M. de Saint-Geniez
qui vient me consoler. Ma fille, plaignez-moi de vous
avoir quittée.

PARISIENNES (FIN 1673-MAI 1675)

47. A MADAME DE GRIGNAN

A Paris, lundi 5e février [*1674*].

Il y a aujourd'hui bien des années [11], ma chère bonne,
qu'il vint au monde une créature destinée à vous aimer
préférablement à toutes choses; je prie votre imagination de n'aller ni à droite, ni à gauche :

5   Cet homme-là, Sire, c'était moi-même [12].

Il y eut hier trois ans que j'eus une des plus sensibles
douleurs de ma vie : vous partîtes pour la Provence, et
vous y êtes encore. Ma lettre serait longue, si je voulais
vous expliquer toute l'amertume que je sentis, et toutes

---

1. Grignan devrait ménager la santé de sa femme; cf. lettre 28. — 2. Affection. — 3.
Concernant le voyage et la santé de Mme de Grignan. — 4. Déplorer l'absence de Mme de Grignan. — 5. Petits (du provençal *pitchoun*). — 6. Suis attachée à tout (ce que je quitte). — 7.
Les abbés de Coulanges et de La Mousse sont avec l'auteur. — 8. D'Arles, oncle de Grignan.
— 9. D'Arles, frère de Grignan. — 10. Sur les provisions emportées de Grignan. — 11. Qua-
rante-huit ans. — 12. D'après Marot : « Ce monsieur-là, Sire… » (*Épître au roi pour avoir été
dérobé*).

[10] celles que j'ai senties depuis en conséquence de cette première. Mais revenons : je n'ai point reçu de vos lettres aujourd'hui, je ne sais s'il m'en viendra; je ne le crois pas, il est trop tard : cependant j'en attendais avec impatience; je voulais vous voir partir d'Aix, et pouvoir [15] supputer un peu juste votre retour; tout le monde m'en assassine [1], et je ne sais que répondre. M. de Pomponne vous souhaite fort et voit plus que nous la nécessité de votre présence [2] [...].

Le P. Bourdaloue [3] fit un sermon le jour de Notre-[20] Dame, qui **(k)** transporta [4] tout le monde; il était d'une force qu'il [5] faisait trembler les courtisans, et jamais un prédicateur évangélique n'a prêché si hautement et si généreusement les vérités chrétiennes : il était question de faire voir que toute puissance doit être soumise à la [25] loi, à l'exemple de Notre-Seigneur, qui fut présenté au temple; enfin, ma bonne, cela fut poussé au point de la plus haute perfection, et certains endroits furent poussés comme les aurait poussés l'apôtre saint Paul.

L'archevêque de Reims [6] revenait hier fort vite de [30] Saint-Germain, comme un tourbillon. S'il croit être grand seigneur, ses gens [7] le croient encore plus que lui. Ils passaient au travers de Nanterre, *tra, tra, tra;* ils rencontrent un homme à cheval, *gare, gare;* ce pauvre homme se **(g)** veut ranger, son cheval ne le veut pas; [35] enfin le carrosse et les six chevaux renversent cul par-dessus tête le pauvre homme et le cheval, et passent par-dessus, et si bien par-dessus que le carrosse en fut versé et renversé : en même temps l'homme et le cheval, au lieu de s'amuser [8] à être roués [9] et estropiés, se relèvent [40] miraculeusement, et remontent l'un sur l'autre, et s'enfuient et courent encore, pendant que les laquais et le cocher, et l'archevêque même, se mettent à crier : « Arrête, arrête le coquin, qu'on lui donne cent coups. » L'archevêque, en racontant ceci, disait : « Si [45] j'avais tenu ce maraud-là, je lui aurais rompu les bras et coupé les oreilles. » [...]

---

1. De questions. — 2. Pour affaires; Mme de Grignan était en route pour Paris. — 3. Cf. lettre 20, l. 4. — 4. Enthousiasma. — 5. Telle *qu'il.* — 6. Mgr Le Tellier, frère de Louvois. — 7. Domestiques. — 8. Perdre leur temps. — 9. Écrasés par les roues.

● **Élégie et narration** (lettres 45 à 47)

Élégie

① Sa permanence : observer le lamento, même dans la joie du proche revoir *(lettre 47)*.

② Sa relative monotonie : par exemple les deux anniversaires *(lettres 47)*; cf. en-tête de 1672 : « A Sainte-Marie du faubourg, jour de saint François de Sales, et jour que vous fûtes mariée. Voilà ma première radoterie; c'est que je fais des bouts de l'an de tout. » Relever, en d'autres lettres, des thèmes et expressions voisins de ceux-ci *(lettres 46 et 47)* pour le tourment passionné.

③ Ses nuances de détail spécifiques, à déceler; par exemple : *qu'avais-je à ménager?* (p. 94, l. 27).

④ L'art de la formule moraliste : en analyser les procédés sur pièces; relever des tours hardis.

Narration

a) **Narration pittoresque** (faire quelque chose avec rien) : *lettre 45.*

① Étudier la mise en valeur d'un sujet nul (on ne fait rien) par le développement accumulatif (préparatifs; objurgations; contre-mesures).

② Distinguer la concision syntaxique (tours participiaux, articles omis) et la longue phrase, soit à rallonge (fin de la deuxième phrase), soit périodique (troisième phrase); noter la licence grammaticale du langage : *parlé de...*, *que* (complétif répété)..., *qu'en un moment* (consécutif), p. 93, l. 14-18.
Le pittoresque sert à excuser et justifier un retard inquiétant ou blessant peut-être.

b) **Narration « à bride abattue »** (lettre 47)

③ Analyser les moyens de la vélocité dans cette lettre, mise en musique par H. Barraud pour cette qualité (accumulations, verbes d'action, répétitions, longue phrase à éléments syntaxiques brefs, etc.).

④ S'interroger sur le sens exact de *par-dessus* (p. 96, l. 36) : dessus? au-dessus de ? à côté de? (cf. *lettre 70*, p. 128, l. 53); tenter mentalement une vérification en reconstituant l'épisode, comme un metteur en scène pour la séquence d'un film.

⑤ Montrer comment la vélocité estompe à la fois l'incertitude des détails dans un récit qui est, au mieux, de seconde main (et nullement un témoignage oculaire) et le parti pris qui constitue assez gratuitement le *pauvre (?) homme* en victime.

⑥ Apprécier la réussite de ce tour de passe-passe qui donne l'impression du témoignage vécu et objectif et qui, inventé plus ou moins, rejoint une vérité toujours actuelle (à vérifier en transposant la scène avec un chauffard en automobile).

LES GUERRES (JUIN-AOÛT 1675)

Au départ de Mme de Grignan, fin mai 1675, vient s'ajouter en juillet le désastre national de la mort de Turenne qui venait de chasser les Impériaux d'Alsace; puis la défaite de Consaarbruck provoque des craintes pour deux cousins militaires.

48. A MADAME ET A MONSIEUR DE GRIGNAN

A Paris, mercredi 31e juillet [1675].

[...] C'est à vous que je m'adresse, mon cher Comte, pour vous écrire une des plus fâcheuses pertes qui pût **(m)** arriver en France : c'est la mort de M. de Turenne [1]. Si c'est moi qui vous l'apprends, je suis assu-
5   rée que vous serez touché [2] et aussi désolé que nous le sommes ici. Cette nouvelle arriva lundi à Versailles : le Roi en a été affligé, comme on doit l'être de la perte du plus grand capitaine et du plus honnête homme du monde; toute la Cour fut en larmes, et Monsieur de
10   Condom [3] pensa [4] s'évanouir. On était prêt d'aller se divertir à Fontainebleau : tout a été rompu. Jamais un homme n'a été regretté si sincèrement; tout ce quartier où il a logé [5], et tout Paris, et tout le peuple était **(o)** dans le trouble et dans l'émotion; chacun parlait et
15   s'attroupait pour regretter ce héros. Je vous envoie une très bonne relation [6] de ce qu'il a fait les derniers jours de sa vie. C'est après trois mois d'une conduite [7] toute miraculeuse, et que les gens du métier ne se lassent point d'admirer, qu'arrive le dernier jour de sa gloire et
20   de sa vie. Il avait le plaisir de voir décamper [8] l'armée ennemie devant lui; et le 27e, qui était samedi, il alla sur une petite hauteur pour observer leur **(h)** marche : il avait dessein de donner sur [9] l'arrière-garde, et mandait au Roi à midi [10] que dans cette pensée il avait envoyé
25   dire à Brissac qu'on fît les prières de quarante heures [11]. Il mande la mort du jeune d'Hocquincourt, et qu'il **(w)** envoira **(n)** un courrier apprendre au Roi la suite de

---

1. Génie militaire du temps, ancien soupirant de Mme de Sévigné. — 2. Cf. lettre 4, l. 21. — 3. Bossuet. — 4. Faillit. — 5. Le Marais. — 6. Cf. lettre 26, l. 3. — 7. Des opérations. — 8. Lever le camp. — 9. S'attaquer à. — 10. En fait, cette lettre partit l'avant-veille. — 11. Celles des grands périls, devant le Saint-Sacrement exposé.

cette entreprise : il cachette sa lettre et l'envoie à deux heures. Il va sur cette petite colline avec huit ou dix per-
30 sonnes : on tire de loin à l'aventure un malheureux coup de canon, qui le coupe par le milieu du corps, et vous pouvez penser les cris et les pleurs de cette armée. Le courrier part à l'instant; il arriva lundi, comme je vous **(f)** ai dit; de sorte qu'à une heure l'une de l'autre, le Roi
35 eut une lettre de M. de Turenne, et la nouvelle de sa mort [...].

49. A MADAME DE GRIGNAN

A Paris, vendredi 2 août [*1675*].

[...] On paraît fort touché dans Paris, et dans plusieurs maisons, de cette grande mort [1]. Nous attendons avec transissement le courrier d'Allemagne. Montecuculi [2], qui s'en allait, sera bien revenu sur ses pas, et pré-
5 tendra bien profiter de cette conjoncture. On dit que les soldats faisaient des cris qui s'entendaient de deux lieues [3]; nulle considération ne les **(g)** pouvait retenir : ils criaient qu'on les menât au combat; qu'ils voulaient venger la mort de leur père, de leur général, de leur pro-
10 tecteur, de leur défenseur; qu'avec lui ils ne craignaient rien, mais qu'ils vengeraient bien sa mort; qu'on les laissât faire, qu'ils étaient furieux, et qu'on les menât au combat. Ceci est d'un gentilhomme qui était à M. de Turenne, et qui est venu parler au Roi; il a toujours été
15 baigné de larmes en racontant ce que je vous dis, et la mort de son maître, à tous ses amis. M. de Turenne reçut le coup au travers du corps : vous pouvez penser s'il tomba et s'il mourut. Cependant le reste des **(b)** esprits [4] fit qu'il se traîna la longueur d'un pas, et que
20 même il serra la main par convulsion; et puis on jeta un manteau sur son corps. Le Bois-Guyot (c'est ce gentilhomme) ne le quitta point qu'on ne [5] l'eût porté sans bruit dans la plus proche maison. M. de Lorges [6] était à une demi-lieue de là; jugez de son désespoir. C'est lui
25 qui perd tout, et qui demeure chargé de l'armée et de tous les événements jusqu'à l'arrivée de Monsieur le Prince [7], qui a vingt-deux jours de marche [...].

---

1. Cf. lettre 48. — 2. Chef des Impériaux. — 3. Soit huit kilomètres. — 4. Principes de vie. — 5. Avant *qu'on ne*. — 6. Neveu de Turenne, par la suite maréchal, puis beau-père de Saint-Simon. — 7. Condé.

50. A MADAME DE GRIGNAN

A Paris, vendredi 9ᵉ août [1675].

[...] Parlons un peu de M. de Turenne [1] : il y a longtemps que nous n'en avons parlé. N'admirez-vous [2]
point que nous nous trouvions heureux d'avoir repassé
le Rhin [3], et que ce qui aurait été un dégoût [4] s'il [5] était
5   au monde, nous paraît une prospérité parce que nous ne
l' [5] avons plus? Voyez ce que fait la perte d'un seul
homme. Écoutez, je vous prie, ma bonne, une chose qui
me paraît belle : il me semble que je lis l'histoire
romaine [6]. Saint-Hilaire, lieutenant général de l'artille-
10   rie, fit donc arrêter M. de Turenne, qui avait toujours
galopé, pour lui faire voir une batterie; c'était comme
s'il eût dit : « Monsieur, arrêtez-vous un peu, car c'est
ici que vous devez être tué. » Le coup de canon vint
donc, et emporte le bras de Saint-Hilaire, qui montrait
15   cette batterie, et tue M. de Turenne. Le fils de Saint-
Hilaire se jette à son père, et se met à crier et à pleurer.
« Taisez-vous, mon enfant, lui dit-il, voyez (en lui mon-
trant M. de Turenne roide mort), voilà ce qu'il faut
pleurer cruellement, voilà ce qui est irréparable. » Et
20   sans faire aucune attention sur lui, se met à crier et à
pleurer cette grande perte. M. de La Rochefoucauld
pleure lui-même, en admirant la noblesse de ce sentiment [...].

51. A MADAME DE GRIGNAN

A Paris, lundi 12ᵉ août [1675].

Je vous envoie la plus belle et la meilleure relation [7]
qu'on ait eue ici de la mort de M. de Turenne [1] : elle est
du jeune marquis de Feuquières [8] à Mᵐᵉ de Vins [9], pour
M. de Pomponne. Ce ministre [10] me dit qu'elle était
5   meilleure et plus exacte que celle du Roi. Il est vrai que
ce petit Feuquières a un coin d'Arnauld dans sa tête, qui
(k) le fait mieux écrire que les autres courtisans.

---

1. Cf. lettres 48 et 49. — 2. Ne vous étonnez-vous. — 3. En retraite vers la France.
— 4. Déception, revers. — 5. Turenne. — 6. Vue, à l'époque, surtout comme une anthologie
de gestes stoïques. — 7. Cf. lettre 26, l. 3. — 8. Cousin des Arnauld, dont M. de Pomponne.
— 9. Belle-sœur de Pomponne. — 10. Pomponne, secrétaire d'État aux affaires étrangères
depuis 1671.

Je viens de voir le cardinal de Bouillon [1] : il est
changé à n'être pas connaissable. Il m'a fort parlé de
10 vous : il ne doute pas de vos sentiments. Il m'a conté
mille choses de M. de Turenne, qui **(k)** font mourir. Son
âme apparemment était en état de paraître devant
Dieu, car sa vie était parfaitement innocente. Il demandait à son neveu [2], à la Pentecôte, s'il [3] ne pourrait pas
15 communier sans se confesser. Il [2] lui [3] dit que non, et
que depuis Pâques il [3] ne pouvait guère s'assurer [4] de
n'avoir pas **(x)** offensé Dieu [5]. Il [3] lui [2] conta son état; il
était à mille lieues d'un péché mortel [6]. Il alla pourtant à
confesse, pour la coutume; il disait : « Mais faut-il dire à
20 ce récollet [7] comme à Monsieur de Saint-Gervais [8]? Est-
ce tout de même? » En vérité, une telle âme est bien
digne du ciel; elle venait trop droit de Dieu pour n'y **(g)**
pas retourner, s'étant si peu gâtée par la corruption du
monde.
25 Il aimait tendrement le fils [9] de M. d'Elbeuf; c'est un
prodige de valeur à quatorze ans. Il l'envoya l'année
passée saluer Monsieur de Lorraine, qui lui dit : « Mon
petit cousin, vous êtes trop heureux de voir et d'entendre tous les jours M. de Turenne; vous n'avez que lui de
30 parent et de père [10] : baisez les pas par où il passe, et
vous **(g)** faites tuer à ses pieds. » Le pauvre enfant se
meurt de douleur : c'est une affliction de raison et
d'enfance, à quoi **(j)** l'on craint qu'il ne résiste pas.
M. le Comte d'Auvergne l'a pris avec lui, car il n'a rien
35 à attendre de son père [10] [...].

52. A MADAME DE GRIGNAN

A Versailles, mardi 13ᵉ août, à minuit [1675].

Voici la nouvelle du jour. Le Roi vient dire que le duc
de Zell [11] ayant assiégé Trèves, et le maréchal de Créquy s'étant acheminé pour y aller, ce duc avait quitté le
siège, brûlé son propre camp, passé la rivière sur trois
5 ponts, chargé en flanc et battu le maréchal de Créquy,
pris son canon [12] et son bagage, l'infanterie défaite, et la

---

1. Neveu de Turenne. — 2. Bouillon. — 3. Turenne. — 4. Être sûr. — 5. *N'avoir pas
péché.* — 6. Grave. — 7. Franciscain d'après la réforme de l'ordre. — 8. Le curé *de Saint-Gervais* (sa paroisse); Turenne était un protestant converti, d'où ces menues incertitudes. — 9.
Petit-neveu de Turenne par sa mère. — 10. Ce père, Charles de Lorraine, avait son fils aîné
dans les rangs ennemis. — 11. Un des chefs des Impériaux. — 12. Artillerie.

cavalerie dans un désordre effroyable. On ne savait pas
ce qu'était devenu le maréchal de Créquy. On croit que
les ennemis sont retournés à Trèves, qui est sans gou-
10 verneur; car M. de Vignori, allant visiter une batterie,
fut renversé par son cheval dans le fossé, dont [1] il mourut sur-le-champ. Le pauvre La Marck et le chevalier de
Cauvisson ont été tués : on saura demain les autres.
Voilà ce que Sa Majesté a dit; mais à Paris, on dit et on
15 croit savoir que c'est une vraie déroute [2]. Toute l'infanterie a été défaite, et la cavalerie en fuite et en désordre.

Mercredi 14e août.

J'ai couru tout le matin pour savoir des nouvelles de
La Trousse [3] et de Sanzei [4] : on ne dit rien de ce dernier;
on dit que La Trousse est blessé, et puis d'autres disent
20 qu'on ne sait où il est : ce qui paraît sûr, c'est qu'il n'est
pas mort, puisqu'on sait le nom de tant de gens au-dessous de lui. La consternation est grande. Rien n'empêche cette armée victorieuse de joindre Montecuculi [5],
qui a passé le Rhin à Strasbourg, où malgré la neutra-
25 lité, on a reçu les troupes allemandes. On ne croit pas
que Monsieur le Prince [6] puisse joindre notre armée; il
ne se porte pas bien : quelle conjoncture pour lui et
pour sa gloire! Duras [7] est seul à cette armée; il a mandé
au Roi, en le remerciant, que son frère de Lorges [8]
30 méritait bien mieux l'honneur d'être maréchal de
France que lui. Les ennemis sont fiers de la mort de
M. de Turenne : en voilà les effets; ils ont repris courage. On ne peut en écrire davantage; mais la consternation est grande ici : je vous le dis pour la seconde fois.
35 Mlle de Méri [9] est en peine de son frère, elle a raison :
c'est un beau miracle, si La Trousse s'est sauvé de l'état
où l'on nous l'a représenté. Nous ne savons point encore
la liste des morts : le nombre en est grand, puisque l'on
compte sur les doigts ceux qui se sont sauvés. L'état de
40 la maréchale de Créquy est bien affreux, et de la marquise de La Trousse, qui ne savent point du tout ce que
sont devenus leurs maris.

1. Ce *dont*. — 2. C'est la défaite de Consaarbruck. — 3. Cousin de l'auteur et frère de
Mlle de Méri; sa capture est narrée dans une lettre du 21 août 1675. — 4. Beau-frère du cousin
Coulanges, tué au combat. — 5. Voir p. 99, note 2. — 6. Condé. — 7. Neveu de Turenne. —
8. Voir p. 99, note 6. — 9. Sœur de M. de La Trousse et cousine de l'auteur.

53. A MADAME DE GRIGNAN

A Paris, mercredi 28ᵉ août [1675].

[...] Ma bonne, je m'en vais bien vous parler encore
de M. de Turenne. Mᵐᵉ d'Elbeuf [1], qui demeure pour
quelques jours chez le cardinal de Bouillon, me pria hier
de dîner avec eux deux, pour parler de leur affliction.
5 Mᵐᵉ de La Fayette y était. Nous fîmes bien précisément
ce que nous avions résolu : les yeux ne nous séchèrent
pas. Elle avait un portrait divinement bien fait de ce
héros, et tout son train [2] était arrivé à onze heures : tous
ces pauvres gens étaient fondus en larmes, et déjà tous
10 habillés de deuil. Il vint trois gentilshommes qui pensèrent mourir de voir ce portrait : c'étaient des cris qui faisaient fendre le cœur; ils ne pouvaient prononcer une
parole; ses valets de chambre, ses laquais, ses pages, ses
trompettes, tout était fondu en larmes et faisait fondre
15 les autres. Le premier qui put prononcer une parole
répondit à nos tristes questions : nous nous fîmes racon-
ter sa mort. Il voulait se confesser le soir, et en se cacho-
tant il avait donné les ordres pour le soir, et devait communier le lendemain, qui était le dimanche. Il croyait
20 donner la bataille, et monter à cheval à deux heures le
samedi, après avoir mangé. Il avait bien des gens avec
lui : il les laissa tous à trente pas de la hauteur où il voulait aller. Il dit au petit d'Elbeuf [3] : « Mon neveu,
demeurez là, vous ne faites que tourner autour de moi,
25 vous me feriez reconnaître. » Il trouva M. d'Hamilton [4]
près de l'endroit où il allait, qui **(k)** lui dit : « Monsieur,
venez par ici; on tirera où vous allez. — Monsieur, lui
dit-il, je m'y en vais : je ne veux point du tout être tué
aujourd'hui; cela sera le mieux du monde. » Il tournait
30 son cheval, il aperçut Saint-Hilaire [5], qui lui dit le chapeau à la main : « Monsieur, jetez les yeux sur cette batterie que j'ai fait mettre là. » Il retourne deux pas, et
sans être arrêté il reçut le coup qui emporta le bras et la
main qui tenaient le chapeau de Saint-Hilaire, et perça
35 le corps après avoir fracassé le bras de ce héros. Ce gentilhomme le regardait toujours; il ne le voit point tom-

---

1. Sœur du cardinal de Bouillon et nièce de Turenne. — 2. Suite de chevaux, bagages,
valets, etc. — 3. Cf. lettre 51, l. 25. — 4. Maréchal de camp. — 5. Cf. lettre 50, l. 9.

ber; le cheval l'emporta où il avait laissé le petit
d'Elbeuf et [1] n'était point encore tombé, mais il était
penché le nez sur l'arçon [2] : dans ce moment, le cheval
40 s'arrête, il tomba entre les bras de ses gens; il ouvrit
deux fois de grands yeux et la bouche et puis demeura
tranquille pour jamais : songez qu'il était mort et qu'il
avait une partie du cœur emportée. On crie, on pleure;
M. d'Hamilton fit cesser ce bruit et ôter le petit
45 d'Elbeuf, qui était jeté sur ce corps, qui ne le **(g)** voulait
pas quitter, et qui se pâmait de crier. On jette un manteau; on le porte dans une haie; on le garde à petit
bruit [3]; un carrosse vient; on l'emporte dans sa tente :
ce fut là où M. de Lorges [4], M. de Roye [5], et beaucoup
50 d'autres pensèrent [6] mourir de douleur; mais il fallut se
faire violence et songer aux grandes affaires qu'on avait
sur les bras. On lui a fait un service [7] militaire dans le
camp, où **(k)** les larmes et les cris faisaient le véritable
deuil [8] : tous les officiers pourtant [9] avaient des
55 écharpes de crêpe; tous les tambours en étaient couverts, qui ne frappaient qu'un coup; les piques traî-
nantes et les mousquets renversés; mais ces cris de toute
une armée ne se **(g)** peuvent pas représenter , sans que
l'on en soit ému. Ses deux véritables neveux (car pour
60 l'aîné il faut le dégrader) étaient à cette pompe [10], dans
l'état que vous pouvez penser. M. de Roye tout blessé
s'y fit porter; car cette messe ne fut dite que quand ils
eurent passé le Rhin. Je pense que le pauvre chevalier [11]
était bien abîmé [12] de douleur [...].

54. A MADAME DE GRIGNAN

A Paris, mercredi 4ᵉ septembre [1675].

[...] Les gens de M. de Sanzei [13] content cette
déroute [14] d'une terrible façon. Il y avait deux mille
hommes au fourrage; ils [15] n'étaient que cinq mille
contre vingt-deux mille; on ne croyait point la rivière
5 guéable, elle l'était en trois endroits : de sorte que l'armée
des ennemis passait et prenait nos troupes en flanc. La

---

1. Turenne. — 2. Pièce de bois cintrée à l'avant de la selle. — 3. Sans ébruiter la nouvelle.
— 4. Voir p. 99, note 6. — 5. Neveu de Turenne. — 6. Crurent. — 7. Funèbre. — 8. Décora-
tion funéraire. — 9. En plus des larmes et cris. — 10. Cérémonie. — 11. De Grignan, « le glo-
rioset », chevalier depuis la mort de son frère en 1672. — 12. Submergé. — 13. Voir p. 102,
note 4. — 14. Consaabruck; cf. lettre 52. — 15. Les autres.

Trousse [1] disait son avis; mais la tête tourne à moins. Le
maréchal combattit comme un désespéré, et puis s'alla
jeter dans Trèves, où il fait une défense d'Orondate [2]. Il
10   s'est sauvé beaucoup de troupes; la terreur et la confusion ont été plus loin que la tuerie.

On n'a point trouvé le corps de M. de Sanzei; mais ses
gens l'ont vu se jeter dans un escadron qui s'appelle
Sans quartier [3]; il cria, en s'y jetant, qu'on n'en fît point
15   aussi; il combattit longtemps; ce qui resta de son régiment se rallia, et de lui point de nouvelles. Le **(g)** peut-

---

● *Lettres de guerre* (48 à 54)

La geste de Turenne (lettres 48 à 51 et 53)

① Relever, d'un texte à l'autre, les changements en progrès de pré-
cision, en faits de détail et en compléments de fait ou de commentaire (philosophie, morale héroïque).

② Définir la spécificité de chaque lettre (*48* : schéma général; *49* :
compléments; *50* : commentaires; *51* : édification; *53* : version
détaillée et décorative).
Noter l'intensité des réactions d'époque (cris, pleurs, pâmoisons), à
prendre au pied de la lettre.

③ Étudier l'art des plus beaux passages, notamment dans la *lettre
53* : derniers gestes, service funèbre militaire (mis en musique par
H. Barraud).

④ Examiner le problème de critique historique posé sur les témoignages de première main *(lettres 49 et 53);* y voir un même schéma
avec des détails divergents (par exemple des derniers gestes, mais
non les mêmes); relever aussi les détails convergents; surtout, expliquer en quoi le second (le seul direct) donne l'impression de la version définitive, par plus de cohérence (réalisme), mais aussi plus
d'art (passages impressionnants) et moins d'édification (paroles un
peu rudes au petit d'Elbeuf).

La déroute de Consaarbruck (lettres 52 et 54)

⑤ Opposer la *lettre 52* : nouvelle toute fraîche (*minuit,* tour bref) et
redites ou reprises (*pour la seconde fois,* 1. 34), et la *lettre 54* portée
sur les détails et l'héroïsme.

⑥ Noter la médiocre sympathie envers l'épreuve de Mme de Sanzei
(comparer avec la *lettre 41*), peut être importune (obstacle au repos
à Livry); préciser la désinvolture presque gaillarde de la fin.

L'ensemble *(lettres 48 à 54)* : bien distinguer les deux aspects, l'un
tragique (plan national et familial), l'autre décoratif (plan moral et
esthétique) avec idéalisation (culte du héros).

---

1. Voir p. 102, note 3. — 2. Ou Oroondate; dans la *Cassandre* de La Calprenède, « type du
héros, tel que l'époque le rêvait, généreux, galant, héroïque » (A. Adam). — 3. Cf. lettre 44,
1. 5.

on imaginer autre part que sur le champ de bataille, où
l'on n'a pu ni l'(g)aller chercher d'abord, ni le reconnaître quand on y est allé au bout de douze jours? La pau-
20   vre Mme de Sanzei arriva samedi à sept heures du matin,
comme je montais en calèche pour m'en aller à Livry [1] :
je descendis, et ne la quittai pas de tout le jour. Elle
pensa [2] trouver à la porte l'équipage de son mari, qui
revint une heure après elle : on ne pouvait voir, sans
25   pleurer, tous ces pauvres gens et tout ce train [3] maigre
et triste. Elle s'en retournera dans quelques jours à
Autry [4]; elle est fort affligée, et pleure de bon cœur. On
ne voulait pas qu'elle prît le deuil; j'ai ri de cette
vision [5] : M. de Sanzei reviendra le jour d'Énoch,
30   d'Élie, de saint Jean-Baptiste, du feu marquis de Pien-
nes et du marquis d'Estrées [6]. Quelle folie de douter de
sa mort! Et au bout du compte, s'il revenait, on ôterait
le bandeau [7], et on deviendrait grosse [8] : pourvu qu'on
35   ne se marie pas, on est toujours en état de recevoir son
mari. [...]

EN BRETAGNE (SEPTEMBRE 1675-MARS 1676)

55. A M. DE COULANGES

A Orléans [9], mercredi 11e septembre [*1675*].

Nous voici arrivés sans aucune aventure; je me suis
reposée cette nuit, comme je vous l'avais dit, dans le lit
de Thoury [10]. Nous avons trouvé ce matin deux grands
vilains pendus à des arbres sur le grand chemin [11]; nous
5   n'avons pas compris pourquoi des pendus; car le bel
air [12] des grands chemins, il me semble que ce sont des

---

1. Voir p. 57, note 3. — 2. Faillit. — 3. Voir p. 103, note 2. — 4. Son fief, près de Gien. —
5. Idée folle. — 6. On dira plus tard, pour Malbrough : à Pâques ou à la Trinité, c'est-à-dire
jamais. — 7. De crêpe noir porté sur le front par les veuves. — 8. Enceinte. — 9. Mme de Sévigné va s'y embarquer avec le Bien Bon, son oncle, pour gagner Nantes par la Loire. — 10.
Bourg proche d'Orléans. — 11. Répression des émeutes bretonnes contre les impôts écrasants
(au début de l'année, pillage de bureaux du fisc, pierres dans le jardin du gouverneur, etc.). —
12. La grande mode; l'auteur parlera en termes plus humains de cette atroce répression en
s'adressant à sa fille le 24 septembre : « Nos pauvres bas Bretons, à ce que je viens d'apprendre, s'attroupent quarante, cinquante par les champs; et dès qu'ils voient les soldats, ils se jet-
tent à genoux, et disent *mea culpa :* c'est le seul mot de français qu'ils sachent; comme nos
Français qui disaient qu'en Allemagne on ne disait pas un mot de latin à la messe, que *Kyrie
eleison.* On ne laisse pas de pendre ces pauvres bas Bretons; ils demandent à boire et du tabac,
et qu'on les dépêche; *et de Caron pas un mot.* »

roués : nous avons été occupés à deviner cette nouveauté; ils faisaient une fort vilaine mine, et j'ai juré que je vous le manderais. A peine sommes-nous descendus ici, que voilà vingt bateliers autour de nous, chacun faisant valoir la qualité des personnes qu'il a menées, et la bonté de son bateau; jamais les couteaux de Nogent [1] ni les chapelets de Chartres n'ont fait plus de bruit. Nous avons été longtemps à choisir : l'un nous paraissait trop jeune, l'autre trop vieux; l'un avait trop d'envie de nous avoir, cela nous paraissait d'un gueux, dont le bateau était pourri; l'autre était glorieux [2] d'avoir mené M. de Chaulnes [3]; enfin la prédestination a paru visible sur un grand garçon fort bien fait, dont la moustache et le procédé nous ont décidés. Adieu donc, mon vrai cousin, nous allons voguer sur la belle Loire : elle est un peu sujette à se déborder, mais elle en est plus douce.

56. A MADAME DE GRIGNAN

Aux Rochers, [dimanche] 29ᵉ septembre [1675].

[...] Nous [4] arrivâmes ici jeudi; je trouvai d'abord Mᵐᵉ du Plessis [5] plus affreuse, plus folle et plus impertinente [6] que jamais : son goût pour moi me déshonore :

Je jure sur ce fer [7]

de n'y contribuer d'aucune douceur, d'aucune amitié, d'aucune approbation; je lui dis des rudesses abominables; mais j'ai le malheur qu'elle tourne tout en raillerie [8] : vous devez en être persuadée après le soufflet [9] dont l'histoire [10] a pensé faire mourir de rire Pomenars [11]. Elle est donc toujours autour de moi; mais elle fait la grosse besogne; je ne m'en incommode point; la voilà qui me coupe des serviettes.

J'ai trouvé ces bois d'une beauté et d'une tristesse extraordinaires : tout ces arbres que vous avez vus si petits, sont devenus grands, droits et beaux en perfection; ils sont élagués, et font une ombre agréable; ils ont quarante à cinquante pieds [12] de hauteur. La bonté du terrain y a contribué plus que leur âge. Il y a un petit air d'amour maternel dans ce détail; songez que je les ai

---

1. En-Bassigny (Haute-Marne). — 2. Fier. — 3. Gouverneur de Bretagne. — 4. L'auteur et le Bien Bon. — 5. Voir p. 73, note 6. — 6. Inopportune. — 7. Hémistiche du *Thésée* de Quinault. — 8. Voir en tout des plaisanteries. — 9. Gifle donnée à cette voisine par la fille de l'auteur, qui fit passer ce geste pour un jeu. — 10. Contée dans une lettre du 26 juillet 1671. — 11. Cf. lettre 39, l. 25. — 12. Douze à seize mètres.

20 tous plantés, et que je les ai vus, comme dit Molière
après M. de Montbazon [1], *pas plus grands que cela.*
C'est ici une solitude faite exprès pour bien rêver [2]; vous
en feriez bien votre profit, et je n'en use pas mal : si les
pensées n'y sont pas tout à fait noires, du moins elles en
25 sont approchantes [3]; je pense à vous à tout moment : je
vous regrette, je vous souhaite : votre santé, vos affaires, votre éloignement, que pensez-vous que tout cela
fasse entre chien et loup? Cela me met ces vers dans la
tête :
30
    Sous quel astre cruel avez-vous mis au jour
    L'objet infortuné d'une si tendre amour [4]?

Il faut regarder la volonté de Dieu bien fixement,
pour envisager sans désespoir tout ce que je vois, dont
assurément je ne vous entretiendrai pas [...].

57. A MADAME DE GRIGNAN

Aux Rochers, ce [dimanche] 6ᵉ octobre [1675].

[...] A propos [5], vous ai-je parlé d'une lunette admirable qui faisait notre amusement dans le bateau [6]?
C'est un chef-d'œuvre; elle est encore plus admirable
que celle que l'abbé vous a laissée à Grignan. Cette
5 lunette rapproche fort bien les objets de trois lieues [7];
que ne les approche-t-elle de deux cents [8]! Vous pouvez
penser l'usage que nous en faisions sur ces bords de
Loire; mais voyez celui que j'en fais ici : c'est que par
l'autre bout elle éloigne aussi, et je la tourne sur Mˡˡᵉ du
10 Plessis [9], et je la trouve tout d'un coup à deux lieues de
moi. Je fis l'autre jour cette sottise sur elle et sur mes
voisins; cela fut fort plaisant, mais personne ne m'entendit [10] : s'il y avait eu quelqu'un que j'eusse pu regarder
seulement, cette folie m'eût bien réjouie. Quand on se
15 trouve bien oppressée de méchante compagnie, faire
venir promptement sa lunette et la tourner du bon côté :
demandez à Montgobert [11] si elle n'aurait pas ri; voilà
un beau sujet pour dire des sottises. Si vous avez Corbi-
20 nelli [12], je vous recommande la lunette [...].

---

1. Célèbre pour ses platitudes. — 2. Méditer. — 3. Cf. les pensées *gris-brun*, de la lettre 30,
l. 17. — 4. Racine : *Iphigénie*, V, 3. Texte exact du second vers : « *Le malheureux sujet
d'une...* » — 5. Mᵐᵉ de Sévigné vient de dire l'attention particulière qu'elle apporte à tout ce
qui vient de Provence. — 6. Cf. lettre 55. — 7. Douze kilomètres. — 8. En gros la distance de
la Bretagne à la Provence. — 9. Cf. lettre 56, l. 2. — 10. Comprit. — 11. Dame de compagnie
de Mᵐᵉ de Grignan. — 12. Cf. p. 36, note 6.

58. A MADAME DE GRIGNAN

Aux Rochers, mercredi 30ᵉ octobre [1675].

[...] Voulez-vous savoir des nouvelles de Rennes? Il y a toujours cinq mille hommes [1], car il en est venu encore de Nantes. On a fait une taxe de cent mille écus sur le bourgeois; et si on ne les trouve dans vingt-quatre heu-
5   res, elle sera doublée et exigible par les soldats. On a chassé et banni toute une grande rue, et défendu de les
(h) recueillir sur peine de la vie, de sorte qu'on voyait tous ces misérables [2], vieillards, femmes accouchées, enfants, errer en pleurs au sortir de cette ville, sans
10   savoir où aller, sans avoir de nourriture, ni de quoi se coucher. On roua [3] avant-hier un violon [4] qui avait commencé la danse et la pillerie du papier timbré; il a été écartelé après sa mort, et ses quatre quartiers exposés aux quatre coins de la ville comme ceux de Josseran [5] à
15   Aix. Il dit en mourant que c'étaient les fermiers [6] du papier timbré qui lui avaient donné vingt-cinq écus [7] pour commencer la sédition, et jamais on n'en a pu tirer autre chose. On a pris soixante bourgeois; on commence demain à pendre. Cette province est un bel
20   exemple pour les autres, et surtout de respecter les gouverneurs et les gouvernantes [8], de ne leur point dire d'injures, et de ne point jeter des pierres dans leur jardin [9] [...].

● **Le dédain aristocratique** (lettres 55 à 58)

a) A l'égard des relations de seconde zone (lettres 56-57)
b) A l'égard du peuple *(lettres 55 et 58)* : observer que l'affreux badinage sur les suppliciés est destiné à l'aimable chansonnier Coulanges (cf. *lettre 34*); voir la différence (encore que le côté plaisant entraîne une digression révélatrice) avec la lettre citée plus haut (p. 106, note 12) et se rappeler que les supplices étaient des spectacles publics fort courus dans ce temps-là. Relever le parti pris de caste (ou de classe) qui rabat notre auteur vers ses amis de Chaulnes (et sa fille et gendre, eux aussi gouverneur et « gouvernante ») à la fin de la *lettre 58*. Et pourtant la pitié perce (mais moins active que pour les amis Guitaut, *lettre 18*), et surtout, le compte rendu est loyal.

1. De troupe de répression; voir p. 106, note 11. — 2. Malheureux. — 3. Supplicia sur la roue. — 4. Violoneux. — 5. Assassin de son maître, en Provence. — 6. Financiers; il s'agit d'une provocation montée par eux, ce que confirment les historiens. — 7. 75 francs; les charpentiers gagnaient douze sous par jour (voir p. 79, l. 38). — 8. Et leurs femmes. — 9. Comme ce fut le cas en Bretagne pour les de Chaulnes.

59. A MADAME DE GRIGNAN

Aux Rochers, lundi 3ᵉ février [1676].

DE MADAME DE SÉVIGNÉ, DICTANT A SON FILS [1]

Devinez ce que c'est, ma fille, que la chose du monde qui vient le plus vite et qui s'en va le plus lentement, qui vous fait approcher le plus près de la convalescence et qui vous en retire le plus loin, qui vous fait toucher l'état
⁵ du monde le plus agréable et qui vous empêche le plus d'en jouir, qui vous donne les plus belles espérances du monde et qui en éloigne le plus l'effet : ne sauriez-vous le deviner? jetez-vous votre langue aux chiens? C'est un rhumatisme. Il y a vingt-trois jours que j'en suis malade;
¹⁰ depuis le quatorze, je suis sans fièvre et sans douleurs; et dans cet état bienheureux, croyant être en état de marcher, qui [2] est tout ce que je souhaite, je me trouve enflée de tous côtés, les pieds, les jambes, les mains, les bras; et cette enflure, qui s'appelle ma guérison, et qui
¹⁵ l'est effectivement, fait tout le sujet de mon impatience, et ferait celui de mon mérite, si j'étais bonne. Cependant je crois que voilà qui est fait, et que dans deux jours je pourrai marcher. Larmechin [3] me le fait espérer : *o che spero* [4]! Je reçois de partout des lettres de
²⁰ réjouissance sur ma bonne santé, et c'est avec raison. Je me suis purgée une fois de la poudre de M. de Lorme [5], qui m'a fait des merveilles; je m'en vais encore en reprendre; c'est le véritable remède pour toutes ces sortes de maux : après cela on me promet une santé éter-
²⁵ nelle; Dieu le veuille! Le premier pas que je ferai sera d'aller à Paris : je vous prie donc, ma chère enfant, de calmer vos inquiétudes; vous voyez que nous vous avons toujours écrit sincèrement. Avant que de fermer ce paquet, je demanderai à ma grosse main si elle veut bien
³⁰ que je vous écrive deux mots : je ne trouve pas qu'elle le veuille; peut-être qu'elle le voudra dans deux heures.

Adieu, ma très-belle et très-aimable : je vous conjure tous de respecter, avec tremblement, ce qui s'appelle un rhumatisme [...].

---

1. A cause des rhumatismes qui l'empêchent de tenir la plume. — 2. Ce *qui*. — 3. Valet de Charles de Sévigné, infirmier dévoué de la rhumatisante. — 4. « Ô que je l'espère! » — 5. Médecin des reines de France et promoteur des cures à Bourbon-l'Archambault.

CURE A VICHY (MAI-JUIN 1676)

60. A MADAME DE GRIGNAN

A Vichy, ce **(c)** *19ᵉ et 20ᵉ mai 1676.*

Je commence aujourd'hui à vous écrire, ma chère et
bonne Grignan; ma lettre partira quand elle pourra; je
veux causer avec vous. J'arrivai ici hier au soir. Mᵐᵉ de
Brissac [1] avec *le chanoine* [2], Mᵐᵉ de Saint-Hérem [3] et
5 deux ou trois autres me **(g)** vinrent recevoir au bord de
la jolie rivière d'Allier : je crois que si on y regardait
bien, on y trouverait encore des bergers de l'*Astrée* [4].
M. de Saint-Hérem, M. de La Fayette, l'abbé Dorat,
Plancy et d'autres encore, suivaient dans un second car-
10 rosse, ou à cheval. Je fus reçue avec une grande joie.

Mᵐᵉ de Brissac me mena souper chez elle; je crois
avoir déjà vu que *le chanoine* en a jusque-là de la
duchesse : vous voyez bien où je mets la main. Je me
suis reposée aujourd'hui, et demain je commencerai à
15 boire. M. de Saint-Hérem m'**(g)**est venu prendre ce
matin pour la messe, et pour dîner chez lui. Mᵐᵉ de Brissac y est venue, on a joué : pour moi, je ne saurais me
fatiguer à battre des cartes. Nous nous sommes prome-
nés ce soir dans les plus beaux endroits du monde; et à
20 sept heures, la poule mouillée vient manger son poulet [5], et causer un peu avec sa chère enfant : on vous en
aime mieux quand on en voit d'autres [...].

Mercredi.

J'ai donc pris des eaux ce matin, ma très chère; ah,
qu'elles sont méchantes! J'ai été prendre *le chanoine*,
25 qui ne loge point avec Mᵐᵉ de Brissac. On va à six heures à la fontaine : tout le monde s'y trouve, on boit, et
l'on fait une fort vilaine mine; car imaginez-vous
qu'elles sont bouillantes [6], et d'un goût de salpêtre fort
désagréable. On tourne, on va, on vient, on se pro-
30 mène, on entend la messe, on rend les eaux, on parle

---

1. Duchesse, demi-sœur de Saint-Simon. — 2. Surnom de Mᵐᵉ de Longueval, chanoinesse
de Remiremont toute laïque. — 3. Moquée par Saint-Simon. — 4. Roman pastoral d'Honoré
d'Urfé. — 5. Jeu de mots avec *poule mouillée; poulet* au sens de : missive, lettre. — 6. Elles le
semblent seulement à la Grande Grille, à 43°, sous l'effet du gaz carbonique.

confidemment de la manière qu'on les [1] rend : il n'est
question que de cela jusqu'à midi. Enfin, on dîne; après
dîner, on va chez quelqu'un : c'était aujourd'hui chez
moi. Mme de Brissac a joué à l'hombre [2] avec Saint-
35   Hérem et Plancy; *le chanoine* et moi nous lisons
l'Arioste; elle a l'italien dans la tête, elle me trouve
bonne. Il est venu des demoiselles du pays avec une
flûte, qui **(k)** ont dansé la bourrée dans la perfection.
C'est ici où les bohémiennes poussent [3] leurs agréments;
40   elles font des *dégognades,* où les curés trouvent un peu à
redire [4]; mais enfin, à cinq heures, on va se promener
dans des pays délicieux; à sept heures, on soupe légèrement, on se couche à dix. Vous en savez présentement
autant que moi. Je me suis assez bien trouvée de mes
45   eaux; j'en ai bu douze verres : elles m'ont un peu purgée, c'est tout ce qu'on désire. Je prendrai la douche
dans quelques jours. Je vous écrirai tous les soirs; ce
m'est une consolation, et ma lettre partira quand il
plaira à un petit messager qui apporte les lettres, et qui
50   veut partir un quart d'heure après : la mienne sera toujours prête. L'abbé Bayard vient d'arriver de sa jolie
maison, pour me voir : c'est le druide Adamas [5] de cette
contrée [...].

61. A MADAME DE GRIGNAN

A Vichy, jeudi 28e mai [1676].

Je les reçois, ma bonne : l'une me vient du côté de
Paris, et l'autre de Lyon. Vous êtes privée d'un grand
plaisir, de ne faire jamais de pareilles lectures : je ne
sais où vous prenez tout ce que vous dites; mais cela est
5   d'un agrément et d'une justesse à quoi **(j)** on ne s'accou-
tume pas. Vous avez raison de croire, ma bonne, que
j'écris sans effort, et que mes mains se portent mieux :
elles ne se ferment point encore, et les dedans de la
main sont fort enflés, et les doigts aussi. Cela me fait
10   trembloter, et me fait de la plus méchante grâce du
monde dans le bon air [6] des bras et des mains : mais je
tiens très bien une plume, et c'est ce qui me fait prendre
patience.

---

1. Dont *on les.* — 2. Jeu de cartes. — 3. Mettent sous les yeux. — 4. Cf. 26 mai : « Sa jupe
était toujours en l'air. » — 5. Druide de *l'Astrée.* — 6. L'allure élégante.

15 J'ai commencé aujourd'hui la douche : c'est une assez bonne répétition du purgatoire. On est toute nue **(i)** dans un petit lieu sous terre, où l'on trouve un tuyau de cette eau chaude, qu'une femme vous fait aller où vous voulez. Cet état où l'on conserve à peine une feuille de figuier pour tout habillement, est une chose assez humi-
20 liante. J'avais voulu mes deux femmes de chambre, pour vivre encore quelqu'un de connaissance. Derrière le rideau se met quelqu'un qui vous soutient le courage pendant une demi-heure; c'était pour moi un médecin de Ganat [1], que Mme de Noailles a mené à toutes ses
25 eaux, qu'elle aime fort, qui est un fort honnête garçon, point charlatan ni préoccupé [2] de rien, qu'elle m'a envoyé par pure et bonne amitié. Je le retiens, m'en dût-il coûter mon bonnet; car ceux d'ici me sont insupportables : cet homme m'amuse. Il ne ressemble point à
30 un vilain médecin, il ne ressemble point aussi à celui de Chelles [3]; il a de l'esprit, de l'honnêteté [4]; il connaît le monde [5]; enfin j'en suis contente. Il me parlait donc pendant que j'étais au supplice. Représentez-vous un jet d'eau contre quelqu'une de vos pauvres parties [6],
35 toute la plus bouillante [7] que vous puissiez imaginer. On met d'abord l'alarme partout, pour mettre en mouvement tous les esprits [8]; et puis on s'attache aux jointures qui ont été affligées; mais quand on vient à la nuque du cou, c'est une sorte de feu et de surprise qui ne se **(g)**
40 peut comprendre; cependant c'est là le nœud de l'affaire. Il faut tout souffrir, et l'on souffre tout, et l'on n'est point brûlée **(i)**, et on se met ensuite dans un lit chaud, où l'on sue abondamment, et voilà ce qui guérit. Voici encore où mon médecin est bon; car au lieu de
45 m'abandonner à deux heures d'un ennui qui ne se **(g)** peut séparer de la sueur, je le fais lire, et cela me divertit. Enfin, je ferai cette vie pendant sept ou huit jours, pendant lesquels je croyais boire, mais on ne veut pas, ce serait trop de choses; de sorte que c'est une petite
50 allonge à mon voyage […].

---

1. Aujourd'hui : Gannat. — 2. Préjugeant. — 3. Couvent où Mme de Sévigné avait rencontré un séduisant jeune médecin italien, Amonio. — 4. Conformité à l'honneur et à la probité. — 5. Les bonnes façons. — 6. Du corps. — 7. Voir p. 111, note 6. — 8. Principes vitaux.

62. A MADAME DE GRIGNAN

A Vichy, lundi au soir [1ᵉʳ juin] 1676.

[...] Mais parlons de la charmante douche; je vous en ai fait la description [1]; j'en suis à la quatrième; j'irai jusqu'à huit, et mes sueurs sont si extrêmes, que je perce jusqu'à mes matelas; je pense que c'est toute l'eau
5 que j'ai bue depuis que je suis au monde. Quand on entre dans le lit, il est vrai qu'on n'en peut plus : la tête et tout le corps sont en mouvement, tous les esprits [2] en campagne, des battements [3] partout. Je suis une heure sans ouvrir la bouche, pendant laquelle la sueur com-
10 mence, et continue pendant deux heures; et de peur de

- **La maladie** (lettres 59 à 62)

  Le superficiel :

  ① En chercher les formes « précieuses » dans les références à *l'Astrée*, dans les devinettes avec l'énigme à base d'antithèse, dans le style soigné (cf. les premières lettres), mais aussi l'enfantillage voulu (demander à la *grosse main*, p. 110, l. 29).

  ② Étudier le rôle de la mondanité : tourbillon à l'arrivée à Vichy; commérages; critères de sociabilité et de manières pour le choix d'un médecin.

  ③ Justifier les redites finales *(lettre 62)* en pensant aux aléas de la poste.

  Le fondamental :

  ④ Déceler, sous le jeu, la tendresse (désir de ne pas inquiéter Mᵐᵉ de Grignan) et la politesse (ne pas importuner de ses maux, notamment physiques, le correspondant).

  ⑤ Dégager le goût du naturel (promenades, surtout solitaires, contemplation de paysages), finalement supérieur à la sociabilité (cf. p. 115, l. 22 : *le pays seul,* où les habitants se réduisent à un rôle décoratif).

  ⑥ Étudier l'équilibre rationnel de l'auteur entre l'objectivité impersonnelle sur sa propre expérience de la douche *(lettre 61 : on,* etc.) et l'impressionnisme subjectif (effets à la nuque, *lettre 61*, ou dans la sueur, *lettre 62*).

  ⑦ Noter et expliquer l'humiliation ressentie à la douche : pudeur? atteinte à l'intégrité physique?

  ⑧ Retrouver le style vivant, soit piquant *(dégognades,* p. 112, l. 40), soit à l'emporte-pièce *(en a jusque-là,* p. 111, l. 12, avec le geste porté à la gorge ou sur la tête).

---

1. Cf. lettre 61. — 2. Cf. lettre 61, l. 37. — 3. Palpitations.

m'impatienter, je fais lire mon médecin, qui me plaît; il vous plairait aussi. Je lui mets dans la tête d'apprendre la philosophie de votre père [1] Descartes; je ramasse [2] des mots que je vous ai ouï dire. Il sait vivre; il n'est point charlatan; il traite la médecine en galant [3] homme; enfin il m'amuse.

Je vais être seule, et j'en suis fort aise : pourvu qu'on ne m'ôte pas le pays charmant, la rivière d'Allier, mille petits bois, des ruisseaux, des prairies, des moutons, des chèvres, des paysannes qui dansent la bourrée dans les champs, je consens de dire adieu à tout le reste [4]; le pays seul me guérirait [...].

GAZETTE PARISIENNE
(JUILLET-DÉCEMBRE 1676)

On y trouve les derniers instants de la criminelle Brin-villiers, la relation détaillée d'une visite à Versailles, d'exquises impressions d'automne, l'arrivée du fils char-mant et écervelé, aimable diversion dans l'idée fixe de la mère : l'imminente arrivée à Paris de Mme de Grignan.

63. A MADAME DE GRIGNAN

A Paris, ce [vendredi] 17e juillet [1676].

Enfin c'en est fait, la Brinvilliers [5] est en [6] l'air : son pauvre petit corps a été jeté, après l'exécution [7], dans un fort grand feu, et les cendres au vent; de sorte que nous la respirerons, et par la communication des petits esprits [8], il nous prendra quelque humeur empoison-nante, dont nous serons tous étonnés. Elle fut jugée dès hier; ce matin on lui a lu son arrêt, qui était de faire amende honorable [9] à Notre-Dame, et d'avoir la tête coupée, son corps brûlé, les cendres au vent. On l'a pré-

---

1. Spirituel. — 2. Bats le rappel. — 3. Habile. — 4. Ses compagnons de cure (cf. lettre 60). — 5. Célèbre empoisonneuse, arrêtée en avril. — 6. Dans. — 7. Décapitation. — 8. Voir p. 113, note 8; ici, parodie de la physiologie cartésienne. — 9. Réparation publique, la corde au cou.

10 sentée à la question [1] : elle a dit qu'il n'en était pas
besoin, et qu'elle dirait tout; en effet, jusqu'à cinq heures du soir elle a conté sa vie, encore plus épouvantable
qu'on ne le pensait. Elle a empoisonné dix fois de suite
son père (elle ne pouvait en venir à bout), ses frères et
15 plusieurs autres; et toujours l'amour et les confidences
mêlées partout. Elle n'a rien dit contre Penautier.
Après cette confession, on n'a pas laissé [2] de lui donner
la question [1] dès le matin, ordinaire et extraordinaire [3] :
elle n'en a pas dit davantage. Elle a demandé à parler à
20 Monsieur le procureur général [4]; elle a été une heure
avec lui : on ne sait point encore le sujet de cette
conversation. A six heures on l'a menée nue en chemise
et la corde au cou, à Notre-Dame, faire l'amende honorable; et puis on l'a remise dans le même tombereau, où
25 je l'ai vue, jetée à reculons sur de la paille, avec une cornette [5] basse et sa chemise, un docteur [6] auprès d'elle, le
bourreau de l'autre côté : en vérité cela m'a fait frémir.
Ceux qui ont vu l'exécution disent qu'elle a **(p)** monté
sur l'échafaud avec bien du courage. Pour moi, j'étais
30 sur le pont Notre-Dame [7], avec la bonne d'Escars;
jamais il ne s'est vu tant de monde, ni Paris si ému ni si
attentif; et demandez-moi ce qu'on a vu, car pour moi je
n'ai vu qu'une cornette; mais enfin ce jour était consacré
à cette tragédie. J'en saurai demain davantage, et cela
35 vous reviendra [...].

64. A MADAME DE GRIGNAN

A Paris, ce mercredi 22ᵉ juillet [1676].

[...] Encore un petit mot de la Brinvilliers [8] : elle est
morte comme elle a vécu, c'est-à-dire résolûment. Elle
entra dans le lieu où l'on devait lui donner la question [9];
et voyant trois seaux d'eau : « C'est assurément pour
5 me noyer, dit-elle; car de la taille dont je suis [10], on ne
prétend pas que je boive tout cela. » Elle écouta son
arrêt dès le matin, sans frayeur ni sans **(u)** faiblesse; et
sur la fin, elle le fit recommencer, disant que ce tombe-

---

1. Interrogatoire par la torture. — 2. Manqué. — 3. Par l'eau (*ordinaire* : environ 6 litres,
entonnés au patient; *extraordinaire* : 6 litres supplémentaires) et les brodequins. — 4. Harlay.
— 5. Cf. lettre 42, l. 8. — 6. *Docteur* en théologie : un confesseur. — 7. Il portait des maisons.
— 8. Cf. lettre 63. — 9. Voir la note 3. — 10. Cf. lettre 63 (*petit corps*, l. 2).

reau [1] l'avait frappée d'abord, et qu'elle en avait perdu
l'attention pour le reste. Elle dit à son confesseur, par
le chemin, de faire mettre le bourreau devant elle, « afin
de ne point voir, dit-elle, ce coquin de Desgrais [2] qui
m'a prise » : il était à cheval devant le tombereau. Son
confesseur la reprit de ce sentiment; elle dit : « Ah mon
Dieu! Je vous en demande pardon; qu'on me laisse donc
cette étrange vue », et monta seule et nu-pieds sur
l'échelle et sur l'échafaud, et fut un quart d'heure miro-
dée [3], rasée [4], dressée [5] et redressée, par le bourreau :
ce fut un grand murmure et une grande cruauté. Le lendemain on cherchait ses os, parce que le peuple disait
qu'elle était sainte. Elle avait, disait-elle, deux confes-
seurs : l'un disait qu'il fallait tout dire, et l'autre non; et
riait de cette diversité; disant : « Je puis faire en conscience tout ce qu'il me plaira » : il lui a plu de ne rien
dire du tout. Penautier sortira un peu plus blanc que de
la neige : le public n'est point content, on dit que tout
cela est trouble. Admirez le malheur : cette créature a
refusé d'apprendre ce qu'on voulait, et a dit ce qu'on ne
demandait pas; par exemple, elle dit que M. Fouquet [6]
avait envoyé Glaser, leur apothicaire empoisonneur, en
Italie, pour avoir d'une herbe qui fait du poison : elle a
entendu dire cette belle chose à Sainte-Croix. Voyez
quel excès d'accablement, et quel prétexte pour achever
ce misérable [7]. Tout cela est bien suspect. On dit encore
mille autres choses; mais en voilà assez pour
aujourd'hui [...].

65. A MADAME DE GRIGNAN

A Livry, vendredi 9ᵉ octobre [1676].

[...] Je fais ici un certain tripotage [8] à mes mains avec
de la moelle de cerf et de l'eau de la reine d'Hongrie [9],
qui (k) me fera, dit-on, des merveilles. Ce qui m'en fait
beaucoup c'est le temps miraculeux qu'il fait; ce sont de
ces beaux jours de cristal de l'automne, qui ne sont plus

---

1. Pour la transporter au lieu du supplice. — 2. Exempt qui l'avait fait tomber dans un
piège en Belgique où elle fut six ans réfugiée : voir *la Brinvilliers*, p. 120. — 3. Parée (mot breton). — 4. A la nuque pour la décapitation. — 5. Personne *dressée :* dont on a fait la toilette
(L.). — 6. Cf. lettres 4 à 8. — 7. Malheureux (Fouquet). — 8. Contre les rhumatismes (cf.
lettre 59). — 9. Médicament à base d'alcool distillé sur du romarin.

chauds, qui ne sont point froids : enfin j'en suis charmée; je m'y tiens depuis dix heures du matin jusqu'à
cinq heures du soir : je n'en perds pas un moment; et à
cinq heures du soir, avec une obéissance admirable, je
10 me retire; mais ce n'est pas sans m'humilier, reconnaissant avec beaucoup de déplaisir que je suis une misérable mortelle, qu'une sotte timidité [1] me fait rompre avec
l'aimable serein, le plus ancien de mes amis, que
j'accuse peut-être injustement de tous les maux que j'ai
15 eus. Je me jette dans l'église, et je ferme les yeux,
jusqu'à ce qu'on me **(g)** vienne dire qu'il y a des flambeaux dans ma chambre; car il me faut une obscurité
entière dans l'entre chien et loup [2], comme les bois, ou
une église, ou que **(w)** l'on soit trois ou quatre à causer;
20 enfin je me gouverne selon vos intentions [...].

66. A MADAME DE GRIGNAN

A Livry, vendredi 23ᵉ octobre [1676].

Voici le second tome du *frater* [3]. Je lui envoyai hier un
carrosse au Bourget, et je vins avec un autre à six chevaux [4] (cela soit dit en passant) le trouver ici, où je ne
croyais pas trop qu'il dût arriver si précisément. Cepen-
5 dant le hasard, qui est quelquefois plaisant, nous fit tous
deux rencontrer au bout de l'avenue : cette justesse
nous fit rire. Nous entrâmes, nous nous embrassâmes,
nous parlâmes de vingt choses à la fois, nous nous ques-
tionnâmes sans attendre ni sans **(u)** entendre aucune
10 réponse; enfin cette entrevue eut toute la joie et tout le
désordre dont elles sont ordinairement accompagnées.
Cependant monsieur boite tout [5] bas, monsieur crie,
monsieur se vante d'un rhumatisme, quand il n'est pas
devant moi; car ma présence l'embarrasse [6]; et comme
15 nous en avons bien vu d'autres ensemble [7], il ne se
plaint qu'à demi. Dans mes rêveries [8] de ma grande
maladie, je trouvais, et je croyais, et je disais que j'avais
une cuisse bleue, celle qui me faisait le plus de mal; de
sorte que je lui ai donc accordé qu'il a une cuisse bleue,

---

1. Crainte. — 2. Le crépuscule. — 3. La suite des aventures de Charles de Sévigné qui,
atteint d'un rhumatisme, avait très à la légère pris congé de ses troupes à Charleville. — 4.
Attelage somptueux. — 5. Très. — 6. Les rhumatismes de Mᵐᵉ de Sévigné étaient d'une autre
cruauté. — 7. Cf. lettre 59. — 8. Hallucinations délirantes.

Les jardins de l'abbaye de Livry

20 pourvu qu'il demeure d'accord aussi qu'il a la tête
verte [1], tellement que cela compose un homme qui a la
cuisse bleue et la tête verte. Gardez-vous bien de dire
cela à Montgobert [2] : elle en abuserait cet hiver avec le
pauvre baron, qui se prépare bien à la tourmenter [3].
25 Elle écrit les plus plaisantes choses du monde, et à lui, et
à moi; mais nous voyons, au travers de sa bonne
humeur, qu'elle est malade, et nous en sommes
fâchés [4]. Mon fils sera donc ici quelques jours, en attendant qu'on lui ait envoyé de Charleville les attestations
30 nécessaires pour avoir le congé, ou que ces troupes qui
étaient allées sur la Meuse, reviennent, comme on le
dit, parce que ce duc de Zell [5], qui nous faisait peur,
s'est retiré, et a peut-être plus de peur que nous. Voilà
l'état de notre abbaye [6]. Nous voudrions bien que je
35 fusse obligée d'en partir, pour aller au-devant de vous;
car vous êtes une pièce fort nécessaire à notre véritable
joie. Je ne vous dirai plus rien sur votre départ [7] : il me
semble qu'il doit être résolu, ou jamais; vous ne sauriez
douter du désir que j'en ai [...].

---

1. Est brusque et évaporé; allusion à son départ à l'étourdie, sans les formalités nécessaires. — 2. Voir p. 108, note 11. — 3. Il y avait échange de vives taquineries entre Charles de
Sévigné et Mlle Montgobert, qu'il appelait *la Dague*. — 4. Peinés. — 5. Voir p. 101, note 11.
— 6. Livry. — 7. Pour Paris; en fait, il aura lieu au début de décembre.

● **Une chronique variée** (lettres 63 à 66)

Chronique criminelle : la Brinvilliers (lettres 63-64)

Marie-Madeleine d'Aubray, fille d'un lieutenant civil au Châtelet de
Paris, et épouse du marquis de Brinvilliers, avait, en vue de ses intrigues galantes, empoisonné son père en 1666, et en 1670 son frère
Antoine dont la veuve la dénonça. Fugitive et condamnée à mort
par coutumace, elle resta plusieurs années dans un couvent de
Liège, d'où la tirèrent les beaux yeux de l'exempt (de police) Desgrais; ce dernier l'arrêta et la ramena en France où elle fut aussitôt
condamnée à mort, le 16 juillet 1676, et exécutée le 17 au soir.

① Voir, dans la *lettre 63*, la part du témoignage direct (croquis et
aveu d'ignorance du reste), et la distance morale par rapport à la
coupable : dégoût pour son cynisme criminel et érotique; jeu initial
d'antithèse entre *petit corps* (l. 2) et *grand feu* (l. 3) et de physiologie
cartésienne parodique.

② Noter, dans la *lettre 64*, toute fondée sur des bruits recueillis, la vie et le fondu des détails, réorganisés par une puissante imagination; rattacher à ce fait la sympathie nouvelle avec laquelle est présentée et animée la victime de l'exécution (malgré la fâcheuse mise en cause de Fouquet, toujours cher après quinze ans); relever le caractère « vécu » des détails sélectionnés et mis en valeur (l'inverse des « clichés »); déceler enfin l'accord de l'auteur avec les touches ironiques ou sceptiques de cette relation.

Chronique intime (lettre 65)

① Étudier la belle évocation (l. 5) de l'automne (cf. Valéry : « Été, roche d'air pur ») et la sensibilité de l'auteur, à la fois gourmet à la Montaigne, mais aussi éprise du crépuscule (cf. ses « mouches » de mélancolie).

Chronique familiale : Charles de Sévigné (lettre 66)

① Analyser la légèreté (charme et inconscience) de Charles.

② Noter en harmonie avec elle, la vivacité heureuse du style et de l'évocation des retrouvailles (questions sans réponse).

③ Retrouver cette harmonie dans le sens du comique, de la taquinerie et de la fantaisie.

④ S'interroger sur le peu que pèsent charme et harmonie par rapport à la passion maternelle pour Mme de Grignan.

⑤ Remarquer la révélation (détournée) de la gravité du mal sur lequel badinait naguère Mme de Sévigné (*grande maladie*, l. 16; délire caractérisé, etc.) et le courage et l'urbanité qui le font dissimuler (par Mlle Montgobert également) avec des plaisanteries.

⑥ Apprécier l'élan du style, sa vivacité plus légère que tapageuse, et la discrétion relative de l'impatience finale envers la venue de Mme de Grignan.

« Je suis logée à l'hôtel de Carnavalet.
C'est une belle et grande maison... »

IV. AUTRES RETROUVAILLES
PARISIENNES (1677-1688)

Mme de Grignan, venue pour la seconde fois retrouver sa mère à Paris, à la fin de l'année 1676, en repartait au milieu de 1677, laissant Mme de Sévigné en proie aux douleurs conjointes de la séparation et de la mésentente avec sa fille; deux ans de retrouvailles parisiennes, de l'automne 1677 à l'automne 1679, ne permettront pas de résorber cette mésentente, fondée en fait sur deux natures différentes, trop rapprochées par la passion maternelle de notre épistolière.

Si la séparation de 1679 en atténue les inconvénients, la peine vient alors du décès d'un ami, le cardinal de Retz, suivi en 1680 par celui de La Rochefoucauld et de Fouquet. Autour de la sinistre Affaire des poisons, la mort tient donc une grande place dans les lettres de ce temps. Lors du séjour en Bretagne (qui précède, de mai à octobre 1680, les quatrièmes retrouvailles parisiennes), les dépenses de Charles de Sévigné et celles des Grignan assombrissent à leur tour les pensées de l'auteur.

Les retrouvailles de fin 1680 dureraient huit ans, si elles n'étaient interrompues par un séjour d'un an de Mme de Sévigné en Bretagne, où vient de se marier son fils : en septembre 1684, elle découvrira, non sans méfiance, sa bru, avant de rejoindre en septembre 1685 sa fille à Paris, d'où cette dernière partira en octobre 1688, après que Mme de Sévigné aura vu mourir, outre le grand Condé, dernier survivant de la Fronde, l'oncle Coulanges, le Bien Bon; ici encore, la mort occupe souvent la correspondance. Pourtant, dans cette fin de 1688, c'est une espérance qui s'installe chez Mme de Sévigné : pouvoir rejoindre sa fille à Grignan.

APRÈS LES DEUXIÈMES RETROUVAILLES
(JUIN-NOVEMBRE 1677)

67. A MADAME DE GRIGNAN

[*Paris*], *dimanche au soir* [*27ᵉ juin 1677*].

[...] Ma chère bonne, comment vous portez-vous à
cette heure? Présentement je me porte dans la perfection [1]. Eh, mon Dieu, ne nous reverrons-nous jamais en
nous faisant sentir toutes les douceurs de l'amitié [2] que
5 nous avons? N'ôterons-nous point les épines, et
n'empêcherons-nous point qu'on ne nous dise tous les
jours, avec une barbarie où [3] je ne me **(g)** puis accoutu-
mer : « Ah! que vous voilà bien, à cinq cents lieues [4]
l'une de l'autre; voyez comme Mᵐᵉ de Grignan se porte;
10 elle serait morte ici; vous vous tuez l'une l'autre! » Je ne
sais pas comme vous vous trouvez de ces discours; pour
moi, ils m'assomment [5]; et si c'est comme cela qu'on me
(g) veut consoler, j'en suis fort satisfaite [6]! Faisons donc
mieux, ma bonne, une autre fois. N'apportez point ou
15 ne faites point de *dragons* [7]; aimez votre santé, et jouissez de la mienne; remettons-nous en bonne réputation;
faisons voir que nous sommes assez raisonnables pour
vivre ensemble, quand la Providence le veut bien. Je
suis frappée outre mesure des blâmes qu'on me veut
20 donner; je ne vois point où j'ai tort, moi qui en conviens
si ingénument. Je vous vois souffrante, ma bonne, et
l'on ne veut pas que je sois fâchée [8]! Je finis tout court :
ma bonne, corrigeons-nous, revoyons-nous; ne donnons
plus à notre tendresse la ressemblance de la haine et de
25 la division. Songez à mes complaisances sur ma santé;
ayez-en un peu de votre côté. Songez de quelle manière
je vous aime; mettez-vous à ma place; faisons-nous honneur de nos sentiments, qui sont si beaux et si bons :
pourquoi les défigurer? Ma bonne, je suis folle, voilà
30 qui est fait; je n'en parlerai plus. [...]

---

1. En fait, Mᵐᵉ de Sévigné ira en septembre soigner ses rhumatismes à Vichy; cf. lettre 69.
— 2. L'affection. — 3. A laquelle. — 4. Exagération expressive : deux mille kilomètres. — 5.
Cf. lettre 21, l. 52. — 6. Antiphrase ironique. — 7. Cf. lettre 42, l. 41. — 8. Peinée.

68. A MADAME DE GRIGNAN

A Paris, mercredi 30ᵉ juin [1677].

Vous m'apprenez enfin que vous voilà à Grignan [1].
Les soins que vous avez de m'écrire me sont de continuelles marques de votre amitié [2]; je vous assure au
moins que vous ne vous trompez pas dans la pensée que
j'ai besoin de ce secours : rien ne m'est en effet si nécessaire. Il est vrai, et j'y pense trop souvent, que votre
présence me l'eût été beaucoup davantage; mais vous
étiez disposée d'une manière si extraordinaire, que les
mêmes pensées qui vous ont déterminée à partir m'ont
fait consentir à cette douleur, sans oser faire autre chose
que d'étouffer mes sentiments. C'était un crime pour
moi que d'être en peine de votre santé : je vous voyais
périr devant mes yeux, et il ne m'était pas permis de
répandre une larme; c'était vous tuer, c'était vous assas-
siner; il fallait étouffer : je n'ai jamais vu une sorte de
martyre plus cruel ni plus nouveau [3]. Si au lieu de cette
contrainte, qui me faisait qu'augmenter ma peine, vous
eussiez été disposée à vous tenir pour languissante, et
que votre amitié pour moi se fût tournée en complaisance, et à me témoigner **(w)** un véritable désir de suivre
les avis des médecins, à vous nourrir, à suivre un
régime, à m'avouer que le repos et l'air de Livry vous
eussent été bons, c'est cela qui m'eût véritablement
consolée, et non pas d'écraser tous nos sentiments. Ah!
ma fille, nous étions d'une manière sur la fin, qu'il [4] fallait faire comme nous avons fait. Dieu nous montrait sa
volonté par cette conduite; mais il faut tâcher de voir s'il
ne veut pas bien que nous nous corrigions, et qu'au lieu
du désespoir auquel vous me condamniez par amitié [2], il
ne serait point un peu plus naturel et plus commode de
donner à nos cœurs la liberté qu'ils veulent avoir, et sans
laquelle il n'est pas possible de vivre en repos [5]. Voilà
qui est dit une fois pour toutes : je n'en dirai plus rien,
mais faisons nos réflexions chacune de notre côté, afin
que, quand il plaira à Dieu que nous nous retrouvions
ensemble, nous ne retombions pas dans de pareils
inconvénients [...].

1. Retour de Paris. — 2. Cf. lettre 67, l, 4. — 3. Inouï. — 4. Telle *qu'il.* — 5. Quiétude morale.

69. A MADAME DE GRIGNAN

A Vichy, lundi 6ᵉ septembre [1677]
[et] *mardi 7ᵉ au soir.*

J'ai reçu, ma très bonne et très chère, votre lettre du premier septembre. Hélas! que souhaitez-vous? Quel échange, quel trafic voulez-vous faire? Ah! ma bonne,
5 gardez tout ce que vous avez, et vous **(g)** souvenez de ce que vous êtes quand vous voulez, quel charme et quel agrément ne trouve-t-on point dans votre humeur, quand vous n'êtes point dévorée de tous les *dragons* ¹ du monde : vous en aviez de bien noirs et de bien cruels à Paris. Mais quand vous voulez, ma bonne, ah! mon
10 Dieu! comme vous êtes! et quel charme et quel enchantement ne trouve-t-on point en vous! Je soupire souvent en parlant de vous et en pensant à vous. Je ne réponds point à votre lettre, de peur uniquement de vous fâcher; car vous m'ôtez ma joie en m'ôtant le plaisir de vous
15 entretenir ²; mais il ne faut point vous contredire : vous passez légèrement sur tous les chapitres; je ne fais aussi réponse à rien. Je vous conjure seulement de mander à d'Hacqueville ³ ce que vous avez résolu pour cet hiver, afin que nous prenions l'hôtel de Carnavalet ⁴, ou non
20 car il ne faudrait pas perdre cette occasion en attendant La Rampardière : voilà tout ce que je vous demande, ma bonne, et d'avoir soin de votre santé. La mienne est admirable. Les eaux me font très bien. Vincent ⁵ me gouverne tout comme M. de Champlâtreux ⁶; tout est
25 réglé, tout dîne à midi, tout soupe à sept, tout dort à dix, tout boit à six.
Je voudrais que vous eussiez vu jusqu'à quel excès la présence de Termes ⁶ et de Flamarens ⁶ fait monter la coiffure et l'ajustement de deux ou trois belles de ce
30 pays. Enfin, dès six heures du matin, tout est en l'air, coiffure *hurlupée* ⁷, poudrée, frisée, bonnet *à la bascule,* rouge, mouches ⁸, petite coiffe ⁹ qui pend, éventail,

---

1. Cf. lettre 42, l. 41. — 2. Voir p. 50, note 9. — 3. Voir p. 44, note 3. — 4. Du nom breton de Mᵐᵉ de Kerneveroy, francisé en Carnavalet; dernier domicile parisien de l'auteur. — 5. Médecin. — 6. Curistes parisiens. — 7. Brusque, étourdie (cf. en coup de vent). — 8. Grains de beauté artificiels en taffetas noir pour le visage. — 9. Cf. lettre 42, l. 9.

corps de jupe [1] long et serré : c'est pour pâmer de rire;
cependant il faut boire, et les eaux leur ressortent par la
35 bouche et par le dos.

70. A MADAME DE GRIGNAN

A Gien [2], vendredi 1er octobre [1677].

J'ai pris votre lettre, ma très chère, en passant par
Briare [3] : mon ami Roujoux [4] est un homme admirable;
j'espère que j'en pourrai recevoir encore une avant que
de partir d'Autry [5], où nous allons demain dîner.
5   Nous avons fait cette après-dînée [6] un tour que vous
auriez bien aimé : nous devions quitter notre bonne
compagnie [7] dès midi, et prendre chacun notre parti [8],
les uns vers Paris, les autres à Autry. Cette bonne compagnie, n'ayant pas été préparée assez tôt à cette triste
10   séparation, n'a pas eu la force de la supporter, et a
voulu venir à Autry avec nous : nous avons représenté
les inconvénients, et puis enfin nous avons cédé. Nous
avons donc passé la rivière de Loire à Châtillon tous
ensemble; le temps était admirable, et nous étions ravis
15   de voir qu'il fallait que le bac retournât encore pour
prendre l'autre carrosse. Comme nous étions à bord,
nous avons discouru du chemin d'Autry : on nous a dit
qu'il y avait deux mortelles lieues, des rochers, des bois,
des précipices; nous qui sommes accoutumés depuis
20   Moulins à courir la bague [9], nous avons eu peur de
cette idée; et toute la bonne compagnie, et nous
conjointement, nous avons repassé la rivière, en pâmant
de rire de ce petit dérangement; tous nos gens en faisaient autant, et dans cette belle humeur, nous avons
25   repris le chemin de Gien, où nous voilà tous; et après
que la nuit nous aura donné conseil, qui sera apparemment de nous séparer courageusement, nous irons, la
bonne compagnie de son côté, et nous du nôtre.
     Hier au soir, à Cosne [10], nous allâmes dans un vérita-
30   ble enfer : ce sont des forges de Vulcain [11]; nous y trou-

---

1. Partie de la robe qui s'ajuste sur la poitrine (cf. corsage). — 2. Sur la Loire; itinéraire de
retour vers Paris. — 3. Près de Gien. — 4. Maître de poste à Lyon. — 5. Résidence de Mme de
Sanzei; cf. lettre 54. — 6. Après-midi. — 7. Des compagnons de cure. — 8. Nous partager. —
9. Aller à bride abattue. — 10. 40 km au sud de Gien; fonderie de canons, etc. — 11. Fils de
Jupiter, il dirigeait les forgerons de l'Etna, ou Cyclopes.

vâmes huit ou dix cyclopes forgeant, non pas les armes
d'Énée [1], mais des ancres pour les vaisseaux; jamais
vous n'avez vu redoubler des coups si justes, ni d'une si
admirable cadence. Nous étions au milieu de quatre
35 fourneaux; de temps en temps ces démons venaient
autour de nous, tout fondus de sueur, avec des visages
pâles, des yeux farouches, des moustaches brutes [2], des
cheveux longs et noirs; cette vue pourrait effrayer des
gens moins polis [3] que nous. Pour moi, je ne comprenais
40 pas qu'on pût résister à nulle des volontés de ces Mes-
sieurs-là dans leur enfer. Enfin nous en sortîmes avec
une pluie de pièces de quatre sous dont notre bonne
compagnie les rafraîchit [4] pour faciliter notre sortie.

Nous avions vu la veille, à Nevers, une course, la plus
45 **(d)** hardie qu'on puisse imaginer : quatre belles dans un
carrosse nous ayant vus passer dans les nôtres, eurent
une telle envie de nous revoir, qu'elles voulurent passer
devant nous lorsque nous étions sur une chaussée qui
n'a jamais été faite que pour un carrosse. Ce téméraire
50 cocher nous passa sur la moustache [5] : elles étaient à
deux doigts de tomber dans la rivière; nous criions tous
miséricorde; elles pâmaient de rire, et coururent de
cette sorte, et par-dessus nous et devant nous, d'une si
surprenante manière que nous en sommes encore
55 effrayés. Voilà, ma très chère, nos plus grandes aventures; car de vous dire que tout est plein de vendanges et
de vendangeurs, cette nouvelle ne vous étonnerait pas
au mois de septembre. Si vous aviez été Noé, comme
vous disiez l'autre jour, nous n'aurions pas trouvé tant
60 d'embarras.

Je veux vous dire un mot de ma santé : elle est parfaite; les eaux m'ont fait des merveilles, et je trouve que
vous vous êtes fait un *dragon* [6] de cette douche; si
j'avais pu le prévoir, je me serais bien gardée de vous en
65 parler; je n'eus aucun mal de tête; je me trouvai un peu
de chaleur à la gorge; et comme je ne suai pas beaucoup
la première fois, je me tins pour dit que je n'avais pas
besoin de transpirer comme l'année passée : ainsi je me
suis contentée de boire à longs traits, dont [7] je me porte
70 à merveilles : il n'y a rien de si bon que ces eaux.

---

1. Allusion au chant VIII de l'*Énéide* de Virgile. — 2. Non taillées. — 3. Raffinés. — 4.
Régala. Rappelons que les charpentiers gagnaient alors douze sous par jour (voir p. 79, l. 38).
— 5. A notre nez et à notre barbe. — 6. Cf. lettre 42, l. 41. — 7. Ce *dont*.

- **Mésententes et mondanités** (lettres 67 à 70)

Mésententes (lettres 67 à 69)

Bien voir que la mère reproche à la fille, non le manque d'une affection qu'elle reconnaît constante *(lettres 67 et 68),* mais son mauvais emploi : *épines* (p. 124, l. 5) et non *douceurs* (l. 4); d'où un aspect racinien fort bien formulé : *ressemblance de la haine et de la division* (l. 24).
Déceler, au-delà du souci du qu'en-dira-t-on, le rejet d'un jugement objectif : *vous vous tuez l'une l'autre (lettre 67,* l. 10). Analyser l'aspect unilatéral de l'interprétation, des reproches et des résolutions avancés par l'auteur : glissement de la première personne du pluriel à la seconde *(lettre 68,* l. 8 : *vous étiez disposée);* accusation plus qu'élucidation d'une relation réciproque, et aveuglement sur son propre comportement : croyance en la légitimité du couvage sanitaire, illusion d'être aussi lucide dans la passion qu'en général *(lettre 67,* l. 17); appel à une réforme apparemment réciproque, mais avec un but exclusivement souhaité par Mme de Sévigné : *lettre 68 (liberté* pour les cœurs, l. 31), et que Mme de Grignan, inexpansive, refuse toujours (cf. *lettre 21).*
① Essayer de reconstituer le système incompatible des relations mère-fille (mère expansive, fille pudique; mère affective, fille intellectualisée; mère possessive, fille en rupture de couvage par refus et contradiction avec la mère) sauf dans la reconnaissance de leur échec *(lettre 68,* l. 9 : *les mêmes pensées);* tout est insupportable pour l'auteur : les reproches que sa fille lui fait et ceux que celle-ci se fait *(lettre 69).*
Noter le ton révélateur de chaque lettre : l'aigreur sans enjouement aucun *(lettres 67* et *68),* l'accumulation oppressive *(lettre 68,* fin), les redites obsédantes entre lettres, la fermeté de ton et de formule.

Mondanités (lettres 69 et 70)

Le pittoresque retrouvé : le voir dans la concision énumérative *(lettre 69),* le comique *(id.,* fin), l'enjolivement mythologique *(lettre 70),* les effets intenses *(id.).*
Spécifier la diversité des réactions à la superficialité mondaine : de la participation (voyage manqué à Autry) à la démystification moraliste (belles curistes : formule finale d'une crudité pascalienne, p. 127, l. 34).
Noter l'allusion obscure à Noé (p. 128, l. 57) : nous n'avons que la moitié d'un dialogue.
② Apprécier l'impressionnisme jaillissant de l'auteur : évocation tragique et pathétique des cyclopes; montée de la peur à Cosne *(lettre 70,* l. 34 et suiv.); aveu d'une impression d'obstacle *(faciliter,* l. 43).
Remarquer la moindre efficacité de l'enjolivement mythologique que de la convergence métaphorique *(enfer; fondus de sueur; pluie de pièces; rafraîchir)* pour apprivoiser un épisode inquiétant (découverte du prolétariat chez lui); noter la différence entre la course des carrosses (imprudence) et le carrosse versé (rapidité : *lettre 47).*

LES TROISIÈMES RETROUVAILLES
(NOVEMBRE 1677-SEPTEMBRE 1679)

71. A MADAME DE GRIGNAN

A Paris, fin juillet 1678 [?].

J'ai mal dormi : vous m'accablâtes hier au soir, je n'ai
pu supporter votre injustice. Je vois plus que les autres
toutes les qualités admirables que Dieu vous a données : j'admire votre courage, votre conduite [1]; je suis
5   persuadée du fonds de l'amitié [2] que vous avez pour
moi : toutes ces vérités sont établies dans le monde [3] et
plus encore chez mes amies. Je serais bien fâchée qu'on
pût douter que vous aimant **(s)** comme je fais, vous ne
fussiez point pour moi comme vous êtes. Qu'y a-t-il
10 donc? C'est que c'est moi qui ai toutes les imperfections
dont vous vous chargiez hier au soir; et le hasard a fait
qu'avec confiance je me plaignis hier à Monsieur le Chevalier [4] que vous n'aviez pas assez d'indulgence pour
toutes ces misères; que vous me les faisiez quelquefois
15 trop sentir, que j'en étais quelquefois affligée et humi-
liée. Vous m'accusez aussi de parler à des personnes à
qui je ne dis jamais rien de ce qu'il ne faut point dire :
vous me faites, sur cela, une injustice trop criante; vous
donnez trop à vos préventions [5]; quand elles sont éta-
20 blies, la raison et la vérité n'entre **(o)** plus chez vous. Je
disais tout cela *uniquement* à Monsieur le Chevalier; il
me parut convenir avec bonté de bien des choses, et
quand je vois, après qu'il vous a parlé sans doute dans
ce sens, que vous m'accusez de trouver ma fille toute
25 imparfaite, toute pleine de défauts, tout ce que vous me
dîtes hier au soir, et que ce n'est point cela que je pense
et que je dis, et que c'est au contraire de vous trouver
trop dure sur mes défauts dont je me plains, je dis :
« Qu'est-ce que ce changement? » et je sens cette injus-
30 tice, et je dors mal; mais je me porte fort bien et prendrai du café, ma bonne, si vous le voulez bien.

Pour ma fille.

---

1. Manière de se gouverner. — 2. Affection. — 3. La bonne société. — 4. Frère de M. de
Grignan. — 5. Préjugés erronés.

72. A MADAME DE GRIGNAN

A Paris, début d'août 1678 [?].

[...] Vous disiez hier cruellement, ma bonne, que je serais trop heureuse quand vous seriez loin de moi, que vous me donniez mille chagrins, que vous ne faisiez que me contrarier [1]. Je ne puis penser à ce discours sans avoir le cœur percé et fondre en larmes. Ma très chère, vous ignorez bien comme je suis pour vous, si vous ne savez que tous les chagrins que me **(g)** peut donner l'excès de la tendresse [2] que j'ai pour vous, sont plus agréables que tous les plaisirs du monde où vous n'avez point de part. Il est vrai que je suis quelquefois blessée de l'entière ignorance où je suis de vos sentiments, du peu de part que j'ai à votre confiance; j'accorde avec peine l'amitié [2] que vous avez pour moi avec cette séparation de toute sorte de confidences. Je sais que vos amis sont traités autrement; mais enfin je me dis que c'est mon malheur, que vous êtes de cette humeur, qu'on ne se change point; et plus que tout cela, ma bonne, admirez [3] la faiblesse d'une véritable tendresse, c'est qu'effectivement votre présence, un mot d'amitié, un retour [4], une douleur, me ramène **(o)** et me fait **(o)** tout oublier. Ainsi, ma belle, ayant **(s)** mille fois plus de joie que de chagrin, et ce fonds étant invariable, jugez avec quelle douleur je souffre que vous pensiez que je puisse aimer votre absence. Vous ne sauriez le croire, si

---

● **La mésentente cordiale** (lettres 71 et 72)

① Relever les marques d'efforts et de bonne volonté de part et d'autre (autocritiques : scrupules et mauvaise conscience de la fille; tentative de prise de conscience et atténuation de la jalousie par la sagesse chez la mère).

② Analyser la valeur thérapeutique des lettres calmant l'intempérance et l'emportement de la passion maternelle; facilitant l'aveu affectif chez la fille pudique, grâce à la distance entre des sensibilités de signe contraire; idéalisant à distance.

③ Apprécier des bonheurs de formulation : fin magistrale de la *lettre 71*, reprenant en chiasme deux éléments du début et finissant en défi; deux belles formules de la passion amoureuse au début et à la fin de la *lettre 72* (l. 7-10 et 27-31).

---

1. Faire le contraire de moi. — 2. L'affection. — 3. Étonnez-vous de. — 4. Actes par lesquels on manifeste son désir de réconciliation.

25 vous pensiez à l'infinie tendresse que j'ai pour vous : voilà comme elle est invariable et toujours sensible [1]. Tout autre sentiment est passager et ne dure qu'un moment; le fonds est comme je vous le dis. Jugez comme je m'accommoderai d'une absence qui m'ôte de
30 légers chagrins que je ne sens plus, et qui m'ôte une créature dont la présence et la moindre amitié fait **(o)** ma vie et mon unique plaisir. Joignez-y les inquiétudes de [2] votre santé, et vous n'aurez pas la cruauté de me faire une si grande injustice; songez-y, ma bonne, à **(u)**
35 ce départ [3], et ne le pressez point; vous en êtes la maîtresse [...].

APRÈS LES TROISIÈMES RETROUVAILLES
(SEPTEMBRE 1679-MAI 1680)

73. A MADAME DE GRIGNAN

A Livry, vendredi 27ᵉ octobre 1679 [?].

[...] Pour votre frère, c'est un homme admirable [4]; il n'a jamais pu se passer de gâter les merveilles qu'il avait faites aux états [5] par un goût *fichu* [6], et un amour sans amour, entièrement ridicule. L'objet [7] s'appelle Mˡˡᵉ de
5 La Coste; elle a plus de trente ans, elle n'a aucun bien, nulle beauté; son père dit lui-même qu'il en est bien fâché [8], et que ce n'est point un parti [9] pour M. de Sévigné : il me l'a mandé lui-même; je l'en loue, et le remercie de sa sagesse. Savez-vous ce qu'a fait ensuite votre
10 frère? Il ne quitte pas la demoiselle; il la suit à Rennes, en basse Bretagne où elle va, sous prétexte d'aller voir Tonquedec : il lui fait tourner la tête; il la dégoûte d'un parti [9] proportionné [10], auquel elle est comme accordée [11] : toute la province en parle; M. de Coulanges et
15 toutes mes amies de Bretagne m'en écrivent, et croient tous qu'il se mariera. Pour moi, je suis persuadée que non; mais je lui demande pourquoi décrier sans besoin sa pauvre tête, qui avait si bien fait dans les commencements? Pourquoi troubler cette fille, qu'il n'épousera jamais?
20 Pourquoi lui faire refuser ce parti, qu'elle ne

1. Profonde. — 2. Au sujet *de*. — 3. En fait, il aura lieu un an plus tard (si la date conjecturale de la lettre est bonne). — 4. Étonnant. — 5. Voir p. 76, note 3. — 6. Mal fait, inconvenant (L.). — 7. *L'objet* aimé. — 8. Affligé. — 9. Voir p. 42, note 1. — 10. En rapport de situation. — 11. Liée par un engagement réciproque de mariage.

regarde plus qu'avec mépris? Pourquoi cette perfidie?
Et si ce n'en est point une, elle a bien un autre nom,
puisque assurément je ne signerais point à son contrat
de mariage. S'il a de l'amour, c'est une folie qui fait
25 faire encore de plus grandes extravagances; mais
comme je l'en [1] crois incapable, je ferais scrupule, si
j'étais en sa place, de troubler, de gaieté de cœur,
l'esprit et la fortune [2] d'une personne qu'il est si aisé
d'éviter. Il est aux Rochers, me parlant [3] de ce voyage
30 chez Tonquedec, mais pas un mot de la demoiselle, ni
de ce bel attachement : en général seulement ce sont
des tendresses infinies et des respects excessifs. Voilà de
ces choses que j'abandonne à la Providence; car qu'y **(g)**
puis-je faire? Je suis pourtant persuadée que tout cela
35 ne sera rien : j'écris [4] des lettres admirables, qui
n'auront que l'effet qu'il plaira à Dieu [...].

74. A MADAME DE GRIGNAN

A Livry, mercredi jour de la Toussaint [1679].

[...] Mon fils est tristement aux Rochers; il dit que le
premier soir, quand il se trouva tout seul dans mon
appartement, avec les clefs de mes cabinets qu'on lui
donna, il fut saisi d'une pensée si funeste [5], et cela res-
5 semblait tellement à une chose qui arrivera quelque
jour, qu'il se mit à pleurer comme quand le bon abbé
recevait Notre-Seigneur [6]. Il m'assure fort qu'il n'épousera point la petite personne dont je vous ai parlé [7] :
tout le monde me mande pourtant qu'il y a de la ravau-
10 derie [8] entre eux; il veut aller chez Tonquedec, qui n'est
qu'à deux lieues [9] de la belle : toute la province en
parle, et trouve sa conduite la plus mauvaise du monde.
Il me persuade qu'il n'a point d'envie de faire une sottise; mais comme il est faible, et qu'il me mande tous les
15 jours qu'il est différent de lui-même, qu'il est deux ou
trois hommes tout à la fois, je lui dis que le plus sûr est
de ne point s'exposer à voir cette fille chez elle; qu'il est
dangereux de tenter Dieu, qu'il ne faut qu'un malheur
et que pendant qu'un de ces hommes [10] serait pris pour

---

1. D'amour. — 2. Situation. — 3. Dans ses lettres. — 4. Aux Rochers. — 5. Celle du décès
éventuel de sa mère. — 6. Communiait. — 7. Cf. lettre 73. — 8. Paroles d'amour. — 9. Huit
kilomètres. — 10. Voir la ligne 15.

20 dupe, l'autre maudirait le jour et l'heure d'un si ridicule
    accouplement, mais qu'enfin il n'y aurait plus de
    remède : quoi qu'il puisse en être, je n'aurai rien sur
    mon cœur, puisque j'ai dit, en vérité, tout ce qui se **(g)**
    peut dire là-dessus, et tous nos amis aussi [...].

75. A MADAME DE GRIGNAN

A Livry, jeudi au soir 2ᵉ novembre [1679].

[...] Je crois que je ferai un traité sur l'amitié [1]; je
trouve qu'il y a tant de choses qui en dépendent, tant de
conduites et tant de choses à éviter pour empêcher que
ceux que nous aimons n'en [2] sentent le contre-coup; je
5   trouve qu'il y a tant de rencontres [3] où nous les faisons
souffrir, et où nous pourrions adoucir leurs peines, si
nous avions autant de vues et de pensées qu'on en **(g)**

● **Un fils préoccupant : Charles** (lettres 73 à 75)

① Apprécier la mise en évidence, comme dans un plaidoyer, de la
double inopportunité de l'amourette, pour Charles et pour la
demoiselle; mettre en valeur la netteté que donne sa brièveté à ce
schéma d'argumentation (plus *admirable* — p. 133, l. 35 — que son
développement, sans doute lassant dans les lettres).

② Noter l'imagination fantasque, à fleur de nerfs, et rendue en images si frappantes, de Charles (impression funeste, duel intérieur), et
voir comment sa mère tantôt reprend l'image — expliquer les rôles
de *dupe* (p. 133, l. 20) et d'*accouplement* (l. 21) —, tantôt joue
superficiellement sur elle (le duel entre les deux Charles : p. 135, l.
14-21).

③ Dégager l'honnêteté (cf. *lettre 25*) et l'humanité de l'auteur
envers la victime éventuelle.

④ Analyser le pessimisme de Mᵐᵉ de Sévigné : méfiance envers
l'amour, passionnel ou maternel (méfiance envers les *petites entrailles* pour Pauline, crainte des séparations, etc.); actif (interventions
épistolaires, projet de traité tiré d'une double déception due à ses
enfants, recours aux lettres pour éviter l'attachement sans perdre le
lien).

⑤ Étudier la sensibilité esthétique à la nature, avec observation
précise, mais aussi la compagnie des livres (cf. Ronsard, Boileau,
Rousseau encore).

Noter la variété de ton de la *lettre 75* et sa rapidité substantielle (un
peu lourde dans le « traité », dont la forme indirecte évite de cho-
quer la destinataire, et dont l'abstraction intellectuelle et moraliste
doit la ravir).

---

1. Affection. — 2. De ces *choses* et *conduites*. — 3. Circonstances.

doit avoir pour ce qui tient au cœur : enfin je ferais voir
dans ce livre qu'il y a cent manières de témoigner son
10 amitié sans la dire, ou de dire par ses actions qu'on n'a
point d'amitié, lorsque la bouche traîtreusement vous
en assure. Je ne parle pour [1] personne; mais ce qui est
écrit est écrit.

15   Mon fils me mande des folies, et il me dit qu'il y a un
lui qui m'adore, un autre qui m'étrangle, et qu'ils se bat-
taient tous deux l'autre jour à outrance, dans le mail [2]
des Rochers. Je lui réponds que je voudrais que l'un eût
tué l'autre, afin que je n'eusse point trois enfants; que
20 c'était ce dernier qui me faisait tout le mal de la mater-
nité, et que, s'il pouvait l'étrangler lui-même, je serais
trop contente des deux autres. J'admire la lettre de Pauline [3] : est-ce de son écriture? Non, mais pour son style,
il est aisé à reconnaître : la jolie enfant! Je voudrais bien
25 que vous pussiez me l'envoyer dans une de vos lettres;
je ne serai consolée de ne la **(g)** pas voir que par les nouveaux attachements qu'elle me donnerait [4] : je m'en
vais lui faire réponse.

Je quitte ce lieu à regret, ma fille : la campagne est
30 encore belle; cette avenue et tout ce qui était désolé
des [5] chenilles, et qui a pris la liberté de repousser avec
votre permission, est plus vert qu'au printemps dans les
plus belles années; les petites et les grandes palissades [6]
sont parées de ces belles nuances de l'automne dont les
35 peintres font si bien leur profit; les grands ormes sont un
peu dépouillés, et l'on n'a point de regret à ces feuilles
picotées : la campagne en gros est encore toute riante;
j'y passais mes journées seule avec des livres; je ne m'y
ennuyais que comme je m'ennuierai partout, ne vous
40 ayant plus. Je ne sais ce que je vais faire à Paris; rien ne
m'y attire, je n'y ai point de contenance [7]; mais le bon
abbé [8] dit qu'il y a quelques affaires, et que tout est fini
ici : allons donc [...].

---

1. Vise; en fait, on comprend que Mme de Grignan pourrait, en se soignant mieux, témoigner son amitié sans avoir à la dire, et que Charles, en parlant sans cesse de son amitié, ne la
prouve pas assez, avec ses actions inconsidérées et préoccupantes. — 2. Allée pour jouer au
mail. — 3. Seconde fille de Mme de Grignan. — 4. Par l'idée des *nouveaux attachements* qui
risqueraient de faire souffrir ultérieurement (l'auteur sait qu'en dire). — 5. Par les. — 6. Cloi-
sons d'arbres mis en ligne. — 7. J'y suis embarrassée de ma personne. — 8. De Coulanges, le
Bien Bon, abbé de Livry.

76. A MADAME DE GRIGNAN

A Paris, mercredi 29e novembre [1679].

[...] Mme de Lesdiguières a écrit à la mère Angélique [1]
du Port-Royal, sœur de ce malheureux ministre [2] : elle
me montra sa réponse; je l'ai trouvée si belle que je l'ai
copiée, et la voilà. C'est la première fois que j'ai vu une
5   religieuse parler et penser en religieuse. J'en ai bien vu
qui étaient agitées du mariage de leurs parentes, qui
sont au désespoir que leur nièce ne soit point encore
mariée, qui sont vindicatives, médisantes, intéressées,
prévenues : cela se trouve aisément; mais je n'en avais
10 point encore vu qui fût véritablement et sincèrement
morte au [3] monde. Jouissez, ma bonne, du même plaisir
que cette rareté m'a donné. C'était la chère fille de
M. d'Andilly [1], et dont il me disait : « Comptez que
tous mes frères, et tous mes enfants, et moi, nous som-
15 mes des sots en comparaison d'Angélique. » Jamais rien
n'a été bon de tout ce qui est sorti de ces pays-là, qui
n'ait été corrigé et approuvé d'elle; toutes les langues et
toutes les sciences lui sont infuses; enfin c'est un prodige, d'autant plus qu'elle est entrée à six ans en reli-
20 gion. J'en refusai hier une copie à Brancas [4]; il en est
indigne; et je lui dis : « Avouez seulement que cela n'est
pas trop mal écrit pour une hérétique. » J'en ai vu
encore plusieurs autres d'elle, et bien plus belles, et bien
plus justes : ceci est un billet écrit à la course de plume.
25 La mienne est bien en train de trotter.

J'ai été à cette noce de Mlle de Louvois : que vous
dirai-je? Magnificence, illustration [5], toute la France,
habits rabattus [6] et rebrochés d'or, pierreries, brasiers [7]
de feu et de fleurs, embarras de carrosses, cris dans la
30 rue, flambeaux allumés, reculements et gens roués [8];
enfin le tourbillon, la dissipation, les demandes sans
réponses, les compliments sans savoir ce que l'on dit, les
civilités sans savoir à qui l'on parle, les pieds entortillés
dans les queues [9] : du milieu de tout cela, il sortit quel-
35 ques questions de [10] votre santé, où, ne m'étant pas
assez pressée de répondre (t), ceux qui les faisaient sont
demeurés dans l'ignorance et dans l'indifférence de ce
qui en est.

---

1. Cf. lettre 5. — 2. Pomponne, récemment disgracié. — 3. Détachée du. — 4. Ami, célèbre distrait, le Ménalque de La Bruyère. — 5. Éclat. — 6. A rabats. — 7. Bassins de métal. —
8. Estropiés. — 9. Traînes des robes. — 10. Sur.

Le marquis de Grignan
par Mignard

77. A MADAME ET A MONSIEUR DE GRIGNAN

A Paris, mercredi 24ᵉ janvier [*1680*].

[...] Voici une histoire bien tragique. Cette pauvre Bertillac est devenue passionnée, pour ses péchés passés, de l'insensible Caderousse [1] :

Il l'a *vue* s'enflammer et non pas se défendre.

5 D'abord [2] il a été au fait [3], et lui a fait mettre en gage ses perles, pour soutenir un peu la bassette [4]. Il alla chez Mme de Quintin avec mille louis qu'il fit sonner; sa reconnaissance l'obligea [5] de dire d'où ils venaient. Elle [6] a été si excessivement saisie de ce procédé, qu'elle
10 en est devenue une image de Benoît [7], comme elle l'a été autrefois; et le sang et les esprits [8] ne courant plus, elle est devenue enflée et gangrenée, de sorte qu'elle est à l'agonie. Nous y passâmes hier, le petit Coulanges [9] et moi : on attend qu'elle expire; elle est mal pleurée; le
15 père et le mari voudraient qu'elle fût déjà sous terre. Il n'y a pas deux opinions sur la cause de sa mort. Mme de Frontenac [10] en est toute honteuse, aussi bien que tout le sexe [11], qui devrait déchirer Caderousse comme Orphée [12] [...].

78. A MADAME DE GRIGNAN ET A MADEMOISELLE MONTGOBERT [13]

A Paris, mercredi 31ᵉ janvier [*1680*].

[...] Il faut, ma bonne, reprendre le fil de ma lettre que je laisse toujours un peu reposer quand j'ai à traiter le chapitre de votre santé. Il faut, pour ne vous **(g)** pas ennuyer, vous suivre les aventures de ces pauvres
5 gens [14].
M. de Luxembourg [15] a été deux jours sans manger; il avait demandé plusieurs pères jésuites, on **(f)** lui a refusés; il a demandé la *Vie des saints,* on **(f)** lui a donnée : il

---

1. Jadis soupirant de Mme de Sévigné. — 2. Dès l'*abord*. — 3. A l'essentiel. — 4. Jeu de cartes. — 5. Antiphrase pour stigmatiser cette indiscrétion scandaleuse. — 6. Mme de Bertillac, dont on dit qu'elle aurait entendu un amant, cachée dans une alcôve de Mme de Quintin. — 7. Sculpteur de figures de cire. — 8. Principes vitaux. — 9. Le cousin Emmanuel. — 10. Mère de la mourante. — 11. Le *sexe* féminin. — 12. Inconsolable de la perte d'Eurydice, il fut déchiré par les Ménades de Thrace, furieuses de jalousie. — 13. Voir p. 108, note 11. — 14. Ceux qui avaient été décrétés de prise de corps pour l'Affaire des poisons. — 15. Le maréchal, qui s'était constitué prisonnier à la Bastille, étant sous mandat d'arrêt.

10 ne sait, comme vous voyez, à quel saint se vouer. Il fut
interrogé quatre heures vendredi ou samedi, je ne m'en
souviens pas; ensuite il parut fort soulagé, et soupa. On
croit qu'il aurait mieux fait de mettre son innocence en
pleine campagne, et de dire qu'il reviendrait quand ses
15 juges naturels [1], qui sont le parlement, le feraient revenir. Il fait grand tort à la duché [2] en reconnaissant cette
chambre [3]; mais il a voulu obéir aveuglément à Sa
Majesté. M. de Cessac a suivi l'exemple de Madame la
Comtesse [4]. Mmes de Bouillon [5] et de Tingry [6] furent
20 interrogées lundi à cette chambre de l'Arsenal. Leurs
nobles familles les accompagnèrent jusqu'à la porte; il
ne paraît pas jusqu'ici qu'il y ait rien de noir à leurs sottises; il n'y a pas même du gris brun [7]. Si on ne trouve
rien de plus, voilà de grands scandales qu'on aurait pu
25 épargner à des personnes de cette qualité. Le maréchal
de Villeroi [8] dit que ces messieurs et ces dames ne
croient pas en Dieu, et qu'ils croient au diable. Vraiment on conte des sottises ridicules de tout ce qui se passait chez ces coquines de femmes. La maréchale de La
30 Ferté, qui est si bien nommée, alla [9] par complaisance
avec Madame la Comtesse [4], et ne monta point en haut;
Monsieur [10] de Langres était avec elle; voilà qui est bien
noir : cette affaire lui donne un plaisir qu'elle n'a pas
ordinairement; c'est d'entendre dire qu'elle est inno-
35 cente [11].

La duchesse de Bouillon [5] alla demander à la Voisin [12] un peu de poison pour faire mourir un vieux mari
qu'elle avait qui la faisait mourir d'ennui, et une invention pour épouser un jeune homme qui la menait [13] sans
40 que personne le sût. Ce jeune homme était M. de Ven-
dôme [14], qui la menait [13] d'une main, et M. de Bouillon
de l'autre; et de rire. Quand une Mancini [5] ne fait
qu'une folie comme celle-là, c'est donné; et ces sorciè-
res vous rendent [15] cela sérieusement, et font horreur à
toute l'Europe d'une bagatelle.
45 Mme la comtesse de Soissons [16] demandait si elle ne

---

1. En tant que duc et pair. — 2. Dignité de duc. — 3. *Chambre* ardente constituée pour cette affaire. — 4. *La comtesse* de Soissons, qui avait fui avec Mme d'Alluye, toutes deux sous mandat d'arrêt. — 5. Née Mancini, nièce de Mazarin; son mari, neveu de Turenne, avait alors trente-neuf ans (huit de plus qu'elle); elle fuira en Guyenne. — 6. Belle-sœur du maréchal de Luxembourg. — 7. Cf. lettre 30, l. 17. — 8. Ancien gouverneur du Roi; père du « Charmant » (lié à la comtesse de Soissons). — 9. Chez la Voisin. — 10. L'évêque. — 11. Elle était très galante. — 12. Montvoisin, avorteuse et empoisonneuse : voir *l'Affaire des poisons*, p. 141. — 13. Lui faisait faire ce qu'il voulait. — 14. Débauché en tous genres. — 15. Présentent. — 16. Née Mancini.

pourrait faire revenir un amant qui l'avait quittée : cet
amant était un grand prince; et on dit qu'elle dit que s'il
ne revenait **(x)** à elle, il s'en repentirait : cela s'entend
du Roi, et tout est considérable sur un tel sujet. Mais
50 voyons la suite : si elle a fait de plus grands crimes, elle
n'en a pas parlé à ces gueuses-là. Un de nos amis dit
qu'il y a une branche [1] aînée au poison, où l'on ne
remonte point, parce qu'elle n'est pas originaire de
France; tout ceci sont de petites branches de cadets qui
55 n'ont pas de souliers.

La Tingry fait imaginer quelque chose de plus important, parce qu'elle a été maîtresse des novices. Elle dit :
« J'admire le monde; on croit que j'ai couché avec
M. de Luxembourg, et que j'ai eu des enfants de lui :
60 hélas! Dieu le sait. » Enfin, le ton d'aujourd'hui, c'est
l'innocence des nommées, et l'horreur du scandale;
peut-être que demain ce sera le contraire. Vous connaissez ces sortes de voix générales; je vous en instruirai
fidèlement; on ne parle **(x)** d'autre chose dans toutes les
65 compagnies; en effet il n'y a guère d'exemples d'un pareil
scandale dans une cour chrétienne. On dit que cette
Voisin mettait dans un four tous les petits enfants dont
elle faisait avorter; et Mme de Coulanges, comme vous
pouvez penser, ne manque pas de dire, en parlant de la
70 Tingry, que c'était pour elle que le four chauffait [...].

79. A MADAME ET A MONSIEUR DE GRIGNAN

A Paris, vendredi 23e février [1680].

[...] Je ne vous parlerai que de Mme Voisin [2] : ce ne
fut point mercredi, comme je vous l'avais mandé,
qu'elle fut brûlée, ce ne fut qu'hier. Elle savait son
arrêt [3] dès lundi, chose fort extraordinaire. Le soir elle
5 dit à ses gardes : « Quoi? nous ne ferons point médianoche [4]! » Elle mangea avec eux à minuit, par fantaisie,
car il **(e)** n'était point jour maigre; elle but beaucoup de
vin, elle chanta vingt chansons à boire. Le mardi elle eut
la question ordinaire, extraordinaire [5]; elle avait dîné et
10 dormi huit heures; elle fut confrontée à Mmes de Dreux,

---

1. Ramification comme dans un arbre généalogique. — 2. Voir p. 139, note 12. — 3. Voir
p. 30, note 4. — Cf. lettre 26, 1. 61. — 5. Voir p. 116, note 3.

le Féron [1] et plusieurs autres, sur le matelas : on ne dit
pas encore ce qu'elle a dit; on croit toujours qu'on verra
des choses étranges [2]. Elle soupa le soir, et recom-
mença, toute brisée qu'elle était, à faire débauche avec
15 scandale : on lui en fit honte, et on lui dit qu'elle ferait
bien mieux de penser à Dieu, et de chanter un *Ave
maris stella,* ou un *Salve,* que toutes ces chansons : elle
chanta l'un et l'autre en ridicule, elle mangea le soir et

● **L'affaire des poisons : la Voisin** (lettres 78-79)

En janvier 1680, plusieurs hauts personnages de la Cour sont mis
sous mandat d'arrêt pour s'être trouvés compromis dans l'affaire des
poisons, qu'une chambre ardente (tribunal d'exception) doit juger.
Ici, le meneur de jeu était Catherine Des Hayes, veuve Montvoisin,
dite la Voisin, devineresse déjà compromise dans l'affaire de la
Brinvilliers (voir p. 120) pour vente de poison. Elle avait aussi
vendu des « poudres de succession » à des gens pressés d'hériter ou
à des femmes pressées d'être veuves. Ses complices étaient Cœu-
vret, dit Le Sage, et surtout Marie Vandon, femme du tailleur pour
dames Vigoureux, dite La Vigoureux, et brûlée comme la Voisin. Il
y eut 337 inculpés pour empoisonnements et maléfices, ce dernier
terme rappelant la part de sorcellerie par laquelle cette affaire se dif-
férencie de celle de la Brinvilliers. Plusieurs des inculpés, et non des
moindres, avaient d'abord pris le large.

Les « pauvres gens » (lettre 78, l. 4-5)

① Observer le parti pris de l'auteur en faveur des grands et la
condamnation du scandale déclenché, plutôt que des projets crimi-
nels, atténués par l'épistolière (*faire mourir un vieux mari,* l. 36, est
une *bagatelle,* l. 44).

② Relever des dérogations à l'apitoiement :
— pour Luxembourg, ironie et critique (il compromet la duché; cf.
le même reproche au même homme chez Saint-Simon);
— pour Mme de La Ferté, et surtout pour *la* Tingry (à cause de l'ani-
mosité personnelle de Mme de Coulanges contre elle?).

La « sorcière » (lettre 79)

① Étudier son portrait « en action » (femme forte, repoussante,
fascinante et inquiétante).

② Examiner un problème de critique historique : l'impénitence
finale de la Voisin, niée par son confesseur, ne s'oppose-t-elle pas,
selon les préjugés sociaux de l'auteur, à la fin édifiante de la marquise de Brinvilliers *(lettres 63-64)?*

③ Aborder un problème de critique de texte : le dernier paragraphe ne figure ni sur le manuscrit Capmas ni dans les éditions antérieures à 1754. Est-ce un passage d'autre date ou un habile pastiche,
interpolé ici?

1. Elles tentèrent d'empoisonner leur mari. — 2. On disait compromis Racine,
Mme de Montespan, etc.

dormit. Le mercredi se passa de même en confronta-
tions, et débauches, et chansons : elle ne voulut point
voir de confesseur. Enfin le jeudi, qui était hier, on ne
voulut lui donner qu'un bouillon : elle en gronda, crai-
gnant de n'avoir pas la force de parler à ces Messieurs.
Elle vint en carrosse de Vincennes à Paris; elle étouffa
un peu [1], et fut embarrassée [1]; on la **(g)** voulut faire
confesser, point de nouvelles. A cinq heures on la lia; et
avec une torche à la main, elle parut dans le tombereau,
habillée de blanc : c'est une sorte d'habit pour être brûlée **(i)**; elle était fort rouge, et l'on voyait qu'elle repous-
sait le confesseur et le crucifix avec violence. Nous la
vîmes passer à l'hôtel de Sully [2], Mme de Chaulnes et
Mme de Sully, la Comtesse [3], et bien d'autres. A Notre-
Dame, elle ne voulut jamais prononcer l'amende honorable [4], et à la Grève [5] elle se défendit, autant qu'elle
put, de sortir du tombereau : on l'en tira de force, on la
mit sur le bûcher, assise et liée avec du fer; on la couvrit
de paille; elle jura beaucoup; elle repoussa la paille cinq
ou six fois; mais enfin le feu s'augmenta, et on l'a perdue
de vue, et ses cendres sont en l'air présentement. Voilà
la mort de Mme Voisin, célèbre par ses crimes et par son
impiété. On croit qu'il y aura de grandes suites qui nous
surprendront.

Un juge, à qui mon fils disait l'autre jour que c'était
une étrange chose que de la faire brûler à petit feu, lui
dit : « Ah! Monsieur! il y a certains petits adoucisse-
ments à cause de la faiblesse du sexe. — Eh quoi! Monsieur, on les étrangle? — Non, mais on leur jette des
bûches sur la tête; les garçons du bourreau leur arra-
chent la tête avec des crocs de fer [6]. » Vous voyez bien,
ma fille, que cela n'est pas si **(y)** terrible que l'on pense :
comment vous portez-vous de ce petit conte [7]? Il m'a
fait grincer les dents [...].

80. A MADAME ET A MONSIEUR DE GRIGNAN

A Paris, dimanche 17e mars [1680].

Quoique cette lettre ne parte que mercredi, je ne puis
m'empêcher de la commencer aujourd'hui, pour vous

---

1. Eut la respiration gênée. — 2. Rue Saint-Antoine. — 3. *La comtesse* de Fiesque. — 4. Cf. lettre 63, l. 8. — 5. Lieu des exécutions. — 6. Surtout, la paille les asphyxiait avec sa fumée. — 7. Récit.

dire, ma bonne, que M. de La Rochefoucauld [1] est mort
cette nuit. J'ai la tête si pleine de ce malheur, et de
l'extrême affliction de notre pauvre amie [2], qu'il faut
que je vous en parle. Hier samedi, le remède de
l'Anglais [3] avait fait des merveilles; toutes les espérances de vendredi, que je vous écrivais, étaient augmen-
tées; on chantait victoire, la poitrine était dégagée, la
tête libre, la fièvre moindre, des évacuations salutaires;
dans cet état, hier à six heures, il se tourne à [4] la mort :
tout d'un coup les redoublements de fièvre, l'oppression, les rêveries [5]; en un mot, la goutte [6] l'étrangle
traîtreusement; et quoiqu'il eût beaucoup de force, et
qu'il ne fût point abattu des saignées, il n'a fallu que
quatre ou cinq heures pour l'emporter; et à minuit il a
rendu l'âme entre les mains de Monsieur [7] de Condom.
M. de Marsillac [8] ne l'a pas quitté d'un moment; il est
mort entre ses bras, dans cette chaise que vous connaissez. Il lui a parlé de Dieu avec courage. Il est dans une
affliction qui ne se **(g)** peut représenter; mais il retrouvera le Roi et la Cour; toute sa famille se retrouvera en
sa place; mais où Mme de La Fayette retrouvera-t elle un
tel ami, une telle société [9], une pareille douceur, un
agrément, une confiance, une considération pour elle et
pour son fils? Elle est infirme, elle est toujours dans sa
chambre, elle ne court point les rues; M. de La Rochefoucauld était sédentaire aussi : cet état les rendait
nécessaires l'un à l'autre; rien ne pouvait être comparé à
la confiance et aux charmes de leur amitié. Ma bonne,
songez-y, vous trouverez qu'il est impossible de faire
une perte plus sensible, et dont le temps puisse moins
consoler. Je ne l'ai pas quittée tous ces jours : elle
n'allait point faire la presse [10] parmi cette famille; ainsi
elle avait besoin qu'on eût pitié d'elle. Mme de Coulanges [11] a très bien fait aussi, et nous continuerons encore
quelque temps aux dépens de notre rate, qui est toute
pleine de tristesse [...].

1. Ami, ancien Frondeur, auteur des *Maximes*. — 2. Mme de La Fayette. — 3. Talor ou Tal-
bot, introducteur du quinquina. — 4. Tombe brusquement près de. — 5. Le délire. — 6.
Goutte (arthrite) remontée (passée des petites articulations sur un organe important). — 7.
L'évêque (Bossuet). — 8. Fils du défunt. — 9. Compagnie. — 10. Se bousculer. — 11. Femme
du cousin Emmanuel.

81. AU COMTE DE GUITAUT

[Paris], vendredi 5ᵉ avril [1680].

[...] Disons un mot de Madame la Dauphine [1]. J'ai eu
l'honneur de la voir; il est vrai qu'elle n'a nulle beauté [2],
mais il est vrai que son esprit lui sied si parfaitement
bien, qu'on ne voit que cela, et l'on n'est occupé que de
5 la bonne grâce et de l'air naturel avec lequel elle se
démêle de tous ses devoirs. Il n'y a nulle princesse née
dans le Louvre qui pût s'en **(g)** mieux acquitter. C'est
beaucoup que d'avoir de l'esprit au-dessus des autres
dans cette place, où pour l'ordinaire on se contente de
10 ce que la politique vous donne : on est heureux quand
on trouve du mérite. Elle est fort obligeante, mais avec
dignité et sans fadeur; elle a ses sentiments tout formés
dès Munich, elle ne prend point ceux des autres. On lui

● **Le monde comme il va** (lettres 76-77 et 80-81)

① Spécifier l'art narratif dans :
— l'évocation (*lettre 76, fin*) tourbillonnante, accumulative ou critique selon le thème traité (à préciser);
— l'anecdote *(lettre 77)* vivement troussée, puis épaissie à petites
touches en une situation à la cruauté balzacienne pour la victime;
— le récit *(lettre 80)* à participation sympathique (espoirs et chute)
malgré la connaissance préalable de l'issue;
— le portrait *(lettre 81)*, préfiguration un peu pâle de celui de la
duchesse de Bourgogne par Saint-Simon (« Régulièrement
laide... ») : discrétion sur un physique au total assez ingrat (cf. lettre
du 13 mars 1680 : « il y a quelque chose à son nez et à son front qui
est trop long, à proportion du reste : cela fait un mauvais effet
d'abord ») et mérite de la franchise et du naturel germaniques (cf. la
Palatine, mais avec *bonne grâce*, l. 5); noter le rôle d'animation du
dialogue dans la peinture de la sagesse.

② Étudier la variété du ton *(lettre 81) :* finesse, phrase à la Montaigne ou à la Proust, crudité finale.

③ Préciser l'attitude de l'auteur envers :
— les religieuses; tantôt critique, tantôt portée vers une idéalisation
un peu fade *(lettre 76);*
— les dépenses et les pertes au jeu : rude bon sens et précautions
oratoires et psychologiques;
— les victimes : humanité en profondeur *(lettres 77 et 80);*
— le féminisme *(lettre 77, fin).*

---

1. Marie de Bavière, femme du Grand Dauphin, fils de Louis XIV. — 2. Cf. lettre du
13 mars 1680 citée dans le commentaire.

15 propose de jouer : « Je n'aime point le jeu. » On la prie
d'aller à la chasse : « Je n'ai jamais aimé la chasse. —
Qu'aimez-vous donc? — J'aime la conversation; j'aime
à être paisiblement dans ma chambre; j'aime à travail-
ler »; et voilà qui est réglé et ne se contraint point. Ce
20 qu'elle aime parfaitement, c'est de plaire au Roi. Cette
envie est digne de son bon esprit, et elle réussit tellement bien dans cette entreprise, que le Roi lui donne
une grande partie de son temps aux dépens de ses
anciennes amies, qui souffrent [1] cette privation avec
25 impatience.

Songez, je vous prie, que voilà quasi toute la Fronde [2]
morte : il en mourra bien d'autres; pour moi, je ne
trouve point d'autre consolation, s'il y en a dans les pertes sensibles, que de penser qu'à tous les moments on
30 les suit, et que le temps même qu'on emploie à les pleurer ne vous arrête pas un moment; vous avancez toujours dans le chemin : que ne dirait-on point là-dessus?

Adieu, mon cher Monsieur : aimons-nous toujours
beaucoup. Et vous aussi, Madame, ne voulez-vous pas
35 bien en être? Mandez-moi promptement quand vous
aurez augmenté le clapier [3] : ce sera peut-être d'un petit
homme. Enfin croyez que je prends un grand intérêt à la
poule et aux poussins. Le bon abbé [4] est tout à vous.

EN BRETAGNE (MAI-OCTOBRE 1680)

82. A MADAME DE GRIGNAN

A Blois [5], jeudi 9ᵉ mai [1680].

Je veux vous écrire tous les soirs, ma chère enfant;
rien ne me **(g)** peut contenter que cet amusement. Je
tourne, je marche, je veux reprendre mon livre; j'ai
beau *tourner une affaire* [6], je m'ennuie, et c'est mon
5 écritoire qu'il me faut. Il faut que je vous parle, et
qu'encore que cette lettre ne parte ni aujourd'hui, ni
demain, je vous rende compte tous les soirs de ma jour-
née.

1. Subissent. — 2. Tous les grands Frondeurs : Retz, Mᵐᵉ de Longueville, La Rochefoucauld; on peut y joindre Fouquet. — 3. La famille. — 4. Le Bien Bon. — 5. En voyage par
eau, avec le Bien Bon, vers la Bretagne. — 6. Mot de l'ami La Garde.

10   Mon fils est parti cette nuit d'Orléans par la diligence, qui part tous les jours à trois heures du matin, et arrive le soir à Paris; cela fait un peu de chagrin [1] à la poste. Voilà les nouvelles de la route, en attendant celles de Danemark. Nous sommes montés dans le bateau à six heures par le plus beau temps du monde; j'y ai fait met-
15 tre le corps de mon grand carrosse, d'une manière que [2] le soleil n'a point entrée dedans : nous avons baissé les glaces; l'ouverture du devant fait un tableau merveil-leux; celle des portières et des petits côtés nous donne tous les points de vue qu'on peut imaginer. Nous ne
20 sommes que l'abbé et moi dans ce joli cabinet, sur de bons coussins, bien à l'air, bien à notre aise; tout le reste, comme des cochons sur la paille. Nous avons mangé du potage et du bouilli tout chaud **(c)** : on a un petit fourneau, on mange sur un ais [3] dans le carrosse,
25 comme le Roi et la Reine : voyez, je vous prie, comme tout s'est raffiné sur notre Loire, et comme nous étions grossiers [4] autrefois que *le cœur était à gauche* [5] : en vérité, ma fille, le mien, ou à droite ou à gauche, est tout plein de vous. Si vous me demandez ce que je fais dans
30 ce carrosse charmant, où je n'ai point de peur, j'y pense à ma chère enfant, je m'entretiens de la tendre amitié [6] que j'ai pour elle, de celle qu'elle a pour moi, de la sen-sibilité que j'ai pour tous ses intérêts, des ordres de la Providence qui nous sépare, de la tristesse que j'en ai; je
35 pense à ses affaires, je pense aux miennes; tout cela forme un peu *l'humeur de ma fille* [7] [...].

83. A MADAME DE GRIGNAN

A Nantes, lundi au soir 27ᵉ mai [1680].

[...] Je fus hier au Buron [8], j'en revins le soir; je pen-sai [9] pleurer en voyant la dégradation de cette terre; il y avait les plus vieux bois du monde; mon fils, dans son dernier voyage, lui a donné [10] les derniers coups de
5 cognée. Il a encore voulu vendre un petit bouquet [11] qui faisait une assez grande beauté; tout cela est pitoyable :

---

1. Déplaisir (lettre entre le fils et la mère). — 2. Telle *que*. — 3. Une planche. — 4. Frustes. — 5. Molière, *le Médecin malgré lui*, II, 4., *U.L.B.*, l. 730. — 6. Affection. — 7. Nom d'une allée du parc aux Rochers; à Livry se trouve *l'humeur de ma mère*. — 8. Terre de Mᵐᵉ de Sévi-gné, près de Nantes. — 9. Faillis. — 10. Fait donner (latinisme). — 11. Bois.

Charles de Sévigné
Dessin de Chateaubourg, gravé par C. M. F. Dieu
« Sa main est un creuset qui fond l'argent »

il en a rapporté quatre cents pistoles [1], dont il n'eut pas
un sou un mois après. Il est impossible de comprendre
ce qu'il fait, ni ce que son voyage de Bretagne lui a
10 coûté, où (k) il était comme un gueux, car il avait renvoyé ses laquais et son cocher à Paris : il n'avait que le
seul Larmechin [2] dans cette ville [3], où il fut deux mois.
Il trouve l'invention [4] de dépenser sans paraître [5], de
perdre sans jouer [6], et de payer sans s'acquitter; tou-
15 jours une soif et un besoin d'argent, en paix comme en
guerre; c'est un abîme de je ne sais quoi, car il n'a
aucune fantaisie [7], mais sa main est un creuset qui fond
l'argent. Ma bonne, il faut que vous essuyiez [8] tout ceci.
Toutes ces dryades [9] affligées que je vis hier, tous ces
20 vieux sylvains [9] qui ne savent plus où se retirer, tous ces
anciens corbeaux établis depuis deux cents ans dans
l'horreur [10] de ces bois, ces chouettes qui, dans cette
obscurité, annonçaient, par leurs funestes cris, les malheurs de tous les hommes; tout cela me fit hier des plain-
25 tes qui me touchèrent sensiblement le cœur; et que sait-
on même si plusieurs de ces vieux chênes n'ont point
parlé, comme celui où était Clorinde [11]? Ce lieu était un
luogo d'incanto [12], s'il en fut jamais : j'en revins donc

- **Le Buron** (lettre 83)

  ① Charles de Sévigné : analyser le paradoxe de son inconsistance
  (rien de grave, mais rien de saisissable).

  ② Étudier l'art de la formulation moraliste (analytique et ramas-
  sée) et de l'image puissante (riche et concentrée) avec le *creuset*
  (l. 17).

  ③ Une mythologie « mythique » : distinguer, à travers l'artifice littéraire, une vraie sensibilité au mystère de la forêt profonde et une
  vraie sympathie avec sa force vitale; noter que l'imitation du style
  héroïque baroque (Le Tasse) donne une phrase à la Chateaubriand
  (*ces chouettes qui...*, l. 22), dont la coupe s'oppose aux brefs mem-
  bres de phrase par lesquels notre auteur, avec La Bruyère, annonce
  la vivacité du XVIIIᵉ siècle.

  ④ Après avoir discerné les diverses causes du chagrin de l'auteur
  (esthétiques comme financières), reconnaître le courage, la politesse et la pudeur avec lesquels est estompée cette peine (distance
  moraliste sur Charles, poétique sur la forêt).

---

1. Pièces de dix francs. — 2. Voir p. 110, note 3. — 3. Nantes. — 4. Le moyen ingénieux. —
5. Briller. — 6. *Jouer* gros jeu. — 7. Aucun goût particulier. — 8. Subissez. — 9. Divinités
mythologiques des bois; cf. Ronsard : *Élégie contre les bûcherons de la forêt de Gâtine*. — 10.
Ce que certaines choses ont d'effrayant, de sinistre (L.). — 11. Héroïne de la *Jérusalem délivrée* du Tasse, enfermée en fait dans un cyprès. — 12. « Lieu d'enchantement » (*Jérusalem
délivrée*, chant XIII).

30 toute triste; le souper que me donna le premier président et sa femme ne fut point capable de me réjouir
[...].

84. A MADAME DE GRIGNAN

Aux Rochers, 9ᵉ juin, jour de la Pentecôte [1680].

[...] Pour moi, ma bonne, je trouve les jours d'une
longueur excessive, je ne trouve point qu'ils finissent;
sept, huit, neuf heures du soir n'y font rien. Quand il me
vient des Madames, je prends vitement mon ouvrage, je
5 ne les trouve pas dignes de mes bois, je les reconduis;

La dame en croupe et le galant en selle

s'en vont souper, et moi je vais me promener. Je veux
penser à Dieu, je pense à vous; je veux dire mon chape-
let, je rêve [1]; je trouve Pilois [2], je parle de trois ou qua-
10 tre allées nouvelles que je veux faire; et puis je reviens
quand il fait du serein, de peur de vous déplaire.
Je lis des livres de dévotion, parce que je voulais me
préparer à recevoir le Saint-Esprit; ah! ma bonne, que
c'eût été un vrai lieu pour l'attendre que cette solitude!
15 mais il souffle où il lui plaît, et c'est lui-même qui prépare les cœurs où il veut habiter; c'est lui qui prie en
nous par des gémissements ineffables [3]. C'est saint
Augustin qui m'a dit tout cela. Je le trouve bien janséniste [4], et saint Paul aussi; les jésuites [5] ont un fantôme
20 qu'ils appellent Jansénius, à qui ils disent mille injures;
ils ne font pas semblant de voir où cela remonte [6] : *est-
ce que je parle à lui* [7]? Et là-dessus ils font un bruit
étrange, et réveillent les disciples cachés de ces deux
grands saints.
25 Plût à Dieu que j'eusse à Vitré mes pauvres filles de
Sainte-Marie [8]! je n'aime point vos baragouines [9]
d'Aix : pour moi, je mettrais la petite [10] avec sa tante [11];
elle serait abbesse quelque jour; cette place est toute
propre aux vocations un peu équivoques : on accorde la
30 gloire et les plaisirs [...]. On a mille consolations dans

---

1. Réfléchis en liberté. — 2. Intendant des Rochers. — 3. Expression de saint Paul, *Romains*, VIII, 26. — 4. C'est à lui qu'était consacré l'*Augustinus*, ouvrage de Jansénius. — 5. Adversaires principaux des jansénistes. — 6. A saint Augustin, voire à saint Paul. — 7. Mot de Soyecourt sur un compagnon de chambre qui lui reprochait le bruit de sa conversation avec un tiers. — 8. De Nantes. — 9. Néologisme : allusion au dialecte ou à l'accent provençal? — 10. Marie-Blanche. — 11. *Sa tante* paternelle, abbesse à Aubenas.

une abbaye; on peut aller avec sa tante voir quelquefois la maison paternelle; on va aux eaux, on est la nièce de Madame; enfin il me semble que cela vaut mieux [...].

85. A MADAME DE GRIGNAN

Aux Rochers, ce mercredi 12ᵉ juin [1680].

[...] L'autre jour on me **(g)** vint dire : « Madame, il fait chaud dans le mail [1], il n'y a pas un brin de vent; la lune y fait des effets les plus **(d)** brillants du monde. » Je ne pus résister à la tentation; je mets mon infanterie sur
5   pied; je mets tous les bonnets, coiffes [2] et casaques [3] qui n'étaient point nécessaires; j'allai dans ce mail, dont l'air est comme [4] celui de ma chambre; je trouvai mille coxigrues [5], des moines blancs et noirs, plusieurs religieuses grises et blanches, du linge jeté par-ci, par-là,
10 des hommes noirs, d'autres ensevelis [6] tout droits contre des arbres, des petits hommes cachés, qui ne montraient que la tête, des prêtres qui n'osaient approcher [7]. Après avoir ri de toutes ces figures, et nous être persuadés que voilà ce qui s'appelle des esprits, et que notre imagina-
15 tion en est le théâtre, nous nous en revînmes sans nous arrêter, et sans avoir senti la moindre humidité. Ma chère bonne, je vous demande pardon, je crus être obli-

---

● **Finesse sensorielle et psychologique** (lettres 83 à 85)

① Étudier le bonheur de perception et d'expression conjointes dans l'impression de large vue et d'étalement voluptueux sur la Loire *(lettre 83)* et dans le « côté Dostoïevski » que Proust voyait par prédilection dans la *lettre 85.*

② Apprécier l'analyse du vague-à-l'âme dans l'ennui *(lettre 83)* et le porte-à-faux psychologique *(lettre 84),* avec ses divers aspects et le style ironiquement rustique par lequel l'auteur rend sa sauvagerie *(des Madames... vitement,* p. 149, l. 4). Voir comment Mᵐᵉ de Sévigné s'emploie à rassurer sa fille sur sa santé.
Observer *(lettre 84)* la complexité de l'attitude religieuse de l'auteur qui polémique en faveur des jansénistes et plaide pour une solution très profane au bénéfice de sa petite-fille.

---

1. Voir p. 135, note 2. — 2. Voir p. 89, note 10. — 3. Manteaux de femmes ajustés. — 4. Aussi bon que. — 5. Les coquecigrues de Rabelais : animaux imaginaires. — 6. Enveloppés d'un linceul. — 7. Cf. la lettre du 21 octobre 1671 : « Avant-hier, nous vîmes d'abord un homme noir [...]. Il s'approche, et il se trouva que c'était La Mousse. Un peu plus loin nous vîmes un corps blanc tout étendu [...] c'était un arbre que j'avais fait abattre la semaine passée. »

gée, à l'exemple des anciens, comme nous disait ce fou
que nous trouvâmes dans le jardin de Livry [1], de donner
20 cette marque de respect à la lune : je vous assure que je
m'en porte fort bien [...].

EN BRETAGNE
(SEPTEMBRE 1684-SEPTEMBRE 1685)

86. A MADAME DE GRIGNAN

Aux Rochers, mercredi 27e septembre [*1684*].

[...] Nous menons ici une vie assez triste; je ne crois
pas cependant que plus de bruit me fût agréable. Mon
fils a été chagrin de ces espèces de clous [2]; ma belle-fille
5   n'a que des moments de gaieté, car elle est tout accablée
de vapeurs [3]; elle change cent fois le jour de visage, sans
en trouver un bon; elle est d'une extrême délicatesse [4];
elle ne se promène quasi pas; elle a toujours froid; à
neuf heures du soir, elle est tout éteinte, les jours sont
10 trop longs pour elle; et le besoin qu'elle a d'être paresseuse fait qu'elle me laisse toute ma liberté, afin que je
lui laisse la sienne : cela me fait un extrême plaisir. Il n'y
a pas moyen de sentir [5] qu'il y ait une autre maîtresse
que moi dans cette maison; quoique je ne m'inquiète de
rien, je me vois servie par de petits ordres invisibles. Je
15 me promène seule, mais je n'ose me livrer à l'entre
chien et loup [6], de peur d'éclater en cris et en pleurs;
l'obscurité me serait mauvaise dans l'état où je suis : si
mon âme peut se fortifier, ce sera à la crainte de vous
fâcher [7] que je sacrifierai ce triste divertissement; pré-
20 sentement c'est à ma santé, et c'est encore vous qui me
l'avez recommandée; mais enfin, c'est toujours vous
[...].

87. A MADAME DE GRIGNAN

Aux Rochers, dimanche 1er octobre [*1684*].

[...] Elle [8] a de très bonnes qualités, du moins je le
crois; mais dans ce commencement, je ne me trouve dis-

---

1. Abbaye du Bien Bon. — 2. Tumeurs d'un mal consécutif à ses frasques de jeunesse.
— 3. Voir p. 27, note 5. — 4. Fragilité. — 5. Se rendre compte. — 6. Au crépuscule. —
7. Affliger. — 8. Sa belle-fille, femme de Charles.

posée à la louer que par les négatives; elle n'est point
ceci, elle n'est point *cela;* avec le temps je dirai peut-
⁵ être, elle est *cela.* Elle vous fait mille jolis compliments [1], elle souhaite d'être aimée de nous, mais sans
empressement [2]; *elle n'est donc point empressée :* je n'ai
que ce ton jusqu'ici; elle ne parle point breton, elle n'a
point l'accent de Rennes [...].

DERNIÈRES RETROUVAILLES PARISIENNES
(SEPTEMBRE 1685-OCTOBRE 1688)

88. A D'HERIGOYEN

[Paris], 14ᵉ juin 87.

Vous aviez bien du chagrin [3] quand vous m'avez écrit,
Monsieur d'Herigoyen; vous auriez mieux fait d'attendre que votre mauvaise [4] humeur fût passée; vous me
rebattez [5] deux ou trois fois que je commence toujours
⁵ mes lettres par vous demander **(q)** où vous êtes : je ne
trouve pas grand mal à vous le demander bonnement,
sachant que vous n'êtes ni à Vannes, ni à Nantes. Je n'ai
jamais douté un moment que vous ne reprissiez le soin
de mes affaires. Vous vous offensez qu'ayant **(s)** à rece-
¹⁰ voir toute l'année [6] de quatre mille francs de La Jarie [7],
et m'en ayant **(s)** déjà fait toucher trois mille francs, je
vous demande à bon compte encore mille francs, dans
une occasion pressante où j'en ai besoin : je connais
bien des gens qui auraient été ravis de cette occasion
¹⁵ pour me faire plaisir. Après tant de bonté et de
confiance que je vous ai témoignée **(m),** vous me refusez
rudement et malgracieusement : voilà qui est fait, je
suis bien aise de vous connaître; de la façon dont on
m'avait parlé de vous, j'étais persuadée que je pouvais
²⁰ vous faire cette proposition. Vous me ferez plaisir de
m'envoyer mon compte, et ce que La Jarie doit payer de
réparations, et ce que j'en dois payer aussi [...].

---

1. Civilités. — 2. Ardeur. — 3. Déplaisir. — 4. Sombre. — 5. Rabâchez. — 6. Redevance
annuelle. — 7. Précédent fermier du Buron; cf. lettre 83.

V. EN ATTENDANT GRIGNAN
(OCTOBRE 1688-OCTOBRE 1690)

Après d'ultimes mondanités parisiennes, le thème de la correspondance se fait tout intime; les conseils pédagogiques en occupent une grande part, préparant le temps des retrouvailles provençales.

A PARIS (OCTOBRE 1688-AVRIL 1689)

89. A MADAME DE GRIGNAN

*A Paris,
le jour de la Toussaint à neuf heures du soir [1688].*

Philisbourg [1] *est pris*, ma chère enfant; *votre fils* [2] *se porte bien.* Je n'ai qu'à tourner cette phrase de tous côtés, car je ne veux point changer de discours. Vous
5   apprendrez donc par ce billet que *votre enfant se porte bien, et que Philisbourg est pris.* Un courrier vient d'arriver chez M. de Villacerf, qui **(k)** dit que celui de Monseigneur [3] est arrivé à Fontainebleau [4] pendant que le P. Gaillard prêchait; on l'a interrompu, et on a remercié
10 Dieu dans le moment d'un si heureux succès et d'une si belle conquête. On ne sait point de détail, sinon qu'il n'y a point eu d'assaut [5], et que M. Du Plessis [6] disait vrai, quand il disait que le gouverneur faisait faire des chariots pour porter son équipage. Respirez donc, ma
15 chère enfant; remerciez Dieu premièrement : il n'est point question d'un autre siège; jouissez du plaisir que votre fils ait vu celui de Philisbourg; c'est une date admirable, c'est la première campagne de Monsieur le Dauphin [3] : ne seriez-vous pas au désespoir qu'il fût seul de
20 son âge qui n'eût point été à cette occasion, et que tous les autres fissent les entendus [7]? Ah, mon Dieu! ne parlons point de cela, tout est à souhait. Mon cher

---

1. Près de Mannheim. — 2. Louis-Provence. — 3. Fils du Roi. — 4. La Cour y était. — 5. Technique de Vauban. — 6. Gouverneur de Louis-Provence. — 7. Importants.

Comte, c'est vous qu'il en faut remercier : je me rejouis
de la joie que vous devez avoir; j'en fais mon compliment à notre Coadjuteur [1] : voilà une grande peine dont
25   vous êtes tous soulagés. Dormez donc, ma très belle,
mais dormez sur notre parole. Si vous êtes avide de
désespoirs, comme nous le disions autrefois, cherchez-
en d'autres, car Dieu vous a conservé votre cher
enfant : nous en sommes transportés, et je vous
30   embrasse dans cette joie avec une tendresse dont je
crois que vous ne doutez pas.

90. A MADAME DE GRIGNAN

A Paris, ce mercredi 8ᵉ décembre [1688].

Le petit fripon [2], après nous avoir mandé qu'il n'arri-
verait qu'hier mardi, arriva comme un petit étourdi
avant-hier, à sept heures du soir, que [3] je n'étais pas
revenue de la ville. Son oncle [4] le reçut et fut ravi de le
5   voir; et moi, quand je revins, je le trouvai tout gai, tout
joli, qui m'embrassa cinq ou six fois de très bonne grâce;
il me **(g)** voulait baiser les mains, je voulais baiser ses
joues, cela faisait une contestation : enfin je pris posses-
sion de sa tête; je la baisai à ma fantaisie; je voulus voir
10   sa contusion [5]; mais comme elle était, ne vous déplaise,
à la cuisse gauche, je ne trouvai pas à propos de lui faire
mettre chausses bas [6]. Nous causâmes le soir avec ce
petit compère; il adore votre portrait, il voudrait bien
voir sa chère maman; mais la qualité de guerrier est si
15   sévère, que l'on n'oserait rien proposer. Je voudrais que
vous l'eussiez entendu conter négligemment sa contusion, et la vérité du peu de cas qu'il en fit, et du peu
d'émotion qu'il en eut, lorsque dans sa tranchée tout en
était en peine. Au reste, ma chère enfant, s'il avait
20   retenu vos leçons, et qu'il se fût tenu droit, il était mort;
mais suivant sa bonne coutume, étant assis sur la banquette [7], il était penché [8] sur le comte de Guiche, avec
qui il causait : vous n'eussiez jamais cru, ma fille, qu'il

---

1. Voir p. 39, note 3. — 2. Louis-Provence, âgé de dix-sept ans. — 3. Alors *que*. — 4. Le
chevalier de Grignan, retenu par la goutte. — 5. Trace d'un coup reçu, sans effusion de sang.
— 6. Enlever sa culotte. — 7. *La banquette* de la tranchée. — 8. Le jeune marquis était un peu
tortu.

25 eût été si bon d'être un peu de travers. Nous causons
avec lui sans cesse, nous sommes ravis de le voir, et nous
soupirons que vous n'ayez point le même plaisir.

M. et Mme de Coulanges [1] le **(g)** vinrent voir le lendemain matin : il leur a rendu leur visite; il a été chez
M. de Lamoignon [2]; il cause, il répond : enfin c'est un
30 autre garçon [...].

91. A MADAME DE GRIGNAN

A Paris, vendredi 10e décembre [*1688*].

[...] Quand vous êtes ici, ma chère bonne, vous parlez
si bien à votre fils, que je n'ai qu'à vous admirer; mais
en votre absence, je me mêle de lui apprendre les manè-
ges des [3] conversations ordinaires, qu'il est important de
5 savoir : il y a des choses qu'il ne faut pas ignorer. Il
serait ridicule de paraître étonné de certaines nouvelles

● **L'art d'être grand'mère** (lettres 89 à 91 et 94)

① Allégresse *(lettre 89)* : voir comment le jeu (répétition en
chiasme du genre « Belle marquise... ») traduit sensiblement la
détente qui suit une longue inquiétude et se double de la satisfaction
de voir l'acquis gagné par le petit marquis.

② Bonhomie et fierté *(lettre 90)* : opposer aux bonnes manières
inculquées par sa mère au petit marquis (enfant timide et renfermé,
bridé de : « tenez-vous droit! », maintenant épanoui par son expérience de l'état adulte) la liberté d'allure et de propos, la familiarité
de ton de sa grand'mère (conciliées avec son goût pour l'héroïsme).

③ Éducation *(lettre 91)* : distinguer :
— la pédagogie pratique (dominée par la tyrannie de la vivacité
intellectuelle, fondement de « l'esprit français »);
— le prêche envahissant et peu efficace en faveur de la lecture (allusions « délicates », tour indirect, ami modèle);
— la formation virile à l'état adulte, doublée, par l'épistolière,
d'une critique du faste dépensier chez les Grignan, avec valorisation
très bourgeoise de la noblesse seulement morale (éducation non
princière).

④ Psycho-pédagogie *(lettre 94)* : analyser la perfection du sentiment de l'enfance (candeur, naturel, etc.), de l'affection (préférable
au perfectionnisme sec de Mme de Grignan) et du sens pédagogique
(appréciant le bien au lieu de critiquer le faible).

---

1. Le cousin Emmanuel et sa femme. — 2. Magistrat parisien. — 3. Manières de se compor-
ter dans les *conversations*.

sur quoi **(j)** l'on raisonne; je suis assez instruite de ces
bagatelles. Je lui prêche fort aussi l'attention à ce que
les autres disent, et la présence d'esprit pour l'entendre [1] vite et y répondre : cela est tout à fait capital dans
le monde. Je lui parle des prodiges de présence d'esprit
que Dangeau [2] nous contait l'autre jour; il les admire, et
je pèse [3] sur l'agrément et sur l'utilité même de cette
sorte de vivacité. Enfin, je ne suis point désapprouvée
par Monsieur le Chevalier [4]. Nous parlons ensemble de
la lecture, et du malheur extrême d'être livré à l'ennui et
à l'oisiveté; nous disons que c'est la paresse d'esprit qui
ôte le goût des bons livres, et même des romans :
comme ce chapitre nous tient au cœur, il recommence
souvent. Le petit d'Auvergne [5] est amoureux de la lecture : il n'avait pas un moment de repos à l'armée qu'il
n'eût un livre à la main; et Dieu sait si M. Du Plessis [6] et
nous faisons valoir cette passion si noble et si belle :
nous voulons être persuadés que le marquis en sera sus-
ceptible; nous n'oublions rien du moins pour lui inspirer
un goût si convenable. Monsieur le Chevalier est plus
utile à ce petit garçon qu'on ne peut se l'imaginer : il lui
dit toujours les meilleures choses du monde sur les grosses cordes de l'honneur et de la réputation, et prend un
soin de ses affaires dont vous ne sauriez trop le remercier; il entre dans tout, il se mêle de tout, et veut que le
marquis [7] ménage lui-même son argent, qu'il écrive,
qu'il suppute, qu'il ne dépense rien d'inutile : c'est ainsi
qu'il tâche de lui donner son esprit de règle et d'économie, et de lui ôter un air de grand seigneur, de
qu'importe, d'ignorance et d'indifférence, qui conduit
fort droit à toutes sortes d'injustices, et enfin à l'hôpi-
tal [8]. Voyez s'il y a une obligation [9] pareille à celle d'éle-
ver votre fils dans ces principes. Pour moi, j'en suis
charmée, et trouve bien plus de noblesse à cette éducation qu'aux autres [...].

---

1. Comprendre. — 2. Duc, auteur d'un *Journal.* — 3. J'insiste. — 4. De Grignan, oncle
paternel de Louis-Provence. — 5. Petit-neveu de Turenne. — 6. Cf. lettre 89, l. 11. — 7.
Louis-Provence. — 8. L'hospice. — 9. Un service.

92. A MADAME DE GRIGNAN

A Paris, ce lundi 3ᵉ janvier [1689].

[...] Il [1] m'a donc conté que l'on commença dès le
vendredi, comme je vous l'ai dit : ceux-là étaient pro-
fès [2] avec de beaux habits et leurs colliers et de fort
bonne mine. Le samedi, c'était tous les autres; deux
5 maréchaux de France étaient demeurés : le maréchal de
Bellefonds [3] totalement ridicule, parce que, par modestie et par mine indifférente, il avait négligé de mettre
des rubans au bas de ses chausses de page [4], de sorte
que c'était une véritable nudité. Toute la troupe était
10 magnifique, M. de La Trousse [5] des mieux : il y eut un
embarras dans sa perruque qui lui fit passer ce qui était à
côté assez longtemps derrière, de sorte que sa joue était
fort découverte; il tirait toujours; ce qui l'embarrassait,
ne voulait pas venir : cela fut un petit chagrin. Mais, sur
15 la même ligne, M. de Montchevreuil et M. de Villars [6]
s'accrochèrent l'un à l'autre d'une telle furie, les épées,
les rubans, les dentelles, tous les clinquants [7], tout se
trouva tellement mêlé, brouillé, embarrassé, toutes les
petites parties crochues [8] étaient si parfaitement entre-
20 lacées, que nulle main d'homme ne put les séparer :
plus on y tâchait, plus on brouillait, comme les anneaux
des armes de Roger [9]; enfin toute la cérémonie, toutes
les révérences, tout le manège demeurant arrêté **(c)**, il
fallut les arracher de force, et le plus fort l'emporta.
25 Mais ce qui déconcerta [10] entièrement la gravité de la
cérémonie, ce fut la négligence du bon d'Hocquincourt,
qui était tellement habillé comme les Provençaux et les
Bretons, que, ses chausses de page étant moins commodes que celles qu'il a d'ordinaire, sa chemise ne voulut
30 jamais y demeurer, quelque prière qu'il lui en fît; car
sachant son état, il tâchait incessamment d'y donner
ordre, et ce fut toujours inutilement; de sorte que
Madame la Dauphine ne put tenir [11] plus longtemps les
(b) éclats de rire : ce fut une grande pitié [...].

---

1. Le cousin Coulanges qui venait d'assister à la remise du cordon du Saint-Esprit à M. de
Grignan, entre autres. — 2. Qui a fait ses vœux religieux (ironique pour un ordre de chevalerie). — 3. Cf. lettre 38. — 4. Culotte ajustée. — 5. Cf. lettre 52. — 6. Père du futur maréchal.
— 7. Lamelles dorées ou argentées. — 8. Allusion aux atomes d'Épicure. — 9. Allusion au
Roland furieux de l'Arioste. — 10. Troubla. — 11. Retenir.

93. A MADAME DE GRIGNAN

A Paris, ce lundi 21ᵉ février [1689].

[...] Nous écoutâmes, le maréchal [1] et moi, cette tragédie [2] avec une attention qui fut remarquée, et de certaines louanges sourdes et bien placées, qui n'étaient peut-être pas sous les fontanges [3] de toutes les dames.
5 Je ne puis vous dire l'excès de l'agrément de cette pièce : c'est une chose qui n'est pas aisée à représenter, et qui ne sera jamais imitée; c'est un rapport de la musique, des vers, des chants, des personnes, si parfait et si complet, qu'on n'y souhaite rien [4]; les filles qui font [5]
10 des rois et des personnages sont faites exprès : on est attentif, et on n'a point d'autre peine que celle de voir finir une si aimable pièce; tout y est simple, tout y est innocent, tout y est sublime et touchant : cette fidélité de [6] l'histoire sainte donne du respect; tous les chants
15 convenables [7] aux paroles, qui sont tirées des *psaumes* [8] ou de *la Sagesse* [9], et mis dans le sujet, sont d'une beauté qu'on ne soutient [10] pas sans larmes : la mesure [11] de l'approbation qu'on donne à cette pièce, c'est celle du goût et de l'attention [12]. J'en fus charmée,

---

● **Les rites royaux** (lettres 92 et 93)

Ridicules (lettre 92)

① Étudier comment les faits ont été sélectionnés (par Coulanges d'abord?) pour réduire une imposante cérémonie à une collection de petites misères narrées sans méchanceté, et voir en détail leur reconstitution irrésistible par l'imagination concrète et animée de l'auteur.

Théâtraux (lettre 93)

② Examiner les aspects du « théâtre » des mondanités dans la salle (auto-satisfaction de l'auteur, fascination par le Roi dont les plats propos sont traités en paroles historiques, esquisse du tourbillon final, etc.).

③ Examiner les termes manifestant en *Esther* une tragédie non classique (sujet biblique, synthèse d'arts avec les psaumes chantés en chœur) où les rôles étaient tous tenus par les demoiselles de Saint-Cyr (institution de Mᵐᵉ de Maintenon).

---

1. De Bellefonds, son voisin; cf. lettre 92. — 2. *Esther,* de Racine, créée par les jeunes filles de Saint-Cyr en cette institution de Mᵐᵉ de Maintenon. — 3. Coiffure de femmes : « Édifice à plusieurs étages dont l'ordre et la structure changent selon leurs caprices » (La Bruyère, XIII, 12). — 4. *Rien* de plus. — 5. Incarnent. — 6. *Fidélité* à. — 7. Appropriés. — 8. De David. — 9. Livre de *la Sagesse,* attribué à Salomon. — 10. Supporte. — 11. Le degré. — 12. *L'attention* dont on a fait preuve.

20 et le maréchal aussi, qui sortit de sa place, pour aller
dire au Roi combien il était content, et qu'il **(w)** était
auprès d'une dame qui était bien digne d'avoir vu
Esther. Le Roi vint vers nos places, et après avoir
tourné, il s'adressa à moi, et me dit : « Madame, je
25 suis [1] assuré que vous avez été contente. » Moi, sans
m'étonner [2], je répondis : « Sire, je suis charmée; ce
que je sens est au-dessus des paroles. » Le Roi me dit :
« Racine a bien de l'esprit [3]. » Je lui dis : « Sire, il en a
beaucoup; mais en vérité ces jeunes personnes en ont
30 beaucoup aussi : elles entrent dans le [4] sujet comme si
elles n'avaient jamais fait autre chose. » Il me dit :
« Ah! pour cela, il est vrai. » Et puis Sa Majesté s'en
alla, et me laissa l'objet de l'envie : comme il n'y avait
quasi que moi de nouvelle venue, il eut quelque plaisir
35 de voir mes sincères admirations sans bruit et sans éclat.
Monsieur le Prince [5], Madame la Princesse me **(g)** vinrent dire un mot; Mme de Maintenon, un éclair : elle s'en
allait avec le Roi; je répondis à tout, car j'étais en fortune [6]. Nous revînmes le soir aux flambeaux [...].

94. A MADAME DE GRIGNAN

A Paris, ce mercredi des Cendres, 23e février [1689].

Ma chère enfant, votre vue de Marseille me ravit :
j'aime cette ville qui ne ressemble à nulle autre. Ah! que
je comprends bien les sincères admirations de Pauline [7]!
que cela est naïf, que cela est vrai, que toutes ses surpri-
5 ses sont neuves! que je la crois jolie! que je lui crois un
esprit qui me plaît! Il me semble que je l'aime, et que
vous ne l'aimez pas assez : vous voudriez qu'elle fût parfaite; avait-elle gagé [8] de l'être au sortir de son couvent [9]? vous n'êtes point juste : et qui est-ce qui n'a
10 point de défauts? en conscience, vous attendiez-vous
qu'elle n'en eût point? où preniez-vous cette espérance?
ce n'était pas dans la nature : vous vouliez donc qu'elle
fût un prodige prodigieux, comme il n'y en a jamais eu.
Il me semble que si j'étais avec vous, je lui rendrais de

---

1. On m'a. — 2. Me déconcerter. — 3. Du talent. — 4. S'adaptent au. — 5. Fils du Grand
Condé. — 6. En verve. — 7. Seconde fille de Mme de Grignan. — 8. Parié. — 9. A quatorze
ans.

15 grands offices [1], rien qu'en redressant un peu votre imagination, et en vous demandant si une petite personne qui ne songe qu'à plaire et à se corriger, qui vous aime, qui vous craint, qui a bien de l'esprit, n'est pas dans le rang de tout ce qu'il y a de meilleur. Voilà ce que mon
20 cœur vous (g) a voulu dire de ma chère Pauline, que j'aime et que je vous prie d'embrasser tout à l'heure [2] pour l'amour de moi. Ajoutez-y cette bonne conscience qui la fait si bien renoncer au pacte [3], quand elle voit les diableries des joueurs de gobelets [4]. Cette vie, quoique
25 agréable, vous aura fatiguée : en voilà trop pour vous, ma chère fille; vous vous couchiez tard, vous vous leviez matin : j'ai eu peur pour votre santé. Ce qui fait que je ne vous parle point de la mienne, c'est qu'elle est comme je souhaite la vôtre, et que je n'ai rien à dire sur
30 ce sujet [...].

95. A MADAME DE GRIGNAN

A Paris, ce vendredi 25ᵉ mars, jour de l'Annonciation
[*1689*].

[...] Écoutez un peu ceci, ma bonne. Connaissez-vous M. de Béthune [5], le berger extravagant [6] de Fontainebleau, autrement *Cassepot*? Savez-vous comme il est
5 fait? Grand, maigre, un air de fou, sec, pâle; enfin comme un vrai *stratagème* [7]. Tel que le voilà, il logeait à l'hôtel de Lyonne, avec le duc, la duchesse d'Estrées, Mᵐᵉ de Vaubrun et Mˡˡᵉ de Vaubrun [8]. Cette dernière alla, il y a deux mois, à Sainte-Marie du faubourg Saint-
10 Germain; on crut que c'était le bonheur de sa sœur qui faisait cette religieuse [9], et qu'elle aurait tout le bien [10]. Savez-vous ce que faisait ce *Cassepot* à l'hôtel de Lyonne? L'amour, ma bonne, l'amour avec [11] Mˡˡᵉ de Vaubrun : tel que je vous le [12] figure, elle l'aimait. Ben-
15 serade [13] dirait là-dessus, comme de Mᵐᵉ de Ventadour qui aimait son mari [14] : « Tant mieux, si elle aime celui-

_____

1. Services. — 2. A l'instant. — 3. *Pacte* avec le diable. — 4. Escamoteurs. — 5. Alors veuf sexagénaire; il avait auparavant épousé Mˡˡᵉ des Marets contre le gré de son père, et vécu misérablement avec elle à Fontainebleau, se promenant à la roche de *Cassepot*, d'où lui resta ce surnom. — 6. Locution proverbiale depuis l'ouvrage de ce titre où Charles Sorel raille l'amour romanesque, pastoral et précieux. — 7. Mot utilisé un jour à contresens, pour un visage émacié, par Mᵐᵉ Noblet; passé en proverbe chez Mᵐᵉ de Sévigné, que cette bourde enchantait. — 8. Respectivement belle-sœur et sœur de la duchesse d'Estrées. — 9. *C'était pour le bonheur de sa sœur* qu'on *faisait* Mˡˡᵉ de Vaubrun *religieuse*. — 10. *Le bien* de Mˡˡᵉ de Vaubrun, liée par le vœu de pauvreté. — 11. La cour à. — 12. Cassepot. — 13. Cf. p. 55, note 10. — 14. Voir p. 56, note 5.

là, elle en aimera bien un autre. » Cette petite fille de dix-sept ans a donc aimé ce don Quichotte; et hier il alla, avec cinq ou six gardes de M. de Gêvres [1], enfon-
20 cer la grille du couvent avec une bûche et des coups redoublés : il entra avec un homme à lui dans ce couvent, trouve Mlle de Vaubrun qui l'attendait, la prend, l'emporte, la met dans un carrosse, la mène chez M. de Gêvres, fait un mariage sur la croix de l'épée [2], couche avec elle; et le matin, dès la pointe du jour, ils sont **(p)**
25 disparus tous les deux, et on ne les a pas encore retrouvés. En vérité, c'est là qu'on peut dire encore :

Agnès et le corps mort s'en sont allés ensemble [3] [...]

EN BRETAGNE (MAI 1689-OCTOBRE 1690)

96. A MADAME DE GRIGNAN

Au Ponteau-de-mer [4], *lundi 2e mai* [*1689*].

[...] Nous sommes venues coucher ici : j'ai vu le plus beau pays du monde. Il y a onze lieues [5] d'ici à Rouen : j'ai vu toutes **(c)** les beautés et les tours [6] de cette belle
5 Seine et les plus belles prairies du monde. Ses rives, pendant quatre ou cinq lieues que j'étais sur le bord, n'en doivent rien [7] à ceux de la Loire : ils sont gracieux; ils sont ornés de maisons, d'arbres et de petits saules, de petits canaux [8] qu'on fait sortir de cette grande rivière :
10 en vérité, cela est beau. Je ne connaissais point la Normandie, je l'avais vue trop jeune [9]; hélas! il n'y a peut-être plus personne de tous ceux que j'y voyais autrefois : cela est triste. Je n'y ai pas même trouvé la crème de Sotteville [10] dans les mêmes petits plats de faïence,
15 qui faisaient plaisir; ils sont devenus des écuelles d'étain, je n'en veux plus.
J'espère trouver à Caen [11], où nous serons mercredi, votre lettre du 21e et celle de M. de Chaulnes [12]; je vous le manderai [...].

---

1. Gouverneur de Paris. — 2. Serment militaire de mariage, mais non pas cérémonie régulière ni sacramentelle. — 3. Molière, *l'École des femmes*, V, 5; mais Mme de Sévigné ne croit pas si bien dire : Cassepot mourra en novembre 1690, dans cette existence fugitive. — 4. Pont-Audemer, entre Rouen et Honfleur. — 5. Environ 44 km. — 6. Méandres. — 7. Ne le cèdent en *rien*. — 8. *Canaux* de drainage des plaines marécageuses dans les boucles. — 9. Peut-être en 1640 avec l'oncle Philippe de Coulanges, après la révolte des Nu-pieds. — 10. Bourg à l'entrée de Rouen. — 11. Cf. lettre du 5 mai 1689 : « La plus jolie ville, la plus avenante, la plus gaie, la mieux située, les plus belles rues, les plus beaux bâtiments, les plus belles églises; des prairies, des promenades, et enfin la source de tous nos plus beaux esprits » (à savoir Malherbe, Segrais, Huet). — 12. Voir p. 76, note 2.

97. A MADAME DE GRIGNAN

A Rennes, ce dimanche 15ᵉ mai [1689].

[...] M. de Chaulnes me parle souvent de vous; il est occupé des milices [1] : c'est une chose étrange que de voir mettre le chapeau à des gens qui n'ont jamais eu que des bonnets bleus sur la tête; ils ne peuvent comprendre l'exercice, ni ce qu'on leur défend. Quand ils avaient leurs mousquets sur l'épaule et que M. de Chaulnes paraissait, ils voulaient le saluer, l'arme tombait d'un côté et le chapeau de l'autre; on leur a dit qu'il ne faut point saluer; et quand ils sont désarmés, ils voient passer M. de Chaulnes, ils enfoncent leurs chapeaux avec les deux mains, et se gardent bien de le saluer. On leur a dit qu'il ne faut pas branler [2] ni aller et venir quand ils sont dans leurs rangs : ils se laissaient rouer [3] l'autre jour par le carrosse de Mᵐᵉ de Chaulnes, sans vouloir se retirer d'un seul pas, quoi qu'on pût leur dire. Enfin, ma fille, nos bas Bretons sont étranges : je ne sais comme faisait Bertrand du Guesclin pour les avoir rendus en son temps les meilleurs soldats de France [4] [...].

98. A MADAME DE GRIGNAN

Aux Rochers, ce dimanche 17ᵉ juillet [1689].

J'ai reçu enfin la réponse sur le bien de M*** [5]; elle est en vérité un peu trop sincère. Si on avait toujours donné de pareils mémoires [6], quand il a été question de mariages, il y en a bien au monde qui ne seraient pas faits. Des dettes en quantité, des terres sujettes à la taille [7], de la vaisselle d'argent en gage : bon Dieu! quels endroits! Mais que sont devenus tous ces beaux meubles, ces grands brasiers [8], ces plaques [9], ce beau buffet, et tout ce que nous vîmes à M*** [5]? Je crus que

---

1. Troupes auxiliaires de conscrits tirés au sort. — 2. Remuer. — 3. Écraser. — 4. Même référence, mais en sens inverse, le 30 juillet : « Le régiment de Kerman est fort beau; ce sont tous bas Bretons, grands et bien faits au-dessus des autres, qui n'entendent pas un mot de français, que quand on leur fait faire l'exercice, qu'ils font d'aussi bonne grâce que s'ils dansaient des passe-pieds : c'est un plaisir que de les voir. Je crois que c'était de ceux de cette espèce que Bertrand du Guesclin disait qu'il était invincible à la tête de ses Bretons. » — 5. Marignanes (la première et la troisième fois, l'homme; la seconde, le château de ce nom). — 6. Exposés écrits (pour Mᵐᵉ de Marbeuf, qui envisageait un mariage; cf. lettre du 8 juin). — 7. L'impôt. — 8. Voir p. 136, note 9. — 9. Réflecteurs d'argent ouvragés montés sur un chandelier.

¹⁰ c'était une illusion, et je vois que je ne me trompais pas : il faut que les affaires de M*** se sentent [1] du temps, comme celles de tout le monde.

Votre vie me fait plaisir à imaginer, ma chère Comtesse, j'en réjouis mes bois [2]. Quelle bonne compagnie! ¹⁵ quel beau soleil! et qu'avec une si bonne société il est aisé de chanter :

> On entend souffler la bise :
> Eh bien! laissons-la souffler!

²⁰ Vous souffririez [3] plus impatiemment la continuation de nos pluies; mais elles ont cessé, et j'ai repris mes tristes et aimables promenades. Que dites-vous, mon enfant? Quoi? vous voudriez qu'ayant (s) été à la messe, ensuite au dîner, et jusqu'à cinq heures à travailler, ou à causer avec ma belle-fille, nous n'eussions point deux ou ²⁵ trois heures à nous! Elle en serait, je crois, aussi fâchée [4] que moi : elle est fort jolie femme, nous sommes fort bien ensemble, mais nous avons un grand goût pour cette liberté, et pour nous retrouver ensuite. ³⁰ Quand je suis avec vous, ma fille, je vous avoue que je ne vous quitte jamais qu'avec chagrin, et par considération pour vous [5]; avec toute autre, c'est par considération pour moi. Rien n'est plus juste, ni plus naturel, et il n'y a point deux personnes pour qui l'on soit comme je ³⁵ suis pour vous : ainsi laissez-nous un peu dans notre *sainte liberté;* je m'en accommode, et avec des livres le temps passe, en sa manière, aussi vite que dans votre brillant château. Je plains ceux qui n'aiment point à lire. Votre enfant [6] est de ce nombre jusqu'ici; mais j'espère, ⁴⁰ comme vous, que quand il verra ce que c'est que l'ignorance à [7] un homme de guerre, qui a tant à lire des [8] grandes actions des autres, il voudra les connaître, et ne laissera pas cet endroit imparfait. La lecture apprend aussi, ce me semble, à écrire. Je connais des lieutenants ⁴⁵ généraux dont le style est populaire [9]; c'est pourtant une jolie chose que de savoir écrire ce que l'on pense; mais c'est quelquefois aussi que ces gens-là écrivent comme ils pensent et comme ils parlent [10], tout est complet. Je crois que le marquis écrira bien : il y a longtemps que je veux qu'il vous (g) aille voir au mois de novembre; et

1. Se ressentent. — 2. En me l'y représentant. — 3. Subiriez. — 4. Désolée. — 5. En fonction de votre point de vue. — 6. Louis-Provence; cf. lettre 91. — 7. Pour. — 8. Sur les. — 9. Vulgaire. — 10. C'est-à-dire vulgairement.

50 comme il aura dix-huit ans, il faudrait tout d'un train
    songer à le marier, en avoir des petits, et puis le ren-
    voyer; mais ne vous amusez point à [1] Mlle d'Or*** [2] :
    c'est un lanternier [3] que son père [4], dont le style et la
    mauvaise volonté me mettent en colère [...].

99. A MADAME DE GRIGNAN

Aux Rochers, mercredi 16ᵉ novembre [1689].

[...] Je ne veux rien dire sur les goûts de Pauline [5]; je
les ai eus [6] avec tant d'autres qui valent mieux que moi,
que je n'ai qu'à me taire. Il y a des exemples des bons et
des mauvais effets de ces sortes de lectures : vous ne les
5   aimez pas, vous avez fort bien réussi; je les aimais, je
n'ai pas trop mal couru ma carrière; *tout est sain aux
sains* [7], comme vous dites. Pour moi, qui voulais
m'appuyer dans [8] mon goût, je trouvais qu'un jeune
homme devenait généreux [9] et brave en voyant mes
10 héros, et qu'une fille devenait honnête et sage en lisant
Cléopâtre. Quelquefois il y en a qui prennent un peu les
choses de travers [10]; mais elles ne feraient peut-être
guère mieux, quand elles ne sauraient pas lire : quand
on a l'esprit bien fait, on n'est pas aisée **(i)** à gâter;
15 Mme de La Fayette [11] en est encore un exemple. Cependant il est très assuré, très vrai, très certain, que M.
Nicole [12] vaut mieux; vous en êtes charmée : c'est son
éloge; ce que j'en ai lu chez Mme de Coulanges [13], me
persuade aisément qu'il vous **(g)** doit plaire. Si Dieu se
20 sert de cet aimable livre pour vous donner son amour [14],
vous serez bien heureuse et bien digne d'envie; il me
donne au moins la grâce d'être persuadée qu'il n'y a rien
que cela de véritablement souhaitable en ce monde.
Cela supposé, je vous conjure, ma chère Pauline, de ne
25 pas tant laisser tourner votre esprit du côté des choses
frivoles, que vous n'en conserviez pour les solides [15] et

---

1. *Ne* perdez *point* votre temps avec. — 2. D'Oraison. — 3. Irrésolu en toutes choses. — 4. Sénéchal de Provence. — 5. Voir p. 159, note 7; à quinze ans, elle aime les romans. — 6. Cf. lettre 33. — 7. Cf. saint Paul : « Tout est pur aux purs. » — 8. Me justifier. — 9. D'âme noble et énergique. — 10. Cf. la Javotte du *Roman bourgeois* de Furetière. — 11. Romancière et amie de l'auteur. — 12. Cf. lettres 35-36. — 13. Femme du cousin Emmanuel. — 14. Le désir de l'aimer. — 15. Durables, sérieuses.

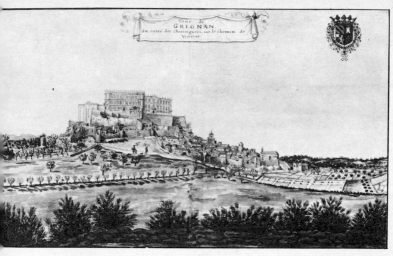

Veue de
GRIGNAN,
du costé des Chastaigners, sur le chemin de
Vaureas.

Le
château
de
Grignan

pour les histoires [1]; autrement votre goût aurait les
pâles couleurs [2]. Nous lisons l'*Histoire de l'Église* de
M. Godeau [3]; vraiment c'est une très belle chose; quel
30   respect cela donne pour la religion! avec l'Abbadie [4], on
serait toute **(i)** prête **(i)** à souffrir le martyre. Chaque
chose a son temps : Corisque [5] est bien friponne et bien
jolie, *altri tempi, altre cure* [6]. Aimez-moi toujours, ma
chère belle [7]; mais ne mesurez jamais les autres ami-
35   tiés [8] à la vôtre; vous avez un cœur du premier ordre,
dont personne ne peut approcher.

100. A MADAME DE GRIGNAN

Aux Rochers, mercredi 28ᵉ décembre [1689].

[...] Nous en [9] avons eu ici les plus **(d)** beaux du
monde jusqu'à la veille de Noël. J'étais au bout de la
grande allée, admirant la beauté du soleil, quand tout
d'un coup je vis sortir du couchant un nuage noir et poé-
5   tique où le soleil s'**(g)**alla plonger, et en même temps un
brouillard affreux; et moi de m'enfuir. Je n'ai **(p)** pas
sorti de ma chambre et de la chapelle jusques à
aujourd'hui, que [10] la colombe a apporté le rameau [11] :
la terre a repris sa couleur; et les arbres qui étaient cou-
10   verts de fenouil confit [12], sont comme à l'ordinaire; et le

---

● **Lectures et réflexions** (lettres 96 à 99)

— Les principes : le plaidoyer pour la lecture repose non sur des
vues abstraites, mais sur l'expérience vécue et des considérations
sociales pratiques *(lettre 98)*.

— Les conseils : le sérieux actuel n'a pas fait oublier les agréments
du romanesque (évoqués au passé); apprécier la tolérance et le relativisme de Mᵐᵉ de Sévigné, mais son goût très classique du *solide*
(lettre 99, l. 26).

Intimité psychologique

— Références au passé, à la fuite du temps : y relever un phéno-
mène de l'âge (cf. *lettre 96 :* le temps perdu, irremplaçable, et le
refus de l'actuel), à l'effet attristant (cf. *lettre 98 :* contraste avec la
misère du temps).

---

1. Ouvrages historiques. — 2. De l'anémie. — 3. Évêque de Marseille. — 4. Théologien
protestant, auteur du *Traité de la vérité de la religion chrétienne* (1684). — 5. Héroïne importune du *Pastor Fido* de Guarini, livre de chevet de Pauline. — 6. « Autres temps, autres
soins ». — 7. De nouveau Mᵐᵉ de Grignan. — 8. Affection. — 9. Des jours. — 10. Où. — 11.
Allusion à la fin du Déluge biblique. — 12. Peut-être lichens ou mousses.

soleil, ressortant de son trou, fera que je reprendrai aussi le cours de mes promenades. [...]

101. A MADAME DE GRIGNAN

Aux Rochers, ce dimanche 15ᵉ janvier [1690].

[...] Pour Pauline [1], cette dévoreuse de livres, j'aime mieux qu'elle en avale de mauvais que de ne point aimer à lire [2]; les romans, les comédies [3], les Voiture [4], les Sarrasin [5], tout cela est bientôt épuisé : a-t-elle tâté de Lucien [6]? est-elle à portée des *petites Lettres* [7]? après, il faut l'histoire; si on a besoin de lui pincer le nez pour la faire avaler, je la plains. Pour les beaux livres de dévotion, si elle ne les aime pas, tant pis pour elle; car nous ne savons que trop que, même sans dévotion, on les trouve charmants [8]. A l'égard de la morale, comme elle n'en ferait pas un si **(y)** bon usage que vous, je ne voudrais point du tout qu'elle mît son petit nez, ni dans Montaigne, ni dans Charron [9], ni dans les autres de cette sorte; il est bien matin [10] pour elle. La vraie morale de son âge, c'est celle qu'on apprend dans les bonnes conversations, dans les fables, dans les histoires [11] par les exemples; je crois que c'est assez. Si vous lui donnez un peu de votre temps pour causer avec elle, c'est assurément ce qui serait le plus utile : je ne sais si tout ce que je dis vaut la peine que vous le lisiez; je suis bien loin d'abonder dans mon sens [12].

Vous me demandez si je suis toujours une petite dévote qui ne vaut guère : oui, justement, ma chère enfant, voilà ce que je suis toujours, et pas davantage, à mon grand regret. Oh! tout ce que j'ai de bon, c'est ce que je sais bien ma religion, et de quoi il est question; je ne prendrai point le faux pour le vrai; je sais ce qui est bon et ce qui n'en a que l'apparence; j'espère ne m'y **(g)** point méprendre, et que **(w)** Dieu m'ayant déjà donné de bons sentiments [13], il m'en donnera encore : les grâces passées me garantissent en quelque sorte celles qui viendront, en sorte que je vis dans la confiance, mêlée

---

1. Cf. lettre 99. — 2. Comme le petit marquis; cf. lettre 91. — 3. Pièces de théâtre. — 4. Poète et épistolier précieux et spirituel du début du siècle. — 5. Poète et historien du début du siècle. — 6. *Lucien* de Samosate, le Voltaire de l'Antiquité. — 7. Les *Provinciales* de Pascal. — 8. Envoûtants. — 9. Moraliste continuateur du scepticisme de Montaigne. — 10. C'est trop tôt. — 11. Cf. lettre 99, l. 27. — 12. Gide, dans son *Journal,* appréciait cette formule entre toutes. — 13. Opinions.

pourtant de beaucoup de crainte. Mais je vous gronde,
ma chère Comtesse, de trouver notre Corbinelli [1] le
35 *mystique du diable;* votre frère en pâme de rire; je le
gronde comme vous. Comment, *mystique du diable?* un
homme qui ne songe qu'à détruire son [2] empire; qui ne
cesse d'avoir commerce [3] avec les ennemis du diable,
qui sont les saints et les saintes de l'Église! un homme
40 qui ne compte pour rien son chien de corps; qui souffre
la pauvreté *chrétiennement* (vous direz *philosophique-
ment*); qui ne cesse de célébrer les perfections et l'existence de Dieu; qui ne juge jamais son prochain, qui
l'excuse toujours; qui passe sa vie dans la charité et le
45 service du prochain; qui ne cherche point les délices ni
les plaisirs; qui est entièrement soumis à la volonté de
Dieu! Et vous appelez cela le *mystique du diable!* Vous
ne sauriez nier que ce ne soit là le portrait de notre pauvre ami : cependant il y a dans ce mot un air de plaisan-
50 terie, qui fait rire d'abord, et qui pourrait surprendre [4]
les simples. Mais je résiste, comme vous voyez, et je
soutiens le fidèle admirateur de sainte Thérèse [5], de ma
grand'mère [6], et du bienheureux [7] Jean de La Croix.
     A propos de Corbinelli, il m'écrivit l'autre jour un
55 fort joli billet; il me rendait compte d'une conversation
et d'un dîner chez M. de Lamoignon [8] : les acteurs
étaient les maîtres du logis, Monsieur [9] de Troyes, Monsieur [9] de Toulon, le P. Bourdaloue [10], son compagnon [11], Despréaux [12] et Corbinelli. On parla des ouvra-
60 ges des anciens et des modernes [13]; Despréaux soutint
les anciens, à la réserve d'un seul moderne, qui surpas-
sait à son goût et les vieux et les nouveaux. Le compagnon du Bourdaloue qui faisait l'entendu [14], et qui
s'était attaché à Despréaux et à Corbinelli, lui demanda
65 quel était donc ce livre si distingué dans son esprit? Il ne
voulut pas le nommer, Corbinelli lui dit : « Monsieur, je
vous conjure de me le dire, afin que je le lise toute la
nuit. » Despréaux lui répondit en riant : « Ah! Monsieur, vous l'avez lu plus d'une fois, j'en suis assuré. »
70 Le jésuite reprend, et presse Despréaux de nommer cet
auteur si merveilleux, avec un air dédaigneux, un *cotal*

1. Voir p. 36, note 6. — 2. Celui du diable. — 3. Relation (par la lecture). — 4. Tromper. —
5. *Thérèse* d'Avila. — 6. Sainte Jeanne de Chantal. — 7. Canonisé en 1726. — 8. Président à
mortier au parlement de Paris, protecteur de Boileau et d'un cercle animé par la pensée de
Bossuet, la défense des Anciens et la sympathie pour le jansénisme. — 9. L'évêque. — 10. Cf.
lettre 20, l. 4. — 11. Un autre jésuite. — 12. Boileau. — 13. Allusion à la célèbre Querelle. —
14. L'homme averti.

riso amaro [1]. Despréaux lui dit : « Mon Père, ne me pressez point. » Le Père continue. Enfin Despréaux le prend par le bras, et le serrant bien fort, lui dit : « Mon
75 Père, vous le voulez : eh bien! c'est Pascal, morbleu! — Pascal, dit le Père tout rouge, tout étonné, Pascal est beau autant que le faux peut l'être. — Le faux, dit Despréaux, le faux! sachez qu'il est aussi vrai qu'il est inimitable; on vient de le traduire en trois langues. » Le Père
80 répond : « Il n'en est pas plus vrai. » Despréaux s'échauffe, et criant comme un fou : « Quoi? mon Père, direz-vous qu'un des vôtres [2] n'ait pas fait imprimer dans un de ses livres, qu'un chrétien n'est pas obligé d'aimer Dieu? Oserez-vous dire que cela est faux? —
85 Monsieur, dit le Père en fureur, il faut distinguer. — Distinguer, dit Despréaux, distinguer, morbleu! distinguer, distinguer si nous sommes obligés d'aimer Dieu [3]! » et prenant Corbinelli par le bras, s'enfuit au bout de la chambre; puis revenant, et courant comme
90 un forcené, il ne voulut jamais se rapprocher du Père, s'en alla rejoindre la compagnie, qui était demeurée dans la salle où l'on mange : ici finit l'histoire, le rideau tombe. Corbinelli me promet le reste dans une conversation; mais moi, qui suis persuadée que vous trouverez
95 cette scène aussi plaisante que je l'ai trouvée, je vous écris, et je crois que si vous la lisez avec vos bons tons [4], vous la trouverez assez bonne. [...]

- **Approfondissements** (lettre 101)

    ① Richesse et organisation des lectures : prouver la primauté de la lecture sur ses contenus et expliquer l'exception faite pour écarter les sceptiques (l. 13); apprécier l'incitation à la culture vivante par la conversation, et la progression du programme vers le solide, mais aussi son éclectisme libéralisme, confirmé par la phrase (l. 21) que Gide aurait bien prise pour devise.
    ② Dévotion intellectuelle et morale : distinguer chez l'auteur la part de la foi (dont elle est sûre) et celle des œuvres (ou actions bonnes); rapprocher la chaleur du ton sur Corbinelli et l'emportement de Boileau dans l'anecdote, pour conclure sur l'« engagement » idéologique en religion à cette époque.
    ③ Apprécier la variété des tons (positif, oratoire, plaisant), et notamment l'art de l'anecdote animée (d'après une autre lettre) avec mise en action d'un tempérament irritable (jeux de scène, dialogues) et mise en valeur par l'intonation du lecteur (qualités scéniques).

---

1. « Avec certain rire amer » (Le Tasse, *Jérusalemn délivrée*). — 2. Jésuites. — 3. Cf. la future épître de Boileau, *Sur l'amour de Dieu*. — 4. Intonations.

102. A MADAME DE GRIGNAN

Aux Rochers, mercredi des cendres 8ᵉ février [*1690*].

[...] Je demande à Pauline [1] comme elle a passé son carnaval; car elle est dans l'âge où carême-prenant [2] se fait sentir. Il y a eu ici des personnes bien raisonnables et bien commodes pour moi : on jouait sans cesse, et
5   j'avais ma liberté. Mais hier, sans avoir **(r)** vu aucun mouvement, ma belle-fille sortit un moment avant souper, et tout d'un coup, celui qui sert sur table entre déguisé fort joliment, et nous dit qu'on a servi. Nous passons dans la salle, que nous trouvons éclairée, et ma
10   belle-fille toute masquée, au milieu de tous ses gens, et les nôtres, qui étaient aussi en mascarade : ceux qui tenaient les bassins pour laver, ceux qui donnaient les serviettes, tous les officiers [3], tous les laquais; c'était une troupe de plus de trente, si plaisamment fagotés,
15   que la surprise se joignant au spectacle, ce fut un cri, un rire, une confusion [4] qui réjouit fort notre souper; car nous ne savions qui nous servait, ni qui nous donnait à boire. Après souper, tout dansa : il y eut des *sonnoux* [5], on dansa tous les passe-pieds, tous les menuets, toutes
20   les courantes de village, tous les jeux des *gars* du pays. Enfin minuit sonna, et nous voilà en carême : vous souvient-il, ma très aimable, des mardis gras que nous avons passés ensemble, et où nous nous couchions si avant dans le carême? je suis charmée de vous retrouver
25   dans tous les temps de ma vie, et c'est toujours avec une tendresse sensible [6]. Adieu : tout vous aime ici; j'aime et honore tout ce qui est là [7].

103. A MADAME DE GRIGNAN

Aux Rochers, dimanche 19ᵉ février [*1690*].

Si vous me voyiez, ma chère bonne, vous m'ordonneriez de faire le carême; et ne me voyant plus aucune des petites incommodités [8] qui vous ont servi de raison autrefois pour me le faire rompre [9], vous seriez persua-

---

1. Voir p. 159, note 7. — 2. Les trois jours gras précédant le mercredi des Cendres (début de l'abstinence et du jeûne de Carême) et marqués par des farces et déguisements, notamment le Mardi gras. — 3. *Officiers* de bouche : domestiques. — 4. Pêle-mêle. — 5. Musiciens rustiques. — 6. Profonde. — 7. A Grignan. — 8. Légères maladies. — 9. Cesser le jeûne et l'abstinence.

⁵ dée, comme moi, que Dieu ne me donne une si bonne
santé, que pour obéir au commandement de l'Église;
ainsi, ma bonne, que votre tendresse soit en repos. Mon
fils est bien loin de me gouverner sur cela plus absolu-
¹⁰ ment que vous. Vous avez sur votre conscience plusieurs jours ¹ de deux ou trois carêmes qu'il n'a pas.
Nous faisons ici une fort bonne chère; nous n'avons pas
la rivière de Sorgue ², mais nous avons la mer; le poisson ne nous manque pas, et j'aime le beurre charmant
¹⁵ de la Prévalaie ³, dont il nous vient toutes les semaines;
je l'aime et je le mange comme si j'étais bretonne : nous
faisons des beurrées infinies, quelquefois sur de la
miche; nous pensons toujours à vous en les mangeant;
mon fils y marque toujours toutes ses dents, et ce qui me
²⁰ fait plaisir, c'est que j'y marque aussi toutes les miennes : nous y mettrons bientôt de petites herbes fines et
des violettes; le soir un potage avec un peu de beurre, à
la mode du pays, de bons pruneaux, de bons épinards;
enfin ce n'est pas jeûner, et nous disons avec confusion :

Qu'on a de peine à servir sainte Église ⁴! [...]

104. A MADAME DE GRIGNAN
ET AU CHEVALIER DE GRIGNAN

Aux Rochers, mercredi 19ᵉ avril [1690].

[...] Je reviens encore à vous, ma bonne, pour vous
dire que si vous avez envie de savoir en détail ce que
c'est qu'un printemps, il faut venir à moi. Je n'en
connaissais moi-même que la superficie ⁵; j'en examine
⁵ cette année jusqu'aux premiers petits commencements.
Que pensez-vous donc que ce soit que la couleur des
arbres depuis huit jours? Répondez. Vous allez dire :
« Du vert. » Point du tout, c'est du rouge. Ce sont de
petits boutons, tout prêts à partir, qui font un vrai
¹⁰ rouge; et puis ils poussent tous une petite feuille; et
comme c'est inégalement, cela fait un mélange trop joli
de vert et de rouge. Nous couvons tout cela des yeux;
nous parions de grosses sommes — mais c'est à ne
jamais payer — que ce bout d'allée sera tout vert dans
¹⁵ deux heures; on dit que non : on parie. Les charmes ont

1. D'interruption du carême. — 2. En Provence. — 3. Près de Rennes. — 4. Renversement
d'un vers de Marot : « Qu'on a de *maux...* » *(D'un gros prieur).* — 5. L'apparence approximative.

leur manière, les hêtres une autre. Enfin, je sais sur cela
tout ce que l'on peut savoir. Mais quelle folie! songeons,
ma chère bonne, à notre requête civile [1], et à mon pauvre Beaulieu [2], qui est aux prises avec une pleurésie; il a
20 été saigné dix fois : cela me fait un désordre étrange
[...].

VI. DERNIÈRES ANNÉES
(FIN 1690-FIN MARS 1696)

*Le temps de la séparation est terminé : que ce soit à
Grignan, à Paris, puis de nouveau et pour la dernière fois
à Grignan, la mère et la fille n'ont plus à correspondre
(hormis en mars-avril 1694, où l'épistolière quitte Paris
un mois après sa fille); aussi les lettres de ce temps vont-
elles à divers destinataires, dont l'heureux Coulanges sera
le principal, parvenant à nuancer de sa gaieté la gravité
d'andante que prendra l'épistolière avec les autres.*

A GRIGNAN (MAI 1694-AVRIL 1696)

105. A COULANGES

A Grignan, le 9ᵉ septembre [1694].

[...] Ce vilain degré [3] par où l'on montait dans la
seconde cour, à la honte des Adhémars [4], est entièrement renversé et fait place au plus agréable qu'on puisse
imaginer; je ne dis point grand ni magnifique, parce
5 que, ma fille n'ayant pas voulu jeter tous les appartements par terre, il a fallu se réduire à un certain espace,
où l'on a fait un chef-d'œuvre. Le vestibule est beau, et
l'on y **(g)** peut manger fort à son aise; on y monte par un
grand perron; les armes [5] de Grignan sont sur la porte;
10 vous les aimez, c'est pourquoi je vous en parle. Les
appartements des prélats [6], dont vous ne connaissez que
le salon, sont meublés fort honnêtement, et l'usage que

---

1. Pour un procès des Grignan. — 2. Maître d'hôtel de Mᵐᵉ de Sévigné, resté à Carnavalet;
il mourra en juillet, et sa femme Hélène, femme de chambre de Mᵐᵉ de Sévigné, mourra au
printemps de l'année suivante. — 3. Escalier. — 4. Nom de la souche des Grignan. — 5. Le
blason. — 6. Seigneur Corbeau et l'Abbé.

nous en faisons est très délicieux. Mais puisque nous y sommes, parlons un peu de la cruelle [1] et continuelle chère que l'on y fait, surtout en ce temps-ci; ce ne sont pourtant que les mêmes choses qu'on mange partout : des perdreaux, cela est commun; mais il n'est pas commun qu'ils soient tous comme lorsqu'à Paris chacun les approche de son nez en faisant une certaine mine, et criant : « Ah, quel fumet! sentez un peu »; nous supprimons tous ces étonnements; ces perdreaux sont tous nourris de thym, de marjolaine, et de tout ce qui fait le parfum de nos sachets [2]; il n'y a point à choisir; j'en dis autant de nos cailles grasses, dont il faut que la cuisse se sépare du corps à la première semonce [3] (elle n'y manque jamais), et des tourterelles, toutes parfaites aussi. Pour les melons, les figues et les muscats, c'est une chose étrange : si nous voulions, par quelque bizarre fantaisie, trouver un mauvais melon, nous serions obligés de le faire venir de Paris, il ne s'en trouve point ici; les figues blanches et sucrées, les muscats comme des grains d'ambre que l'on peut croquer, et qui vous feraient fort bien tourner la tête si vous en mangiez sans mesure, parce que c'est comme si l'on buvait à petits traits du plus exquis vin de Saint-Laurent [4]; mon cher cousin, quelle vie! [...]

106. A COULANGES

A Grignan, le 3ᵉ février [*1695*].

Madame de Chaulnes [5] me mande que je suis trop heureuse d'être ici avec un beau soleil; elle croit que tous nos jours sont filés d'or et de soie. Hélas! mon cousin, nous avons cent fois plus de froid ici qu'à Paris; nous sommes exposés à tous les vents; c'est le vent du midi, c'est la bise [6], c'est le diable, c'est à qui nous insultera; ils se battent entre eux pour avoir l'honneur de nous renfermer dans nos chambres; toutes nos rivières sont prises [7]; le Rhône, ce Rhône si furieux, n'y résiste pas; nos écritoires sont gelées; nos plumes ne sont plus conduites par nos doigts, qui sont transis; nous ne respirons [8] que de la neige; nos montagnes sont char-

---

1. Car coûteuse. — 2. *Sachets* odoriférants portés par les femmes dans leurs vêtements. — 3. Sommation. — 4. Dans le canton de Vence; il s'y vendait des vins de muscat. — 5. Voir p. 76, note 2. — 6. Vent du nord-est. — 7. Par le gel. — 8. N'attirons par notre respiration.

mantes [1] dans leur excès d'horreur [2]; je souhaite tous les
jours un peintre pour bien représenter l'étendue de toutes ces épouvantables beautés : voilà où nous en sommes. Contez un peu cela à notre duchesse de Chaulnes,
qui nous croit dans des prairies, avec des parasols, nous
promenant à l'ombre des orangers [3].

Vous avez très bien imaginé toutes les magnificences
champêtres de notre noce [4]; tout le monde a pris sa part
des louanges que vous donnez; mais nous ne savons ce
que vous voulez dire d'une première nuit de noce.
Hélas! que vous êtes grossier [5]! j'ai été charmée de l'air
et de la modestie [6] de cette soirée; je l'ai mandé à
Mme de Coulanges : on mène la mariée dans son appartement, on porte sa toilette, son linge, ses cornettes [7];
elle se décoiffe, on la déshabille, elle se met au lit; nous
ne savons qui va ni qui vient dans cette chambre; chacun
va se coucher; on se lève le lendemain, on ne va point
chez les mariés; ils se lèvent de leur côté, ils s'habillent;
on ne leur fait point de sottes questions : « Êtes-vous
mon gendre? êtes-vous ma belle-fille? » Ils sont ce qu'ils
sont; on ne propose aucune sorte de déjeuner; chacun
fait et mange ce qu'il veut; tout est dans le silence et
dans la modestie [8]; il n'y a point de mauvaise contenance, point d'embarras, point de méchantes [9] plaisanteries; et voilà ce que je n'avais jamais vu, et ce que je
trouve la plus honnête et la plus jolie chose du monde.

Le froid me glace et me fait tomber la plume des
mains. Où êtes-vous? à Saint-Martin, à Meudon, à
Bâville [10]? Quel est le bienheureux endroit qui possède
l'aimable et jeune [11] Coulanges? Je viens de dire pis que
pendre de l'avarice à Mme de Coulanges : les richesses
que laisse Mme de Meckelbourg [12] me donnent une joie
extrême de penser que je mourrai sans aucun argent
comptant, mais aussi sans dettes [13]; c'est tout ce que je
demande à Dieu, et c'est assez pour une chrétienne.

---

1. Envoûtantes. — 2. Ce qui cause un sentiment d'effroi mêlé d'admiration (L.). — 3. Illusion partagée jadis par l'épistolière; cf. lettre du 11 octobre 1671 : « Je ne connaissais la Provence que par les grenadiers, les orangers et les jasmins : voilà comme on nous la dépeint. »
— 4. Du petit marquis avec la richissime Mlle de Saint-Amant. — 5. Fruste. — 6. Décence. —
7. Voir p. 89, note 9. — 8. Discrétion. — 9. Médiocres. — 10. Résidence de Lamoignon; voir
p. 168, note 8. — 11. *Jeune* de caractère : il a soixante-deux ans. — 12. Sœur du maréchal de
Luxembourg. — 13. Ses efforts ne les éliminèrent pas toutes.

107. A COULANGES

A Grignan, le 15ᵉ octobre [1695].

Je viens d'écrire à notre duc et à notre duchesse de
Chaulnes [1], mais je vous dispense de lire mes lettres :
elles ne valent rien du tout; je défie tous vos bons tons [2],
tous vos points et toutes vos virgules, d'en pouvoir rien
5 faire de bon; ainsi laissez-les là; aussi bien je parle à
notre duchesse de certaines petites affaires peu divertis-
santes. Ce que vous pourriez faire de mieux pour moi,
mon aimable cousin, ce serait de nous envoyer, par
quelque subtil enchantement [3], tout le sens [4], toute la
10 force, toute la santé, toute la joie que vous avez de
trop [5], pour en faire une transfusion dans la machine [6]
de ma fille. Il y a trois mois qu'elle est accablée d'une
sorte de maladie qu'on dit qui **(l)** n'est point dangereuse
et que je trouve la plus triste et la plus effrayante de
15 toutes celles qu'on peut avoir [7]. Je vous avoue, mon
cher cousin, que je m'en meurs [8] et que je ne suis pas la
maîtresse de soutenir [9] toutes les mauvaises nuits
qu'elle me fait passer; enfin son dernier état a été si vio-
lent qu'il en **(g)** a fallu venir à une saignée du bras :
20 étrange remède, qui fait répandre du sang quand il n'y
en a déjà que trop de répandu! c'est brûler la bougie par
les deux bouts. C'est ce qu'elle nous disait; car au milieu
de son extrême faiblesse et de son changement, rien
n'est égal à son courage et à sa patience [...].

108. A MONSIEUR DE POMPONNE

A Grignan, 24ᵉ novembre [1695].

Que j'aurais de choses à vous dire, Monsieur, si je
voulais repasser sur tous les sujets de tristesse que vous
avez eus de votre côté et moi du mien; le respect, la
crainte de renouveler vos peines, et plus que tout la
5 confiance que vous connaissez mon cœur, et comme **(w)**
il est sensible à tout ce qui vous touche, m'a retenue

---

1. Voir p. 76, note 2. — 2. Intonations. — 3. Ensorcellement. — 4. Bon *sens*. — 5. Il était
toujours gai, même dans l'adversité. — 6. L'organisme (terme cartésien). — 7. En fait, sem-
ble-t-il, une ménopause pénible. — 8. Cette hyperbole précieuse si souvent utilisée deviendra
littérale quelques mois après. — 9. Supporter.

dans un silence que je crois que vous avez entendu [1]. Je
le romps aujourd'hui, Monsieur, parce que M. de Grignan ne trouve pas que le mariage d'une fille [2] mérite
d'en écrire à un ministre comme vous; et ma fille [3] ne
pouvant encore vous écrire de sa main et n'osant en
prendre une autre que la mienne, je me trouve insensiblement le secrétaire de l'un et de l'autre. Je sais que
vous aimez Mlle de Grignan; elle n'oserait changer de
nom sans que vous en soyez informé : celui de Simiane
n'est pas inconnu.

Voilà, Monsieur, toute ma commission finie; et
comme il y a quelque plaisir à se défaire de telle mar-
chandise, nous vous prions de faire Mademoiselle votre
fille [4] la *Félicité* d'une autre maison; c'est un présent
digne de vous, et qui recevra un nouveau prix quand
vous le ferez vous-même. Voilà, Monsieur, les conseils
que l'on donne quand on est sur le point de faire une
noce; mais elle se fera sans bruit et sans aucune cérémonie, et comme il convient à l'état de faiblesse où ma fille
est encore. J'espère qu'il nous reviendra des forces, que
nous emploierons à vous **(g)** aller dire nous-mêmes à
quel point vous êtes sincèrement honoré de tout ce qui
est [5] ici. Cependant nous perdons M. Nicole [6] : c'est le
dernier des Romains [7]. Et je suis toujours, Monsieur,
votre très humble et très obéissante servante,

LA M. DE SÉVIGNÉ

Nous vous supplions de faire part de cette lettre à
Madame votre femme, en l'assurant de nos très humbles
services.

109. A COULANGES

A Grignan, le 29ᵉ mars [1696].

Toutes choses cessantes, je pleure et je jette les hauts
cris de **(w)** la mort de Blanchefort [8], cet aimable garçon,
tout parfait, qu'on donnait pour exemple à tous nos jeunes gens. Une réputation toute faite [9], une valeur reconnue et digne de son nom, une humeur admirable pour

---

1. Compris. — 2. Pauline, qui va devenir Mme de Simiane. — 3. Mme de Grignan, toujours
malade. — 4. Félicité de Pomponne épousera, en 1696, Torcy, petit-fils de Colbert et secrétaire d'État. — 5. *Tout* le monde. — 6. Cf. lettres 35 et 36. — 7. Grandes âmes austères et
énergiques. — 8. Fils du maréchal; mort à vingt-sept ans. C'est la dernière lettre que nous
ayons de Mme de Sévigné. — 9. Déjà établie.

lui (car la mauvaise humeur tourmente), bonne pour ses amis, bonne pour sa famille; sensible à la tendresse de Madame sa mère, de Madame sa grand'mère, les aimant, les honorant, connaissant leur mérite, prenant plaisir à leur faire sentir sa reconnaissance, et à les payer par là de l'excès de leur amitié; un bon sens avec une jolie figure; point enivré de sa jeunesse, comme le sont tous les jeunes gens, qui semblent avoir le diable au corps [1]; et cet aimable garçon disparaît en un moment, comme une fleur que le vent emporte, sans guerre, sans occasion [2], sans mauvais air [3]! Mon cher cousin, où peut-on trouver des paroles pour dire ce que l'on pense de la douleur de ces deux mères, et pour leur faire entendre [4] ce que nous pensons ici? Nous ne songeons pas à leur écrire; mais si dans quelque occasion vous trouvez le moment de nommer ma fille et moi, et MM. de Grignan, voilà nos sentiments sur cette perte irréparable. Mme de Vins a tout perdu [5], je l'avoue; mais quand le cœur a choisi entre deux fils, on n'en voit plus qu'un. Je ne saurais parler d'autre chose.

Je fais la révérence à la sainte et modeste sépulture de Mme de Guise [6], dont le renoncement à celle des rois ses aïeux mérite une couronne éternelle. Je trouve M. de Saint-Géran [7] trop heureux, et vous aussi d'avoir à consoler Madame sa femme : dites-lui pour nous tout ce que vous trouverez à propos. Et pour Mme de Miramion [8], cette mère de l'Église, ce sera une perte publique.

Adieu, mon cher cousin : je ne saurais changer de ton. Vous avez fait votre jubilé [9]. Le charmant voyage de Saint-Martin a suivi de près le sac et la cendre [10] dont vous me parliez. Les délices dont M. et Mme de Marsan [11] jouissent présentement, méritent bien que vous les voyiez quelquefois et que vous les mettiez dans votre hotte [12]; et moi, je mérite d'être dans celle où vous mettez ceux qui vous aiment; mais je crains que vous n'ayez point de hotte pour ces derniers.

---

1. Cf. Charles de Sévigné. — 2. Combat. — 3. Contagion. — 4. Comprendre. — 5. Avec son fils unique. — 6. Enterrée au couvent des Carmélites après avoir refusé Saint-Denis, sépulture royale et princière. — 7. Décédé dans un confessionnal. — 8. Jadis enlevée par Bussy; depuis, fort pieuse. — 9. Cf. lettre 21, l. 44. — 10. Pénitences pour le jubilé, en termes imagés. — 11. Lieutenant général de Basse-Normandie. — 12. Expression de Coulanges lui-même dans sa lettre du 19 mars : « J'ai fait trois repas chez les Marsan, dont je me trouve à merveille; je m'en vais bien mettre leur maison dans ma hotte. »

- **Dernières lettres** (105 à 109)

L'éclat *(lettres 105 et 106)* : le trouver aussi bien dans l'éloge (presque lyrique pour les nourritures terrestres, *lettre 105,* et le cliché provençal, *lettre 106*) que dans la démythification du Midi (dynamisme des vents et métaphore chevaleresque, concision et juxtaposition, impressionnisme hardi sur la respiration, goût baroque de l'*horreur;* vers la fin, retour de thème avec le froid); apprécier l'aménité sans artifice envers l'exquis Coulanges; le goût de l'honnêteté (noce, *lettre 106;* dettes, *lettre 145*) ne contrarie nullement cet éclat, mais le double comme une étoffe plus douce.

L'assombrissement *(lettres 107 à 109)* : le déceler dans le pas pris par la maladie de Mme de Grignan sur la joie de Coulanges *(lettre 107)*, la pesanteur et presque la platitude de la politesse empesée envers Pomponne *(lettre 108)*, l'aspect un peu démesuré du ton dans les éloges funèbres *(lettre 109)*.
Si l'on y est sensible, y voir l'effet de la fatigue qui rend Mme de Sévigné alors si vulnérable. En tout cas relever des traces de vigueur épistolaire personnelle (le reste pouvant venir du souvenir de pieuses lectures) avec la brillante formule sur la saignée *(lettre 107,* l. 19-22, mais inventée par Mme de Grignan) et le badinage final sur carême et festivités de Coulanges (mais un peu en disparate).
— L'étonnante vieille dame, soit dans sa vivacité (souveraine dans la *lettre 106*), soit dans sa vigueur (même un peu appesantie dans les dernières lettres) presque épique dans l'élégie (cf. début de la *lettre 109* et celui de l'*Énéide : Arma virumque cano...*).

*Le Conrier François apportant toutes
sortes de Nouuelles.*

« Que c'est une belle invention que la poste! »

PH. MUSÉE POSTAL

ÉTUDE DES LETTRES
DE MADAME DE SÉVIGNÉ

La parure   C'est par les ornements et les agréments que les *Lettres* de Mme de Sévigné commencent à séduire; c'est là son « clinquant », et l'on sait que ce terme pouvait désigner des lamelles d'argent ou d'or pur; loin de nous l'idée de mépriser cette « Sévigné de tout le monde », elle est déjà fort appréciable.

Le jeu charmant du badinage et les grâces de la préciosité spirituelle, prédominants dans ses débuts, parsèment toute son œuvre, et la lettre 104 y sacrifie encore. Ils transfigurent de très prosaïques messages (renvoi de domestique, bilan de santé) et donnent, à des faits un peu secs ou minces, du volume et de l'éclat.

Avec déjà moins d'artifice, la joliesse et le goût du romanesque marquent le choix et le caractère de tels paysages et de telles scènes qui, par là, tendent à se suffire à eux-mêmes et à former de petits morceaux d'anthologie.

Il en va de même avec des anecdotes et chroniques plus développées, à la saveur souvent piquante, et on lira sans déplaisir, outre les extraits réunis ici, des passages consacrés à une dispute (25 novembre 1655), aux chanoines nègres (20 mars 1671), à Brancas (10 août 1671), à La Mousse (30 septembre 1671), à une autre dispute (12 juillet 1675), à une métamorphose (22 mars 1676) ou à une ultime dispute (28 mars 1689).

Mais ce qui confère à ces modes de parure leur richesse, c'est la formulation habile, avec sa valeur expressive et sa mise en évidence grâce à des accumulations étourdissantes, sans lourdeur aucune; on pense à cet art d'attirer l'attention que Taine voyait à juste titre chez La Bruyère, mais qui joue aussi chez notre auteur, non plus dans la concentration des effets, mais dans leur extension animée. Avec cette épithète apparaît un aspect tout autre que décoratif, qui donne vie aux accumulations et coule de source chez notre épistolière.

Le mouvement   Autant la parure était artifice et trait d'époque, autant le mouvement traduit la nature même de l'auteur. Le primesaut et le caprice la caractérisent dans ses réactions et son rayonnement; il en va de même pour son œuvre. A l'époque de la « période » chère à Guez de Balzac ou à Bossuet, de la grande phrase à tout le moins et de la symétrie, voici une plume qui saute alertement (sauf dans les pastiches plus ou moins inconscients de l'éloquence religieuse) de phrase ou membre de phrase courts en phrase ou membre de phrase brefs, sans densité, grâce à l'élan qui entraîne déjà un La Fontaine et qui fera le pétillement d'un Voltaire.

La langue de la correspondance est marquée de cette allure *à sauts et à gambades,* comme chez Montaigne, par le vocabulaire vivement familier ou dru, qui nous rappelle que la marquise a été élevée dans une famille de type bourgeois; elle nous montre le postillon *le cul sur la selle* (26 août 1671) ou *crotté jusqu'au cul* (13 décembre 1671); ailleurs, on trouve force termes expressifs comme : *lettre un peu séchette; pétoffe; saboulage; bicoque; brésillée; billebaude; ébobise* ou *croustilles* que, sans même les comprendre, on savoure pour leurs sonorités; des locutions familières sont assimilées sans vergogne : *rendre tripes et boyaux; midi à quatorze heures; réveiller tous les chats qui dorment,* etc. Enfin, il faut noter, chez cette prétendue puriste, des irrégularités grammaticales et des négligences stylistiques dont elle est la première à se plaindre, les expliquant par le grand secret de son art, dont elles sont la légère scorie : écrire à bride abattue. Même Sainte-Beuve, en les minimisant il est vrai, les excuse lorsqu'il dit du style Sévigné : « Hasardé? Il est abondant, débordant, irrégulier; mais quand on est à ce degré chez soi, dans le plein de la langue et de la veine française, on peut tout oser et se permettre, on peut hardiment écrire comme on parle et comme on sent. » Voilà dit l'essentiel : style parlé, avec le goût charnel des mots, on l'a vu; mais aussi style senti.

Mme de Sévigné a une capacité de perception et de curiosité sans cesse en éveil, qui durera jusqu'au grand âge, où elle découvre le printemps breton ou l'hiver provençal. Surtout, elle est attentive à ce don de saisie instantanée, et heureuse à l'exprimer; on pourrait appeler cette aptitude à noter le réel paradoxal son imagination reproductrice, et l'on a vu dans l'introduction le plaisir qu'elle procurait à Proust (côté Dostoïevski); mais elle se double d'une imagination re-créatrice, qui lui permet de voir, sinon dans le détail, au moins dans le mouvement, ce dont elle n'a que des relations fragmentaires ou sèches; d'où un trompe-l'œil doublé par le trompe-l'oreille de la verve et du rythme irrésistible ou envoûtant.

L'engagement affectif de l'épistolière dans son propos vient aussi donner force et vitalité à celui-ci; sans doute sa passion maternelle s'épanche-t-elle avec quelque monotonie, et Claudel parle justement « du flot parfois fatigant de tendresses éperdues » qu'elle déverse. Mais hors cela, qui n'est pas sans intérêt à d'autres égards, on le verra, que de scènes dramatiques, que d'élégies, que de tableaux intimes, que d'invectives, que de croquis féroces ou drôles, que de comique et de satire! En ce dernier domaine s'épanouit la gaieté naturelle de l'auteur, doublée par son désir de divertir et son coup d'œil amusé.

On conçoit que l'art du ton soit essentiel pour rendre avec bonheur des élans aussi divers; à la différence de La Fontaine, Mme de Sévigné ne les mêle jamais : elle les juxtapose à ravir. Ainsi Claudel peut-il reprendre sa métaphore fluviatile pour dire : « C'est tantôt le Rhône torrentueux qui roule mille contes ensemble sans souci des paragraphes, tantôt la Loire qui s'attarde en une lame paresseuse. » De même, M. Cordelier insiste justement sur l'art musical de notre auteur, louant les attaques de ses lettres, les leitmotive et leurs reprises, les éclairs qui brisent le *tempo*. Le dynamisme est devenu comble de l'art. N'est-il pourtant qu'illusionnisme habile?

L'étoffe   Au-delà des prestiges et de la magie verbale les *Lettres* offrent, comme presque toutes les grandes œuvres du siècle, l'attrait de la psychologie; et certes l'étude moraliste est très inférieure à ce que proposent un La Rochefoucauld ou plus tard un Saint-Simon; aussi n'est-ce pas là qu'il faut chercher, mais dans la psychologie vécue, soit instantanée et saisie dans ses éclairs révélateurs, soit intimement suivie dans la durée; en particulier, cette passion racinienne de la mère pour la fille, traquée en tous ses replis, confère à ces *Lettres,* demi-dialogue réduit en général à un monologue, l'épaisseur d'un dialogue grâce au tourment qui amène à confronter à soi l'être aimé.

Nous sommes pourtant loin du document clinique, et c'est le tout d'une personnalité sur quoi se détache une telle passion; or cette personnalité, on l'a vu, est de richesse et d'équilibre, ce qui se ressent dans l'œuvre même, avec les nuances, la sensibilité, l'humanité qui rétablissent l'harmonie et élèvent les vues. C'est encore la tenue avec laquelle s'expriment jusqu'aux épanchements du cœur.

Le tout d'un être, c'est aussi ce qu'il pense, ce qu'il croit, et là encore, une riche moisson nous est offerte à travers les réflexions, méditations et conseils qui parsèment les *Lettres*. La lucidité, teintée de relativisme et de tolérance idéologique, se double, comme elle le fera chez les héros de Stendhal, d'une sorte de candeur, de naïveté propres à la pensée jaillissante et qui se cherche; d'où une disponibilité intellectuelle séduisante.

Le fil de la pensée dans la vie nous montre le rôle de la durée dans cette correspondance où il faut, pour finir, voir une *œuvre,* formant un tout; avec la totalité d'un être, on a la totalité d'une vie, et une épaisseur proche de celle d'un roman.

On y trouve des personnages constants ou momentanés, des épisodes qui se déploient, et un regard central sur toutes choses.

Au reste, la matière n'en est nullement fictive, et la toile de fond en est une société, des régions et une époque données. Certes la valeur documentaire en est limitée, et nous ne connaissons pas, dans les grandes affaires, le dessous des cartes; mais c'est bien plutôt la trame quotidienne de l'existence qui se révèle. Lanson avait bien raison d'y trouver « une image fidèle de la vie noble au XVIIᵉ siècle » (du moins à Paris et en province, sinon à la Cour), et M. Adam « le climat du règne » (avec souvent l'avantage d'un regard critique). Il n'est pas jusqu'à la littérature et aux goûts sur quoi Mme de Sévigné ne nous donne des aperçus circonstanciés; et même sur ce qu'on lui reproche de méconnaître, comme le théâtre de Racine, elle apporte, dans le détail de ses attendus, des vues qui sont loin d'être négligeables.

L'essentiel toutefois n'est pas la valeur documentaire des *Lettres,* mais le fait que, comme les *Mémoires,* et notamment ceux de Saint-Simon, elles reflètent leur auteur et constituent une œuvre cohérente au ton de voix unique dans sa variété rutilante de surface; bref, une œuvre d'art.

PH. ROGER-VIOLLET

Adresse d'une lettre de Madame de Sévigné à sa fille.
Observer les pliures : la lettre était pliée en six, puis cachetée.

JUGEMENTS D'ENSEMBLE

TÉMOIGNAGES

Mlle DE SCUDÉRY, *Clélie* (3ᵉ partie, suite, l. III) :

Clarinte a l'imagination vive, et l'air de toute sa personne est si galant, si propre et si charmant, qu'on ne peut, sans honte, la voir sans l'aimer. Elle avoue pourtant qu'elle est quelquefois sujette à quelques petits chagrins sans raison, qui lui font faire trêve avec la joie pour trois ou quatre heures seulement [...]. Sa conversation est aisée, divertissante et naturelle : elle parle juste; elle parle bien, elle a même quelquefois certaines expressions naïves et spirituelles qui plaisent infiniment; et quoique elle ne soit pas de ces belles immobiles qui n'ont pas d'action, toutes les petites façons qu'elle a n'ont aucune affectation et ne sont qu'un pur effet de la vivacité de son esprit, de l'enjouement de son humeur et de l'heureuse habitude qu'elle a prise d'avoir toujours bonne grâce [...]. Clarinte aime fort à lire, et ce qu'il y a de mieux, c'est que, sans faire le bel esprit, elle entend admirablement toutes les belles choses [...]. Quand il le faut, elle se passe du monde et de la Cour, et se divertit à la campagne avec autant de tranquillité que si elle était née dans les bois [...]. Elle écrit comme elle parle, c'est-à-dire le plus agréablement et le plus galamment qu'il est possible [...]. Jamais nulle autre personne n'a su mieux l'art d'avoir de la grâce sans affectation, de l'enjouement sans folie, de la propreté sans contrainte, de la gloire sans orgueil et de la vertu sans sévérité.

BUSSY, *Histoire amoureuse des Gaules* (Histoire de Mme de Cheneville = Sévigné) :

Il n'y a point de femme qui ait plus d'esprit qu'elle, et fort peu qui en aient autant; sa manière est divertissante : il y en a qui disent que, pour une femme de qualité, son caractère est un peu trop badin. Du temps que je la voyais, je trouvais ce jugement-là ridicule, et je sauvais son burlesque sous le nom de gaieté : aujourd'hui qu'en ne la voyant plus son grand feu ne m'éblouit pas, je demeure d'accord qu'elle veut être trop plaisante. Si on a de l'esprit, et particulièrement de cette sorte d'esprit, qui est enjoué, on n'a qu'à la voir, on ne perd rien avec elle : elle vous entend, elle entre juste en tout ce que vous dites, elle vous devine, et vous mène d'ordinaire bien plus loin que vous ne pensez aller [...]. Pour avoir de l'esprit et de la qualité, elle se laisse un peu trop éblouir aux grandeurs de la Cour : le jour que la reine lui aura parlé, et peut-être demandé seulement avec qui elle sera venue, elle sera transportée de joie.

TALLEMANT DES RÉAUX, *Historiettes* (Éd. Adam, Pléiade, t. II, p. 429) :   [Elle] a l'esprit fort vif et fort agréable. Elle est brusque et ne peut se tenir de dire ce qu'elle croit joli, quoique assez souvent ce soient des choses un peu gaillardes; même elle en affecte et trouve moyen de les faire venir à propos.

M. DE GRIGNAN, *Lettre à Coulanges* (23 mai 1696) :
    Ce n'est pas seulement une belle-mère que je regrette, ce nom n'a pas accoutumé d'imposer toujours; c'est une amie aimable et solide, une société délicieuse. Mais ce qui est encore bien plus digne de notre admiration que de nos regrets, c'est une femme forte dont il est question, qui a envisagé la mort, dont elle n'a point douté dès les premiers jours de sa maladie, avec une fermeté et une soumission étonnantes. Cette personne si tendre et si faible pour tout ce qu'elle aimait, n'a trouvé que du courage et de la religion quand elle a cru ne devoir songer qu'à elle, et nous avons dû remarquer de quelle utilité et de quelle importance il est de se remplir l'esprit de bonnes choses et de saintes lectures, pour lesquelles Mme de Sévigné avait un goût, pour ne pas dire une avidité surprenante, par l'usage qu'elle a su faire de ces provisions dans les derniers moments de sa vie.

COMPARAISONS

VOLTAIRE, *Siècle de Louis XIV* (Ch. 32, Des beaux-arts) :
    Mme de Sévigné, la première personne de son siècle pour le style épistolaire, et surtout pour conter des bagatelles avec grâce [...]. Ses lettres, remplies d'anecdotes, écrites avec liberté et d'un style qui peint et anime tout, sont la meilleure critique des lettres étudiées où l'on cherche l'esprit.

Mme DU DEFFAND, *Lettre à Horace Walpole* (21 mars 1768) :
    [Les lettres de Mme de Maintenon] ne sont point animées, et il s'en faut beaucoup qu'elles soient aussi agréables que celles de Mme de Sévigné. Tout est passion, tout est en action dans celles de cette dernière, elle prend part à tout, tout l'affecte, tout l'intéresse.

SAINTE-BEUVE, *Portraits de femmes* (article de 1829) :
    Certes une femme qui, mêlée dès sa jeunesse aux Ménage, aux Godeau, aux Benserade, se garantit par la seule force de

son bon sens, de leurs pointes et de leurs fadeurs; qui esquive, comme en se jouant, la prétention plus raffinée et plus séduisante des Saint-Évremond et des Bussy; une femme qui, amie, admiratrice de Mlle de Scudéry et de Mme de Maintenon, se tient à égale distance des sentiments romanesques de l'une et de la réserve un peu renchérie de l'autre; qui, liée avec Port-Royal et nourrie des ouvrages de ces Messieurs, n'en prise pas moins Montaigne, n'en cite pas moins Rabelais, et ne veut d'autre inscription à ce qu'elle appelle *son couvent* que *Sainte liberté*, ou *Fais ce que voudras*, comme à l'abbaye de Thélème; une telle femme a beau folâtrer, s'ébattre, *glisser sur les pensées*, et prendre volontiers les choses par le côté familier et divertissant, elle fait preuve d'une énergie profonde et d'une originalité d'esprit bien rare.

SYNTHÈSES

Sainte-Beuve, *Nouveaux Lundis* (article de 1865) :
    Nulle, parmi les femmes françaises, n'a possédé à ce degré l'imagination et l'esprit. Il y en a certainement d'autant d'esprit, mais l'imagination est absente, ou elle est forcée, elle est froide. Il y en a certainement qui ont autant d'imagination, autant de couleur, mais alors l'esprit ne paraît pas au niveau. Chez Mme de Sévigné, le mariage entre les deux est naturel. Elle, La Fontaine et Molière, ce sont les trois fonds les plus naturels en tout et les plus spontanément fertiles du grand siècle.

M. Proust, *A la recherche du temps perdu* (*A l'ombre des jeunes filles en fleur*, Pléiade, t. I, p. 653-654) :
    Il ne faut pas se laisser tromper par des particularités purement formelles qui tiennent à l'époque, à la vie de salon et qui font que certaines personnes croient qu'elles ont fait leur Sévigné quand elles ont dit : « Mandez-moi, ma bonne » [...]. Mais ma grand'mère, qui était venue à celle-ci par le dedans, par l'amour pour les siens, pour la nature, m'avait appris à en aimer les vraies beautés, qui sont tout autres [...]. Mme de Sévigné est une grande artiste de la même famille qu'un peintre [...] qui eut une influence si profonde sur ma vision des choses, Elstir. Je me rendis compte à Balbec que c'est de la même façon que lui qu'elle nous présente les choses, dans l'ordre de nos perceptions, au lieu de les expliquer d'abord par leur cause. Mais déjà cet après-midi-là, dans ce wagon, en relisant la lettre où apparaît le clair de lune [...] je fus ravi par ce que j'eusse appelé un peu plus tard (ne peint-elle pas les paysages de la même façon que, lui, les caractères?) le côté Dostoïevski des *Lettres de Mme de Sévigné*.

P. Claudel, *Accompagnements : La dame en rouge* (Pléiade, *Prose*, p. 445) :

Les *Mémoires,* ceux de Saint-Simon par exemple, c'est le style indirect, ils ne nous permettent de voir qu'avec les yeux du rapporteur. Mais ici ce n'est pas la marquise seule qui a la parole. Autour d'elle, les siens, ses amis, sa petite-fille, les Coulanges, Bussy-Rabutin, les de Chaulnes, la duchesse *(sic)* de La Fayette, tout cela, chacun avec sa propre voix, en un brouhaha de volière, parle, raconte, décrit, pince, caresse, demande, élude, reproche, excuse, poursuit sans fin, au milieu des larmes, des exclamations, des chansons, des bons mots et des éclats de rire, un récit vif qui se faufile à travers le lourd dessin de l'histoire officielle [...]. Ce n'est plus du passé, c'est du présent, de l'actualité à mesure authentifiée par un don instantané de rédaction.

J. Cordelier, *Madame de Sévigné par elle-même* (Éd. du Seuil, p. 90) :

Cette alchimie où les curiosités d'une mondaine et celles d'une dévoreuse de livres, où la passion d'une mère, les désespoirs d'une mortelle et les angoisses d'une chrétienne se fondaient au creuset du style, cette alchimie donnait naissance aux récits dont les couleurs sont demeurées intactes, au babillage qui m'ennuie jamais, si l'on perçoit la petite musique sous l'apparente futilité du propos.

VUES ET CONTROVERSES

É. Faguet, *Madame de Sévigné* :

L'imagination de Mme de Sévigné n'est pas l'imagination créatrice; Mme de Sévigné n'invente jamais rien. L'imagination de Mme de Sévigné, c'est l'imagination qui peint, qui trouve le dessin, les couleurs, les ombres, les reflets par où entreraient dans les yeux et dans les esprits, avec une puissance de pénétration prodigieuse, les choses qu'elle a vues, que vous avez vues aussi peut-être mais qui étaient pâles ou ternes ou grises avant qu'elle ne vous les eût montrées.

G. Lanson, *Histoire de la littérature française* :

Sa qualité essentielle et dominante, c'est l'imagination; et ce qui fait de ses *Lettres* une chose unique, c'est cela : une imagination puissante, une riche faculté d'invention verbale, deux dons de grand artiste, dans un esprit de femme plus distingué qu'original, et appliqué à réfléchir les plus légères impressions d'une vie assez commune, ou les événements journaliers du monde environnant [...] image fidèle de la vie noble au xviie siècle.

D. Mornet, *Histoire de la littérature française classique :*
  Si grand que soit chez Mme de Sévigné le talent du conteur, du peintre, de la femme d'esprit, ce n'est pas là le plus grand charme de ses lettres. Leur originalité unique est d'être l'image complète, fidèle, d'une femme profondément originale.

É. Henriot, *Mme de Grignan et sa mère* (*Le Temps,* 21 juin 1938) :
  Mais tous ces mouvements qu'elle se donne, ses cris, ses larmes, ses désespoirs de Niobé ou de Proserpine, son besoin d'être au fait de tout, la première; et ses vapeurs, et ses doléances! Je cherche d'une épithète convenable à la définir, en ses excès; je n'en trouve qu'une : elle devait parfois être fatigante.

A. Adam, *Histoire de la littérature française au XVIIe siècle* (t. IV) :
  (Lettres.) Leur époque s'y reflète tout entière, bien plus que dans Molière ou dans La Fontaine. Certains ont dit qu'elles ne nous instruisent guère sur les coulisses de la vie politique, sur les intrigues de la Cour, sur les cercles savants, sur la vie littéraire. Elles font mieux. Elles nous restituent le climat du règne.

J. Cordelier, *Madame de Sévigné par elle-même :*
  Mme de Sévigné imaginait : c'est une visionnaire. Elle fréquente juste assez la Cour et les grands et le monde pour mettre en branle son imagination. Le reste, c'est-à-dire l'essentiel, se passait dans son esprit [...]. Ainsi ses lettres les meilleures, je veux dire les plus riches et les plus belles, sont-elles écrites non à Paris, mais à la campagne, celle de Livry ou celle des Rochers (p. 57).

B. Bray, *Quelques aspects du système épistolaire de Mme de Sévigné :*
  La relation sentimentale à sa fille constitue certes une condition essentielle et déterminante de l'élaboration de l'œuvre; mais l'exigence littéraire est probablement plus fondamentale encore.

R. Duchêne, *Réalité vécue et art épistolaire :*
  Avec la séparation, bien dire, bien écrire donc, deviennent de simples moyens pour trouver le chemin du cœur de la bien-aimée, lui communiquer ses sentiments sur le registre convenable.

SUJETS DE DEVOIRS

Compositions françaises

1. Discours pour l'inauguration du boulevard (ou du lycée ou de la salle) Sévigné dans votre ville.
2. Portrait de Mme de Sévigné par La Rochefoucauld (ou en personnage de roman par Mme de La Fayette).
3. Lettre de Mme de Sévigné sur une représentation de *Bérénice*, ou sur l'*Oraison funèbre d'Henriette d'Angleterre*, ou sur *les Femmes savantes;* ou sur la cérémonie de mariage de son fils en Bretagne; ou en réponse aux sollicitations de Mme de La Fayette pour son retour à Paris (1689).
4. Réponse de Mme de Grignan au lamento de sa mère après la séparation de 1671 ou lors des mésententes de 1677; du petit marquis de Grignan à sa grand'mère *(lettre 98)* ou de Coulanges à la lettre sur l'hiver provençal *(lettre 106)*.
5. Avec Mme de La Fayette et La Rochefoucauld, conversation explorant les *terres inconnues* de la psychologie.

Dissertations

1. Expliquer (et éventuellement commenter) tout ou partie de tel des témoignages (voir p. 183-184) ou faire leur synthèse à tous.
2. Expliquer et commenter telle comparaison (p. 184-185) ou telle synthèse (p. 185-186).
3. Commenter et discuter tel texte de controverse ou confronter ceux qui s'opposent entre eux (p. 186-187); commenter et discuter tel jugement cité en introduction (p. 9 à 11).

Thèmes de réflexion (pour exposés ou dissertations)

1. L'héritage précieux (romanesque, badinage, jeux et divertissements, joliesse).
2. Généralités précieuses et impressionnisme aigu dans la description, dans l'évocation et dans l'image.
3. Le « côté Dostoïevski » de Mme de Sévigné (cf. Proust).
4. Goûts baroques et solidité classique.
5. Goût de l'héroïque (cornélien et décoratif) et sens inné du comique.
6. L'analyse moraliste et la lucidité en situation (et non dans l'abstrait et l'intemporel).

7. Revirements, contradictions et complexité chez Mme de Sévigné; ses coups de sonde ou de projecteur.
8. Sa passion racinienne non sentie comme telle (et proustienne avant la lettre).
9. Attachements et conflits avec Mme de Grignan.
10. Mme de Grignan.
11. Charles de Sévigné.
12. Fantaisie et jeunesse d'esprit de Mme de Sévigné.
13. Politesse et courage dans la « tenue » de ses lettres.
14. Honnêteté et morale chez Mme de Sévigné.
15. Humanité et délicatesse chez Mme de Sévigné.
16. Mme de Sévigné aristocrate et bourgeoise.
17. Mme de Sévigné et la religion.
18. Aspects et expression de son sens de l'intimité.
19. Formes et expression de son sens de la nature.
20. Valeur thérapeutique des *Lettres* (lien, exutoire, plaisir).
21. Plaisir d'écrire et goût des mots (pittoresque, etc.).
22. Fermeté et art formulaire.
23. Éloquence plus sermonnaire que rhétorique.
24. Art de l'anecdote (chronique soit journalistique, soit intimiste à la Chardonne).
25. Art d'attirer l'attention.
26. Accumulations, concision et vivacité.
27. La « petite musique » de Mme de Sévigné (attaques, tempo, rythmes, leitmotive, réexpositions ou rappels, etc.).
28. Tenue et caprices (ou irrégularités) de langue et de style.
29. Douceur ou pesanteur de l'élégie (passionnée ou funèbre).
30. Les *Lettres* comme monologue ou dialogue.
31. L'art des dialogues d'animation et des scènes narrées (mais sans dramaturgie, car non intégrés à un ensemble).
32. Les *Lettres* et l'épaisseur romanesque : durée, personnages, épisodes suivis, point de vue, etc. (mais non roman par lettres).
33. Les *Lettres* et les *Mémoires* (parenté et différences).
34. Imagination reproductrice, re-créatrice et visionnaire.
35. Valeur documentaire sur l'époque (en quels domaines?).
36. Vérité et partialité ou enjolivement.
37. La culture de Mme de Sévigné (notamment l'italianisme).
38. Mme de Sévigné lectrice et critique littéraire.
39. Mme de Sévigné et La Fontaine, ou Molière; Racine; Bossuet; Saint-Simon; Mme de Staël; Proust; Colette.
40. Conclusions personnelles et pratiques sur l'art de mieux faire ses propres lettres.

PETITE ANTHOLOGIE
D'EXPRESSIONS PITTORESQUES

Cette lettre du vendredi est sur la pointe d'une aiguille (17 avril 1671).

Il semblait que tous les pavés fussent métamorphosés en gentilshommes (9 août 1671).

Je vis défaire la petite malle devant moi; et en même temps, *frast, frast,* je démêle le mien (13 décembre 1671).

Voilà votre fille au coin de mon feu, avec son petit manteau d'ouate. Elle parle plaisamment : *et titata, tetita, y totata* (Noël 1671).

Les courtisans croient qu'il ne faut que des pommes cuites pour en venir à bout (prise d'Orange; 30 décembre 1671).

Son fils a encore assez de nez pour en perdre la moitié au premier siège, sans qu'il y paraisse (12 janvier 1674).

La Bertillac, qui est comme une potée de souris (7 août 1675).

Mais elle *bobillonne* et pleure et ne résout rien (19 août 1675).

Ce qui paraissait frivole a été solide, et ce qui paraissait de l'or en barre est devenu des feuilles de chêne (27 octobre 1675).

Monsieur de Saint-Malo, qui est Guémadeuc, votre parent, et sur le tout une *linotte mitrée* (8 décembre 1675).

Je voudrais que vous l'eussiez vue les matins manger une beurrée longue comme d'ici à Pâques, et l'après-dînée croquer deux pommes vertes avec du pain bis (1er janvier 1676).

Une grande lettre toute bredouillée de protestations et de compliments (8 janvier 1676).

Les arbres pleuvaient dans le parc, et les ardoises dans le jardin *(id.).*

(main malade) On lui présente une cuiller, point de nouvelle; elle tremblote et renverse tout; on lui demande encore d'autres certaines choses, elle refuse tout à plat, et croit que je lui suis encore trop obligée (17 avril 1676).

C'est bien ce papillon dont je parlais à mon fils, sur quoi on croit mettre le pied et qui s'envole toujours (2 juillet 1677).

Mon fils brillote à merveilles (29 septembre 1679).

Cette grande Mlle du Coudray, qui ressemble à une aiguille à tapisserie (25 octobre 1679).

Tous les vices et toutes les vertus sont jetés pêle-mêle dans le fond des provinces; car je trouve des âmes de paysans plus droites que des lignes, aimant la vertu, comme naturellement les chevaux trottent (21 juin 1680).

Je n'ai pas beaucoup d'esprit; mais il me semble que je dépense ici ce que j'en ai, en pièces de quatre sols, que je jette et que je dissipe en sottises; et cela ne laisse pas de me ruiner (6-7 août 1680).

Jusques ici la foi avait couru au-devant de la vérité, et je prenais pour elle mon espérance (14 février 1685).

Ma plaie disparaît tous les jours : Monpezat, pezat, zat, at, t, voilà ma plaie (*id.*).

Je n'ose m'abandonner à toute la joie que me donne la pensée de vous embrasser; je la cache, je la mitonne, j'en fais un mystère, afin de ne point donner d'envie à la fortune de me traverser (8 août 1685).

(Coulanges) Nulle vérité ne demeure captive avec lui. Il est toujours trop joli, et tellement vif et plaisant, et des imaginations si surprenantes, que je ne m'étonne point qu'on l'aime dans tous les lieux où l'on aime la joie (*id.*).

(Vivonne) Il est mort en un moment, dans un profond sommeil, la tête embarrassée, et entre nous, aussi pourri de l'âme que du corps (22 septembre 1688).

Sa pauvre mère est morte dans l'horreur de la surprise criant : « Quoi? il faut donc crever ici? » et frémissant de la proposition des sacrements; elle les a reçus dans un horrible et profond silence (8 octobre 1688).

On mange son avoine tristement, mais enfin on la mange (18 octobre 1688).

Cette souris de douleur qui lui court à une main, puis à l'autre (3 novembre 1688).

Point de main extravagante, point de leurre, point de *hi,* point de *ha* (6 décembre 1688).

Ce beau sang bouillant qui fait les héros et la goutte (25 septembre 1689).

Ne vous représentez point que je sois dans un bois obscur et solitaire, avec un hibou sur ma tête (4 décembre 1689).

Elle fera de grands cris, et vous trouvera trop généreuse, comme vous l'êtes en effet, et moi bien vilaine, bien crasseuse, bien infâme (12 juillet 1690).

TABLE DES MATIÈRES

Imprimerie Berger-Levrault, Nancy – 779683-5-1986
Dépôt légal : mai 1986 – Dépôt 1re édition : 1968
Imprimé en France